# Dis-lui au revoir

# Dis-lui au revoir

Elle a fait de l'oubli son refuge.
Mais sa mémoire n'a pas dit son dernier mot…

## ROMAN

## *Jeanne Yliss*

**Numéro de CopyrightDepot.com 00065858-1**
**Jeanne Yliss 2019**
**Dépôt légal juin 2021**

**ISBN  978-2-9567470-1-7**

# DU MÊME AUTEUR

*COLLECTION GRISE*
**romans du genre suspense psychologique, thriller psychologique,
thriller domestique :**

*Pas sans lui*
*Dis-lui au revoir*
*Le mensonge des mères*
*Les cocottes bleues*
*L'ombre du doute*

*COLLECTION BLANCHE*
**romans du genre littérature blanche, tranches de vie :**

*Et je suis devenue le vent*
*Au creux de nos bras*
*Le silence du violoncelle*

Retrouvez tous mes romans en scannant le QR code ci-dessous

**Retrouvez-moi sur mon site internet jeanneyliss.fr
Suivez mon actualité sur Instagram et Facebook @jeanneyliss**

*Un merci tout particulier à Manu, sans qui ce livre ne serait pas.*

# 1

**7H00** : Le réveil sonne pour la troisième fois. Comme à chaque coucher de lune, Julie peine à se lever. Elle s'est à nouveau battue toute la nuit contre insomnies et cauchemars. Franck dort encore. Elle se glisse hors du lit sans bruit. Elle se prépare à toute vitesse. Sa journée de travail débute par une réunion aux enjeux cruciaux. Elle doit être présentable et ponctuelle. Un défi qu'elle relève au quotidien.

— Les jumeaux ? Dépêchez-vous. Vous allez rater le bus !

Elle les interpelle depuis l'étage : elle entend des bruits de vaisselle dans la cuisine alors qu'ils devraient déjà être partis. Vivre vite. Elle ne sait faire que ça. Et elle entraîne toute sa famille dans ce rythme effréné. Elle a besoin de remplir chaque heure, chaque minute, chaque milliseconde. Depuis toujours.

— À plus mom' !

La porte claque. Elle n'a pas pris le temps de les embrasser ni de les voir. Eux non plus. Comme tous les matins. Quand elle rentrera ce soir, ils seront dans leur chambre, *AirPods* dans les oreilles, musique en perfusion auditive. Ils se donneront peut-être la peine d'échanger quelques mots. Si Julie n'est pas trop épuisée et les adolescents pas trop occupés avec leurs réseaux sociaux.

**7H30** : La belle blonde se dépêche. Elle doit être en salle de réunion dans vingt-cinq minutes. Elle se maquillera dans la voiture, d'où elle passera ses premiers appels professionnels. Elle emporte un mug de café pour le trajet. Habillée de son manteau de laine et de son énergie, elle quitte la maison. Elle s'installe derrière le volant et démarre à la hâte tout en extirpant un rouge à lèvres de son sac à main. À peine sortie du garage, elle accélère sur les routes de Palavas qu'elle connaît par cœur. Direction le quartier Antigone au centre de Montpellier. Le Bluetooth de sa voiture ne veut pas fonctionner. La technologie a le pouvoir de l'exaspérer ! Tant pis, elle passera ses coups de fil en mettant le haut-parleur, cigarette à la bouche. Pas eu le temps de déjeuner. Elle se gave de nicotine et d'arabica. Elle ne sait pas subsister sans ces cocaïnes impérieuses.

— Eh merde !

Julie tente de récupérer son téléphone qui a glissé entre les sièges, sans succès. Elle jette un œil furtif sur la route, la voie est dégagée. Elle se penche davantage pour accéder à son portable. Par réflexe, sa main gauche, restée sur le volant, suit le mouvement de celle de droite. Sa voiture dévie de sa trajectoire et percute un mur de plein fouet. Elle fait tomber sa cigarette, lâche le volant et la pédale de l'accélérateur. Sa tête heurte l'airbag qui s'est déclenché. De la fumée s'échappe du capot. Elle a mal à la poitrine, au bras droit, au crâne. Elle est sonnée. Un autre véhicule se gare devant le sien et son conducteur en sort en trombe.

— Madame ? Madame ? demande-t-il à travers la vitre, tout en toquant dessus.

Il essaie d'ouvrir la porte mais elle est verrouillée de l'intérieur. Julie entend sa voix au loin. Tout devient nébuleux, brumeux. Elle s'évanouit.

**7H55** : Elle reprend connaissance, dans un brouillard cotonneux, allongée dans un camion de pompiers.

— Madame ? Comment vous sentez-vous ?

— Ça va.

Son élocution est pâteuse, elle a le goût du sang dans la bouche.

— Vous avez eu un accident de la route. Vous avez fait un malaise. *A priori* rien de grave. Quelques brûlures et blessures superficielles. Nous vous transportons à l'hôpital.

Elle ne répond pas. Elle essaie de bouger, une à une, toutes les parties de son corps. Elle perçoit des douleurs. Toutefois, chaque membre remue au gré de ses commandes. Péniblement, mais mobile quand même. Elle est rassurée. Elle ferme les paupières, exténuée, comme après un marathon dans le désert.

**8H10** : On la promène en brancard dans les couloirs de l'hôpital, direction les urgences. Du monde patiente déjà. Elle devra attendre, puisque ses jours ne sont pas en danger. Franck a été prévenu et la rejoint rapidement. Lui, cuisinier de métier, elle, juriste dans un cabinet d'assurances, leurs rythmes de vie sont décalés. Ils se croisent plus qu'ils ne partagent. Mais aujourd'hui, il reste auprès d'elle.

Après toute une batterie d'examens, radios, vérifications des constantes, elle est autorisée à partir. Bilan : un plâtre au bras droit, des contusions, des brûlures au premier degré et une côte cassée.

**18H15** : Enfin à la maison ! Elle éprouve quelques difficultés à marcher, mais elle s'en tire bien. Les jumeaux sont rentrés. Inquiets, ils s'empressent de la rejoindre dès son arrivée. Mély la serre si fort qu'elle lui fait mal. Julie la repousse doucement en grimaçant un sourire. Hugo lui tient la main. Les effusions démonstratives ne l'ont jamais enthousiasmée. Tous deux l'assaillent de questions ; ils ont besoin d'être tranquillisés sur son état. Elle répond succinctement. Franck n'intervient pas. Il sait qu'elle aime maîtriser en toute situation. Leur interrogatoire dure moins de cinq minutes. Rassurés, ils retournent dans leur chambre. Julie monte dans la sienne se déshabiller. Elle souhaite prendre une longue douche.

— Tu veux que je t'aide ? demande Franck.

— Non, je me débrouillerai.

Franck dépose un léger baiser sur ses lèvres et descend en cuisine. La blessée entreprend d'enlever ses vêtements déchirés et tachés de sang par endroits. Elle peine à se mouvoir sans l'usage de son bras droit. Et les antalgiques ne dupent pas les élancements, mais elle ignore la douleur car elle préfère rester seule.

**18H40** : Dénudée, elle se regarde dans le miroir. Elle détaille sa peau en papier mâché et les hématomes disséminés sur son corps. Dont un énorme au niveau du buste. Son pouls s'emporte en quelques secondes. Son souffle s'accélère jusqu'à l'oppression. Elle se sent mal. Des flashs. Elle halète. Elle n'arrive plus à respirer. Des réviviscences. Elle voudrait crier. Pourtant, aucun son ne sort de sa bouche. Des larmes jaillissent sans prévenir. Tout devient flou.

Soudain, elle l'aperçoit. *Elle*. Ses hématomes. Les *siens*.

Le cri strident resté bloqué quelques secondes plus tôt s'échappe de sa gorge. Un hurlement qui s'extirpe du plus profond de ses entrailles.

11

Malgré elle. Les coups de feu. Elle *l*'entend. Elle *la* voit. Elle se souvient. Elle manque d'air. Encore des flashs. Elle suffoque. Elle a retrouvé la mémoire. Elle se sent comprimée. Ses mots à *lui*. Elle étouffe. Ses hématomes à *elle*. Le détonateur. Elle est comme asphyxiée. Des réminiscences. Brusques. Inattendues. Son cœur cogne à tout rompre dans sa poitrine. *Il* braille. Elle serre sa tête entre ses mains. Elle bouillonne. Elle ne veut pas. Elle refuse de revoir ça. Elle gémit.

Franck entre dans la chambre précipitamment, alerté par le hurlement. Julie s'effondre sur le parquet de bois exotique.

Sa vie s'est arrêtée là une seconde fois. Un mardi soir de janvier 2020 à 18 h 45. Lendemain de la Saint Sébastien.

Son époux la soulève et la transporte jusqu'au lit. Il reste auprès d'elle jusqu'à ce qu'elle reprenne connaissance. La jeune femme transpire à grosses gouttes. Elle écarquille les yeux et voit son mari penché au-dessus d'elle. Les images reviennent peu à peu dans son esprit. L'oubli n'est plus. Elle a huit ans. Elle est redevenue une enfant. Et *elle, elle* exhibe cet énorme bleu sur le bras. Le gauche, celui qui dépasse du drap.

Franck lui parle, mais elle ne saisit pas ce qu'il dit. Julie croit qu'il est inquiet, qu'il lui demande comment elle va. Il ne comprend pas ce qui se passe. Elle non plus. Incapable de lui répondre, elle le fixe en silence. Des larmes coulent sans qu'elle sache comment arrêter ce torrent. La douleur dans son bras gauche se réveille, intense, vigoureuse. Et elle n'est pas liée à l'accident de la circulation. Des années qu'elle l'habite en fidèle ennemie. Sa respiration est toujours courte. Son cœur s'est emballé à la vitesse maximum. Elle manque d'air. Le bleu des hématomes. Le rouge du sang. Des hallucinations visuelles qui prennent sens. Elle regarde Franck, paniquée. Elle ne réalise pas ce qu'il lui arrive. Elle a l'impression de ne plus habiter son corps. Quelqu'un d'autre en a pris possession. Sans doute la petite Julie, quand elle avait huit ans. Une enfant terrorisée.

Julie et ses huit ans.

Dans la nuit, dépassé par les évènements, Franck décide de ramener son épouse à l'hôpital. La jeune femme reste les trois jours suivants murée dans une chambre ainsi que dans le silence. Elle ne peut ni manger ni parler et dort à peine. Prostrée et déconnectée du présent.

Elle subit d'autres examens qui ne révèlent rien d'anormal. La douleur n'est pas physique. Elle vient d'ailleurs. Des souvenirs refoulés de son enfance ont surgi quand elle s'est aperçue dans le miroir, empreinte de bleus et de réminiscences. Elle comprend à cet instant que sa vie a basculé. Plus rien ne sera jamais pareil.


Elle a huit ans, elle est effrayée, ses larmes coulent à l'intérieur. Elle doit masquer sa peur et ses pleurs. *Il* ne les supporterait pas.

*Elle* est allongée. Inerte. Son bras gauche dépasse. Couvert d'ecchymoses.

*Il* se tient là, derrière la petite fille. *Il* lui ordonne de sa voix sépulcrale :

— Dis-lui au revoir !

Elle retient ses sanglots. Elle sait qu'elle n'a pas le droit de verser des larmes, *il* n'aimerait pas ça. *Il* exige que Julie *l'*embrasse. Alors elle s'approche d'*elle*. Elle s'immobilise à un pas d'*elle*. Elle chuchote :

— Au revoir.

— Mieux que ça ! Dis-lui au revoir mieux que ça ! hurle-t-*il* en frappant le sol de la crosse de sa carabine.

## 2

**Hôpital, jour 1** — Au petit matin, un médecin pénètre dans la chambre de Julie sans frapper. Il la regarde à peine, lui parle abruptement. Elle ne lui répond pas. Roulée en boule, les yeux fixés au-dehors, elle reste sans réaction. Pas parce qu'elle ne veut pas. Elle ne peut pas. Tout est congelé en elle. Engourdie, sa respiration restreinte, elle flotte à la surface du monde agité des vivants.

Il repart comme il est entré, bruyamment et froidement. Puis on lui sort le grand jeu : scanner. Celui-ci ne révèle rien d'anormal, aucun hématome sous-dural à la suite de l'accident, dont la présence aurait pu expliquer ses troubles de la parole. Ni de lésions évoquant un traumatisme crânien.

Quelques infirmières et aides-soignantes défilent tour à tour, pour lui donner à manger, la toiletter, prendre sa température, sa tension. Elle se laisse surprendre par ces allées et venues. Elle sursaute à chaque fois, prise par la peur de découvrir qui va franchir la porte. La sensation de n'être pas tout à fait elle. Pas tout à fait vivante non plus. Elle est perdue, elle erre dans les dédales de ses souvenirs et n'arrive pas à les exprimer. Aucun son ne veut sortir de sa bouche. Elle dévisage, hagarde, tous ces gens qui circulent dans *sa* chambre, ou bien elle continue de fixer la valse des nuages légers par la fenêtre.

Des images d'autrefois commencent à tourner en boucle dans son esprit. Ces clichés accroissent au fur et à mesure cette impression de suffocation et d'oppression qui l'a saisie quand, la veille, elle a vu son reflet dans le miroir. Elle appuie de toutes ses forces sur ses paupières pour effacer ses visions. Elle lutte contre le sommeil malgré la fatigue. Si elle s'endort, elle sombrera dans ses cauchemars habituels qui, à présent, prennent sens. Des années de flash-backs incompris, insensés, et soudain des réminiscences qui gagnent en précision.

Un seul son a franchi sa bouche depuis son arrivée. Un tout petit cri, quasi inaudible. Un cri presque silencieux, lorsqu'elle a aperçu le sang qu'on venait de lui prélever. Quelques gouttes rouges qui l'ont glacée d'effroi. Elle a frotté ses mains l'une contre l'autre, pour se débarrasser de la texture poisseuse et chaude qu'elle imaginait collée à sa peau, alors que rien n'avait débordé de la seringue ni du flacon. Pourtant, l'image très nette de ses mains maculées de sang chaud était bien réelle.

Parfois elle se sent ici. Autour d'elle, le néant, l'inertie. Et un sentiment de détresse absolue.

Parfois elle se sent là-bas. En Corrèze. Quand elle était encore une fillette. C'est trouble, et flou. C'est chaleureux, comme *elle*. C'est glacé, comme *lui*. Peu à peu, elle a la sensation de remplir des cases restées vides dans sa tête depuis de longues années. Une amnésie lacunaire qui se comble par fragments.

**Hôpital, jour 2** — Julie rencontre une psychologue qui lui présente toute une batterie de tests, des planches de dessins, des images. La professionnelle se heurte à l'immobilisme de sa patiente, qui demeure mutique et apathique. Elle ne parle pas, ne pointe pas, ne désigne pas. Rien. Une orthophoniste tente sa chance, sans plus de succès. Du mime, des musiques, des pictogrammes, des mots écrits. Rien non plus. Aucune réaction. Pas la moindre oscillation de l'œil, de la paupière, du corps, de la main. Aucun indice qui laisserait penser qu'elle cherche à communiquer.

On la promène en fauteuil roulant à travers les différents services, espérant qu'elle croisera enfin le chemin de celui qui saura. Elle, elle sait. Pas tout. Un peu. Certains éléments lui reviennent par bribes, elle n'a pas réussi à tout assembler. Elle sait surtout qu'elle est seule à savoir, mais qu'elle ne peut rien leur expliquer. Elle préfère se couper des autres. Non, elle ne préfère pas. Elle n'a rien choisi. Elle ne peut pas. Elle subit. Elle se barricade malgré elle, elle n'a plus les commandes. Le peu qu'elle s'est remémoré est bien trop violent. Une horreur humaine difficile à envisager. Quand Franck est venu la voir, elle l'a fixé sans mot dire. Figée comme une statue.

Et plus on la confronte à divers spécialistes, plus on lui pose de questions, plus on essaie de savoir, plus elle s'emmure. Recroquevillée à la frange de la vie, elle se délaye dans les secondes qui s'écoulent au goutte-à-goutte. Plus les heures passent, plus elle sent ce silence glacial monter en elle, depuis mardi soir. Sans pouvoir le verbaliser. Un silence glacial et assourdissant qui résonne dans toute sa chair. Comme un appel au néant qui grouille en elle. Le vacarme extérieur ne peut franchir cette barrière funeste. Elle s'embourbe dans son vide intérieur, creux, dénué d'affect, s'éloignant peu à peu des douces lueurs. Il y a eux et elle. Elle et eux. *Nous* n'existe pas. *Nous* est un leurre, une entité mensongère pour rester debout, nous faire croire en une vie meilleure, un possible bonheur. Mais elle est seule. Elle est seule depuis le jour où *il* l'a mutilée de l'amour maternel. Même avec eux, son mari et ses enfants à ses côtés, elle est profondément seule. Elle ne l'a jamais réalisé, trop occupée à faire semblant de vivre, en remplissant, remplissant toujours davantage.

Du sport, du travail, du tabac, du café, du shopping, du travail, des cigarettes, du footing, des vêtements plein les armoires, du travail encore et encore, des soirées où elle reste en retrait à observer.

Du remplissage pour anéantir le vide, pour berner la solitude intérieure. Un isolement auquel elle a inconsciemment consenti parce que tout cadenasser, les sentiments, les émotions, le ressenti, c'est encore la meilleure protection. Ne rien éprouver. Ne rien projeter. Ne rien se remémorer. Pour étouffer la souffrance. L'étrangler à l'en faire suffoquer. L'abattre pour ne pas lui laisser l'opportunité de la détruire. Et vivre vite, sans réfléchir, sans penser. Avancer au pas de charge. Remplir. Un exhausteur factice de l'insipide quotidien. Traverser les journées à la vitesse céleste. Pour s'anesthésier. Et aussi pour s'approcher plus rapidement du dernier lever de soleil, aveuglément. Trente-six ans en anaérobie. Elle ne respire plus depuis ses huit ans.

À présent, elle affronte ce vide qu'elle a toujours fui. Cette excavation qui la ronge clandestinement et la grignote sournoisement depuis si longtemps. Elle avait oublié, elle avait relégué toute cette horreur dans les tréfonds de sa mémoire. Mais celle-ci s'est rappelée à elle. Une lobotomie avortée avec la résurrection des souvenirs. Et si Julie est à demi morte, cette douleur, elle, est bien vivante. Dominante. Immensément envahissante. Victorieuse. Elle la cisaille à l'en faire crever. Elle l'habite et la gouverne. Elle commande son être figé et dirige ses actes, ses pensées, la statufiant en une momie muette. Le supplice des souvenirs a pris possession de Julie. Elle vit à la merci de ces retrouvailles sanguinaires. Elle ne peut plus nier, faire comme si tout ça n'avait pas existé. Son corps, sa tête, dégueulent des parcelles d'autrefois et ce ne sont pas quelques antalgiques ni anxiolytiques qui parviendront à anéantir ces résurgences.

Elle oscille entre moment présent et passé. Avec cette sensation de ne plus savoir qui elle est.

*Qui suis-je ?*

Le trou noir s'éclaire par bribes pour raviver ses jeunes années.

# 3

La petite Julie observe Narcisse. C'est son oie. L'enfant a choisi ce prénom car la bête est toute blanche. Elle couve son œuf depuis plusieurs nuits, en oubliant de boire et de manger. Julie lui apporte quelques graines de blé, mais Narcisse s'en détourne, elle se désintéresse de son gosier. Cet animal a un instinct maternel exacerbé, au point de négliger sa camarade de jeu et de ne pas se soucier de picorer. Habituellement, elle suit l'enfant partout dans la ferme en gambadant. Ensemble, elles en explorent les moindres recoins, sautent dans les flaques de boue, courent et jouent au loup. Et quand Narcisse cancane, Julie l'imite. Celle-là regarde alors la fillette, en allongeant son grand cou. Et la petite rit ! Elle rit !

Quand arrive l'heure du goûter, maman l'appelle :

— Ma chérie, ta tarte aux pommes est prête !

Sa pâtisserie préférée ! Elle accourt à la vitesse de l'éclair. La fermière réalise une tarte délicieuse comme personne ne sait les faire.

Sa maman, elle est formidable. Comme Narcisse, elle a un instinct maternel incroyable. Julie aime les rondeurs qui se dessinent sous son tablier. Des formes où il fait bon se réchauffer quand elle a besoin d'être réconfortée. Ou simplement pour le plaisir d'être cajolée au son d'une berceuse ou d'une tendre mélopée que sa mère entonne de sa voix de fée. L'exquise Denise est affectueuse, toujours souriante. La vie dans cette ferme corrézienne, c'est celle que tous les enfants devraient connaître. De la douceur. De l'insouciance. Des animaux. Des tartes aux pommes parfumées à la cannelle. Des chansonnettes. Et des câlins.

Quand Julie a fini de goûter, elle se précipite sur sa balançoire faite d'une planche de bois et de deux cordes qui la rattachent au châtaignier. Elle se propulse jusqu'à se perdre dans les airs, laissant flotter au vent sa chevelure au carré imparfait, coupé par maman qui s'improvise coiffeuse. Lorsqu'elle se comporte ainsi, Denise crie depuis le perron :

— Pas si vite Julie ! Pas si haut ! Tu vas te retourner l'estomac et vomir tout ton quatre-heures !

— Mais non, maman, j'ai des pouvoirs magiques. Regarde, je vole et j'ai même pas mal au cœur !

Et sa mère capitule en souriant. Et Julie rit ! Encore et encore. Elle aime sa maman. C'est la plus belle des mamans. La plus gentille aussi. Une maman qui fait semblant de s'inquiéter pour sa fillette, mais qui, en vrai, n'a jamais peur pour elle. Et l'enfant, confiante et déterminée, en profite pour faire tout ce qui lui plaît.

Quand elle ne s'amuse pas sur sa balançoire ou qu'elle ne joue pas avec Narcisse, elle poursuit des bulles de savon poussées par la brise. Et elle construit des cabanes dans les bois. Avec de vrais outils. Parce que grimper dans les arbres, ça la fait frissonner et que bâtir, ça la passionne. Aussi elle bricole un habitat éphémère, qui souvent s'envole au premier vent en colère, et qu'elle s'empresse de remplacer par un autre, qu'elle espère plus prospère. Installée dans sa demeure de branches et de planches, elle domine son pays de Cocagne. Tout est petit vu d'en haut, et elle, elle est immense. Elle se campe un long moment dans le palace édifié de ses mains, reine des lieux, et déguste les images des livres merveilleux.

Puis elle descend de son nid et dessine à la craie, de son écriture appliquée, les cases de la marelle sur le béton de la cour où elle s'amuse ensuite à sautiller. Sa création temporaire finit par s'effacer sous le balayage des feuilles tombées, du vent, de la pluie, des pas.

Elle est fille unique. Mais ce n'est pas grave. Elle a Narcisse. Et les copains de sa classe. Vive, sociable, elle les entraîne dans mille jeux qu'elle imagine dans la cour de récréation, où elle est promue chef des opérations. Elle adore aller à l'école, apprendre des phonèmes qu'elle fait tournoyer dans sa bouche comme des bonbons, d'abord acidulés, puis sucrés. Vient ensuite la leçon de graphisme où elle apprend à tracer chiffres et lettres d'un geste hiératique. Elle se prépare pour l'entrée au CP.

Plus tard, elle veut être une ministre magicienne. « Parce que tu es intelligente, ma chérie », lui répète souvent sa mère. Une ministre parisienne pour défendre les animaux, les arbres et les enfants. Parfois, elle chipe le rare maquillage de sa maman en cachette. Et Julie devient une peintre se barbouillant avec sa palette. Ensuite elle se hisse sur l'unique paire de chaussures à talons de Denise. Bien trop grandes pour la future pacificatrice. Puis elle enfile tous ses bijoux en toc, ses colliers de nouilles et ses bracelets de perles en plastique. Elle joue à être une dame avec ses joues trop poudrées et ses escarpins démesurés. Elle s'entraîne à être à plus tard, quand elle sera ministre prestidigitatrice. Et que sa maman habitera avec elle, pour cuisiner des tartes pommes-cannelle. Et puis Julie se dit qu'elle aura un mari. Un mari très gentil. Ensemble, ils feront plein de bébés. C'est écrit comme ça dans les livres que maman raconte à Julie depuis son plus jeune âge. Un homme qui la chamboule, la tourneboule, la bouleverse.

Plus tard c'est dans longtemps. Pour l'instant, elle a presque six ans, et elle est la fille la plus heureuse de la terre dans sa ferme de Corrèze où maman rend la vie édulcorée et ouatée.

# 4

**Hôpital, jour 2** – Le psychiatre a demandé à rencontrer Franck. Ce dernier s'assied face au médecin dans le bureau exigu. Une table en verre les sépare. Les murs blancs illuminent légèrement la pièce. L'étroitesse des lieux est amplifiée par la multitude de dossiers déposés sur le bureau et par les placards ouverts, d'où débordent des piles imparfaites de boîtes en carton desquelles dépassent des papiers. Une petite fenêtre, qui donne sur le parking, est habillée d'un store aux lames grisonnantes, tordues, fatiguées d'avoir été manipulées.

— Monsieur Clénan, je suis le docteur Lemoine. J'ai quelques questions au sujet de votre épouse.

Le psychiatre allume une lampe pour apporter un peu de chaleur et de lumière. L'abat-jour penché attire l'œil de Franck. Il est tenté de redresser le cône en coton fleuri. Mais il n'est pas là pour ça. L'heure est grave, aussi ramène-t-il son attention vers son interlocuteur et se concentre-t-il uniquement sur lui. Il réajuste ses lunettes sur son nez pour se donner une contenance.

— Je vous écoute.

— A-t-elle déjà eu un accident de la route avant celui de mardi ?

— Pas à ma connaissance.

— Même en tant que passagère ?

— Non. Enfin, je ne crois pas, dit Franck avec hésitation.

— Un autre traumatisme physique ou psychologique ?

— Désolé, mais je ne vois pas.

Franck saisit machinalement un stylo qui traînait sur le bureau et le secoue entre ses doigts. Il pensait que le médecin lui apporterait des réponses, au lieu de cela, il n'a que des questions qui intensifient son incompréhension. Le docteur observe l'époux quelques secondes en silence. Franck prend conscience de son agitation, il dépose le stylo devant lui, croise les bras. Levant des sourcils interrogateurs en direction du docteur Lemoine, il incite ce dernier à reprendre la conversation.

— Pouvez-vous me parler un peu d'elle, de son vécu, je vous prie ? Elle est totalement mutique et ne participe pas non plus aux tests de désignation.

— Sa mère est morte quand elle avait huit ans, elle a été placée en famille d'accueil. Nous nous sommes rencontrés lorsqu'elle avait presque vingt-trois ans. Elle venait de finir ses études de droit. La suite, une vie ordinaire plutôt active : un mariage, deux enfants — des jumeaux — des vacances l'été. Julie est une femme brillante et déterminée.

— De quoi est décédée sa mère ?

— D'un cancer.

— Et son père ?

— Elle ne l'a jamais connu. Je crois que sa mère est tombée enceinte par accident. En tout cas, elle n'a jamais fait référence à un père qu'elle aurait vu, même rarement.

— A-t-elle de la famille ?

— Elle est fille unique, pas d'oncle ni de tante. Elle n'a personne en dehors des jumeaux et de moi-même.

— Des amis d'enfance qu'elle côtoierait encore ?

— Je suis désolé, mais une fois de plus la réponse est non. Julie apprécie la solitude et elle n'a gardé contact ni avec ses amis de jeunesse ni avec ses camarades d'université.

— Bon, rétorque le médecin perplexe, auriez-vous des informations sur sa famille d'accueil ?

Franck s'enfonce dans son siège, rassemble ses souvenirs, malheureusement il n'en a pas. Cette conversation le perturbe, il réalise qu'il en sait peu sur son épouse. Mais le médecin espère des réponses. Qui d'autre que celui qui partage son quotidien depuis plus de vingt ans peut la connaître davantage ? Personne. Et pourtant, il a plus l'impression de subir un interrogatoire que de participer à une conversation. Les intentions du psychiatre sont bonnes, il n'en doute pas. Cependant elles révèlent son évidente ignorance, noyée dans l'agitation, jusqu'à l'accident. Il ne sait presque rien de Julie. Celle qui lui a dit oui alors qu'ils avaient la vie devant eux, la tête pleine de projets et l'insouciance de la jeunesse. Toutefois, le temps de la légèreté n'est plus. Cette certitude s'abat sur lui dans ce bureau opaque. Le désordre ambiant s'immisce dans ses pensées d'où émane une brume confuse. L'inconfort de la chaise gagne chacun de ses membres. Il s'agite. Il voudrait se lever et partir. Effacer les dernières heures et avancer. Recommencer ou continuer, peu importe, mais retrouver *sa* Julie, celle qu'il connaît, et le rythme trépidant de leur quotidien. Hélas, c'est impossible. Julie est muette, clouée dans un lit, sans explications. Et il désire comprendre. Sa seule chance d'y parvenir est assise devant lui. Il redresse l'abat-jour pour apaiser ses angoisses, croise ses pieds sous la chaise pour calmer son agitation et reprend le fil de la discussion.

— Julie est assez secrète et n'aime pas regarder en arrière. Mais je crois qu'elle se sentait bien dans sa famille d'accueil.

— Vous les revoyez parfois ?

— Non. Jamais. Je me sens stupide, je réalise à quel point le passé de Julie est absent de sa vie actuelle.

— Ce n'est pas grave Monsieur Clénan, tente de le rassurer le docteur Lemoine, mais c'est dommage. Ils auraient peut-être pu nous communiquer quelques renseignements. J'ai l'impression qu'il nous manque une pièce du puzzle.

— C'est-à-dire ? interroge Franck avec une lueur d'espoir, à l'affût d'un rai de lumière éclairant le tunnel dans lequel il est égaré.

— Votre épouse est en état de stress post-traumatique. Après un simple accident de la route sans complication notable, c'est assez étonnant. Est-elle particulièrement sensible ?

— Julie ? Sensible ? C'est un roc, une guerrière.

— Ou c'est une carapace.

— Non, c'est impossible. Elle n'est pas du genre à se plaindre ou à s'apitoyer. Elle fonce quoi qu'il arrive, affirme l'époux, convaincu.

— Ce n'est pas nécessairement un signe d'équilibre. Ça peut être une forme de fuite.

— Fuite de quoi ?

— Du quotidien. Du passé. Du présent. Par peur de l'avenir. Les réponses sont multiples.

— Je n'avais jamais envisagé ça sous cet angle. Elle avait l'air tellement solide.

Franck est perdu. Les questions et observations du médecin intensifient le chaos dans lequel il erre depuis l'avant-veille.

— C'est très cliché de dire cela, pourtant c'est réel : se méfier des apparences ! Nous avons relevé des traces de scarifications à l'intérieur de son poignet gauche. Vous pouvez m'en dire plus à ce sujet ?

— Pardon ?

— N'avez-vous jamais remarqué ses cicatrices ?

— Si, mais…

Franck pose son menton entre ses mains et fixe le bureau. Des traces de scarifications ? Julie lui avait expliqué qu'elle s'était blessée, sans s'attarder en justifications. Il n'avait pas cherché à en savoir davantage. Le tournis s'empare de lui. Il est tenté d'envoyer valser la pile de feuilles branlante qui se trouve à portée de son bras. De colère, de dépit. Par refus aussi. Scarifications. Quel mot violent, hideux, porteur de tant de souffrances ! Le cuisinier se frotte les tempes avec virulence pour atténuer cette fichue migraine qui l'assomme à présent. Le médecin relève son trouble.

— Je suis désolé de vous l'apprendre comme ça, Monsieur Clénan. Mais votre femme se mutilait. Les lésions sont caractéristiques.

— Je… je l'ignorais, bredouille Franck. Mais pourquoi ? Pourquoi Julie se serait-elle fait du mal ? Et quand ?

— Généralement, les scarifications concernent les adolescents, le plus souvent des filles, qui éprouvent un profond mal-être. Sans intention de se tuer, mais plutôt pour se soulager d'une douleur.

— Se soulager d'une douleur ? Mais laquelle ? Et se soulager d'une douleur en se mutilant ? Ça n'a pas de sens. Et puis Julie ne m'a jamais parlé de son passé comme d'une période horrible.

— Je suis navré, mais je ne peux pas vous en dire plus. Seule votre femme a les réponses.

Le silence s'installe quelques minutes. Le psychiatre respecte ce temps qu'il juge nécessaire à l'époux abasourdi pour intégrer cette révélation. Puis il reprend :

— Voyez-vous autre chose à me dire ?

Franck réfléchit un instant. La douleur pulsatile martèle ses tempes. Il se concentre afin de dénicher un renseignement pertinent. L'effort lui

24

paraît surhumain, mais un détail lui revient. Celui qui renferme peut-être la clé de tout ce mystère.

— Maintenant que j'y pense… Sa crise de panique s'est déclenchée quand elle a découvert ses blessures dans le miroir. Vous croyez qu'il y a un lien ?

— Peut-être. Apercevoir son corps meurtri a pu l'affecter, surtout si elle est soucieuse de son apparence. Ou cela lui a rappelé des souvenirs : c'est l'hypothèse que nous formulons avec mes confrères. Creusez la piste de sa jeunesse si possible. Nous ne pouvons pas la garder ici davantage. Nous avons effectué tous les examens pertinents et nous n'avons rien trouvé. Demain, nous vérifierons à nouveau ses constantes et, si tout est correct, nous la laisserons sortir. Toutefois, je vous encourage à prendre rendez-vous avec un psychiatre. La piste psychologique est la seule plausible, une surveillance sur ce plan s'impose.

— Pas de souci. Mais croyez-vous qu'elle va reparler ? C'est terrifiant ce mutisme. Et puis maintenant, j'ai toutes ces questions qui trottent dans ma tête, faut qu'elle m'explique.

— Je pense que son mutisme est lié à un état de choc. Ça arrive. Montrez-vous patient, prévenant, sans être étouffant. Prenez soin d'elle, elle en a grand besoin. Et si la situation n'évolue pas, revenez et nous envisagerons une hospitalisation en psychiatrie.

Franck remercie le docteur Lemoine. Il sort du bureau, perturbé et désorienté par cet entretien. Il n'a pas le temps de retourner à Palavas pour voir si les jumeaux gèrent la situation. Dix-sept heures approchent, il se rend directement au restaurant, la tête enserrée dans un étau.

Arrivé sur son lieu de travail, il avale deux gélules pour vaincre sa migraine. S'attelant en cuisine pour préparer le service du soir, il agit en pilotage automatique, son esprit focalisé sur les propos du médecin. Une carapace ? Des scarifications ? Et s'il ne connaissait pas vraiment Julie ? Il se rend compte du nombre de zones d'ombre qui planent sur sa vie, dont il n'avait jamais pris conscience avant ce jour. Il s'est montré incapable d'apporter le moindre élément sur ce qui a précédé leur rencontre.

# 5

Leur rencontre… C'était il y a vingt et un ans. Tout en préparant le service du soir, Franck repense à cette période. Il exerçait dans une paillote de la Grande-Motte et Julie, qui venait de passer ses examens, s'offrait quelques jours de vacances avec une de ses amies. Un serveur était entré en cuisine l'informant qu'une jeune femme exigeait de connaître celui qui avait élaboré ce fabuleux dessert. Intrigué, il était allé en salle pour lui parler.

— Vous m'avez demandé ?

— Alors, vous êtes le magicien ?

— Magicien ?

— Oui. Votre tarte aux pommes, elle a le goût de mon enfance, je n'en avais pas mangé d'aussi bonne depuis des années.

— Ravi qu'elle vous ait plu, lui avait-il souri avec satisfaction.

— Vous me donneriez la recette ?

— Vous accepteriez une invitation à dîner pour que je partage ce secret avec vous ? avait-il répondu du tac au tac.

Julie avait plissé les yeux pour mieux le scruter. Le cuisinier avait remarqué qu'elle le détaillait de la tête aux pieds en quelques secondes, semblant évaluer le degré de confiance qu'elle pouvait lui accorder. Il avait affiché un large sourire dévoilant des dents du bonheur. Il souhaitait se montrer le plus rassurant possible, manière d'être naturelle pour cet homme enthousiaste et enjoué. Puis elle l'avait fixé sans sourciller avant de reprendre d'une voix neutre :

— Pourquoi pas ? Quand ?

— Demain, c'est mon jour de repos.

— Parfait.

— Alors à demain, je vous attendrai à dix-neuf heures devant la capitainerie.

— OK. À demain.

Il était reparti en direction de son antre, puis avait fait demi-tour.

— Au fait, moi c'est Franck. Et vous ?

— Julie.

— Enchanté Julie. Je vous souhaite une bonne soirée.

Cette fois, il s'était incliné pour déposer un baiser sur sa joue. Il s'était épris aussitôt de ses yeux bleus presque transparents, teintés de mélancolie, qui lui donnaient toujours cet air absent, lointain. Des yeux qui semblaient ne jamais sourire, même quand elle paraissait pourtant heureuse. Il avait adoré son audace, sa force de caractère. Rapide, déterminée et efficace dès les premiers instants, comme elle s'était révélée être par la suite.

Quant à Julie, elle était tombée sous le charme des saveurs de ce dessert qui la transportaient dans son enfance corrézienne. À partir de ce jour-là, ils ne s'étaient plus quittés, même si leur vie n'avait jamais vraiment ressemblé aux contes de fées que lisait Julie, blottie dans ses cabanes.

Finalement, à part son goût prononcé pour sa tarte aux pommes, que savait-il d'elle ? Franck se concentre sur cette question tout en ciselant du persil et en éminçant des échalotes. Il voudrait trouver une réponse qu'il pourrait apporter au docteur Lemoine, mais surtout à lui-même. Il sait qu'elle est active, dynamique, addict à la cigarette et au café, qu'elle court du matin au soir pour son travail et le week-end en chaussant ses baskets. Il sait que son armoire regorge de vêtements car c'est une acheteuse compulsive. Elle n'est pas particulièrement tendre ou câline ni avec lui, ni avec Mély et Hugo. Ils l'aiment comme ça et c'est comme ça qu'elle les aime, même si, bien sûr, parfois, ils apprécieraient davantage de douceur de sa part. Surtout Mély. Les jumeaux sont très proches de leur père. Mély lui a déjà confié qu'elle adorerait avoir une plus grande complicité avec sa mère. Il sait que…

Gérald interrompt le cours de ses pensées.

— Ouh ouh Franck ? Tu m'écoutes ?

— Pardon, Gérald, j'ai la tête ailleurs.

— J'ai bien vu. À cause de Julie ? Ça ne va pas mieux ?

— Non, elle est toujours à l'hosto.

— Comment ça ? Tu m'avais dit qu'elle n'avait que des blessures superficielles.

— Exact. Mais mardi soir, elle a fait une crise de panique, je ne sais pas pourquoi. Et depuis elle ne parle plus.

— Ça se peut ça ?

— Faut croire que oui…

Franck dépose le couteau sur la planche à découper et prend appui contre les fourneaux dans son dos. Un apprenti se faufile entre les deux hommes, en s'excusant. Gérald s'écarte un peu pour laisser de la place, puis fait un pas vers son employé en baissant d'un ton.

— Et les médecins, ils en pensent quoi ?

— Qu'elle est en état de choc post-traumatique !

— Je ne vais pas te mentir, j'ai besoin de toi au resto et ça ne m'arrange pas que tu t'absentes. Mais si tu dois t'arrêter un jour ou deux, pour elle, pour les enfants, tu le dis et je me débrouillerai, poursuit Gérald en lui donnant une tape fraternelle dans le dos.

— Merci l'ami, tu es le meilleur des patrons. Les jumeaux sont grands, à seize ans ils font leur vie à partir du moment où le placard déborde de pâtes ! Mais je risque de m'absenter des demi-journées ici ou là, pour des examens médicaux.

— OK. Tu me préviens dès que tu sais et on s'organisera.

— Pas de souci, merci. Tu voulais me demander quelque chose ?

— La liste des commandes en frais et surgelés à effectuer pour demain matin s'il te plaît. Les fournisseurs vont passer d'ici la fin de semaine.

— Pas de problème, chef, c'est comme si c'était fait !

— Courage mon gars. Elle va s'en sortir, c'est une battante ta Julie, l'encourage Gérald d'un clin d'œil.

— Je l'espère, murmure Franck, sans conviction.


Gérald s'éloigne, laissant Franck continuer ses préparations culinaires et reprendre le cours de ses pensées.

Il savait qui elle était aujourd'hui. Toutefois, il réalisait à quel point il méconnaissait qui elle était avant, cet avant qui avait façonné sa personnalité actuelle. Elle lui avait vaguement relaté le décès de sa mère. D'après Julie, un cancer virulent qui l'avait emportée rapidement. Elle n'avait pas souffert. L'enfant, n'ayant pas d'autre parent, avait été placée dans une famille d'accueil jusqu'à sa majorité. Comment s'appelaient-ils déjà ? Franck creusait au plus profond de ses méninges pour tenter de trouver des informations sur ces gens. En vain. Julie lui en avait assez peu parlé finalement. Lui, comprenant qu'elle ne souhaitait pas revenir sur le passé, tout comme elle avait du mal à envisager demain, n'avait jamais cherché à en connaître davantage. Il l'aimait, c'était bien suffisant, il n'avait nul besoin d'avoir plus de renseignements. Pourtant aujourd'hui, depuis sa conversation avec le psychiatre, cette réalité le frappait avec évidence.

Il ne savait pas qui elle était *vraiment*.

Quand ils avaient emménagé ensemble, elle disposait seulement de quelques affaires et de son diplôme. Franck l'avait toujours considérée comme une femme dynamique, insouciante, qui vivait au jour le jour, et il adorait ça. Sa force de caractère aussi. Même s'il s'en accommodait, il espérait parfois qu'elle finirait par révéler une face plus tendre, plus attentionnée à son égard et à celui de ses enfants. Leur couple ne vibrait peut-être pas à l'unisson, mais il n'oscillait pas au rythme d'un équilibre bancal. Chacun donnait du courage à l'autre, le soutenait, respectait les forces et les faiblesses de sa moitié. Et Julie était ainsi, indépendante, solitaire, un peu sauvage, un peu distante. Et si tout ça, c'était du flan ? Si, derrière cette indépendance, cette distance, ce dynamisme, se cachait en fait une âme meurtrie comme l'avait laissé entendre le docteur Lemoine ? Elle ne possédait aucun souvenir physique de son passé, pas de photo, de jouet, de doudou, ou une quelconque bricole se rapportant à sa jeunesse. Et aucun membre de sa famille pour raconter à quelle petite fille elle ressemblait.

Il réalisait à quel point sa moitié vivait sans attaches matérielles ou humaines en dehors de lui et de leurs enfants. Il prenait conscience que sa difficulté à se projeter était sans doute liée à une certaine instabilité. Lui, cuisinier haut de gamme, avait toujours trouvé facilement un emploi. Elle aussi, en qualité de juriste, avait décroché aisément des contrats dans divers secteurs d'activités. Pendant plus de dix ans, ils avaient souvent déménagé, à la demande de Julie qui ne souhaitait pas se fixer. Même après l'arrivée des jumeaux. Puis, quand ces derniers étaient entrés au

CP, Franck avait exigé qu'ils se posent quelque part, pour la scolarité des enfants. La jeune mère avait traîné des pieds, mais elle s'était fait une raison. D'autant plus que les parents de Franck, décédés peu de temps auparavant, à quelques semaines l'un de l'autre, leur avaient laissé un héritage confortable. Ils avaient pu faire construire une belle villa, spacieuse et moderne, dans un quartier résidentiel de Palavas-les-Flots. Avec de grandes baies vitrées, car Julie aimait baigner dans la lumière. Les espaces sombres et exigus l'oppressaient plus que de raison. Aussi avait-elle accepté de s'installer à long terme, à condition qu'ils emménagent dans un lieu où elle ait une chance de s'épanouir un peu plus durablement que d'habitude.

Cependant, Julie s'impatientait, elle avait toujours autant besoin de mouvement. Alors elle changeait d'employeur, de sport, de loisirs. Elle partait parfois seule en vacances, pour décompresser et se retrouver. Depuis presque cinq ans, elle exerçait dans la même entreprise ce qui relevait de l'exploit. Mais, en parallèle, elle avait augmenté sa consommation de tabac et de café, invoquant le stress et la pression liés à son job. C'était sans doute partiellement vrai, car elle se noyait sciemment dans la suractivité, à tous points de vue. Aussi, pour décompresser, elle courait toujours plus, dans tous les sens du terme. Elle travaillait beaucoup, s'occupait de moins en moins de ses enfants qui grandissaient, et bourrait ses week-ends de shopping, de footing.

Et si Julie allait mal et qu'il n'avait rien vu ? Si tout cela ne lui servait qu'à fuir une vie qui ne la rendait pas heureuse ?

Pourquoi réagirait-elle de manière aussi violente à cause d'un simple accident ? Elle, si forte, si active, un peu de tôle froissée et une côte cassée ne pouvaient pas la mettre à terre de la sorte. Ça lui ressemblait si peu. Non, il y avait forcément autre chose.

À quoi ressemblait le véritable visage de Julie ? Qu'est-ce qu'il ignorait d'elle qui pouvait expliquer cette fragilité subite ? Franck ressentait un impérieux besoin de savoir, il avait hâte que le service du soir se termine.

# 6

**Domicile, jour 2, 23 h 50** — Franck vient de rentrer chez lui. Tous les doutes qui planent sur son épouse le forcent à lutter contre la fatigue, malgré l'heure tardive et les journées éprouvantes. Après avoir vérifié que les jumeaux dorment bien, il entreprend une fouille minutieuse du bureau.

Dans les tiroirs, il déniche des briquets, des paquets de cigarettes entamés, du matériel de bureautique, des cartes postales envoyées par les enfants lors de leurs voyages scolaires, des chewing-gums, quelques photos en vrac de leur famille. Dans les placards, sont rangés des dossiers professionnels, ainsi que toute la paperasse liée à l'administratif d'une existence ordinaire : les factures, les courriers bancaires, les avis d'impôt. Lorsqu'il se saisit de la chemise consacrée aux investissements financiers de Julie en assurance-vie, il choisit de l'éplucher soigneusement afin de voir si un détail pourrait attirer son attention. Son espoir est non fondé, il ne trouve là rien d'anormal : les sommes placées concordent avec les revenus de Julie et les bénéficiaires sont lui-même, Mély et Hugo. En revanche, aucune trace d'un quelconque héritage de la ferme de son enfance. Sans doute que la mère de Julie n'en était pas propriétaire, il n'a jamais abordé ce sujet avec elle, il ne peut qu'émettre des suppositions.

Après une grosse demi-heure, il n'a rien déniché qui puisse lui en apprendre plus sur le passé de sa femme.

Déçu et harassé, il remet tout en ordre. Puis il gagne l'étage et file directement sous la douche. Il laisse couler l'eau plus que de raison, afin de laver les questions qui cavalent dans son esprit, en vain. Il se couche, désorienté par cette journée surréaliste qui marque un point de rupture dans sa vie si bien organisée, détectant la présence de Julie en humant son oreiller. À deux heures du matin, il n'arrive toujours pas à trouver le sommeil, tourmenté par toutes ces inconnues. Il allume la lampe de chevet, se relève pour inspecter le dressing.

Il explore l'espace entre les vêtements pliés, dans les tiroirs. Là non plus, aucune information personnelle. Il ne reste que la table de chevet et la commode. Il commence par cette dernière, soulève les chaussettes, les collants puis les sous-vêtements les uns après les autres. Soudain, ses doigts palpent une texture bien différente de celle du tissu. Du papier. Une lueur d'espoir anime Franck. Il sort vivement ce qu'il croit être le début d'un indice. Déception, ce n'est qu'une feuille de soie dans laquelle est emballée la jarretière de leur mariage. Il l'observe un moment, un sourire nostalgique sur les lèvres, puis la remet à sa place. Il reprend son inspection et sa main touche à nouveau du papier. Cette fois, cela a la forme d'une enveloppe. Il l'extrait de sous les chaussettes de sport de Julie et la découvre. Il est tout à la fois soulagé, intrigué et un peu anxieux. Si elle a caché ce courrier, ce n'est pas pour rien, aussi une tension monte en lui au moment où il l'ouvre.

Il trouve dedans trois feuilles et une multitude de bouts de papier déchirés. Il les analyse rapidement et reconnaît la même écriture à chaque fois, trois lettres distinctes envoyées à des dates différentes, rassemblées dans cette seule enveloppe, sans timbre ni adresse. Il décide de les lire par ordre chronologique.

La première date de janvier 1995, Julie n'avait pas tout à fait dix-neuf ans.

*Bien chère Julie,*

*Nous venons te souhaiter une très belle année 1995, en espérant qu'elle t'apporte tout le bonheur que tu mérites, toi la battante, la courageuse.*

*Cela fait plusieurs mois que nous sommes sans nouvelles de toi et cela nous attriste. Lors de ton départ, tu nous avais promis de nous informer de ton installation à la faculté. Comment se passent tes études ? Est-ce que tu te plais à Lyon ? As-tu de gentils camarades ? Nous espérons que tu es en bonne forme et que tu ne manques de rien, sinon, tu sais très bien que tu peux nous demander.*

*Ici, rien de spécial. Daniel a toujours ses douleurs lombaires qui le font souffrir. Il ne jardine pas puisque c'est l'hiver, cela le repose.*

*Nous aimerions te revoir bientôt ou recevoir une lettre de ta part.*

*Nous t'embrassons bien fort et pensons beaucoup à toi.*

*Daniel et Josy.*

La seconde a été expédiée quelques mois plus tard, en septembre de la même année.

*Bien chère Julie,*
*L'été est passé et nous ne t'avons pas vue. Nous imaginions qu'avec les vacances scolaires tu reviendrais dans le coin, nous rendre une petite visite. Mais ça n'a pas été le cas. Tu n'as pas non plus répondu au courrier que nous t'avions envoyé pour la nouvelle année. Cela nous attriste et nous inquiète. Nous prions pour que tu sois en pleine forme, qu'il ne te soit rien arrivé et que ton silence s'explique seulement par une envie de couper avec ta vie passée. Toutefois, si tu as le moindre problème, sache que nous serons toujours là pour toi, quoiqu'il advienne. N'hésite pas à nous contacter si tu es dans le besoin.*
*Daniel se joint à moi pour te souhaiter une bonne rentrée, en espérant que tu continues tes études à la faculté de Lyon.*
*Nous t'embrassons très fort.*
*Daniel et Josy qui ne t'oublient pas.*

Franck est perplexe, pourquoi son épouse aurait-elle envisagé de « couper avec sa vie passée » ? Et qui sont Daniel et Josy ? Très certainement sa famille d'accueil, il ne voit pas d'autre possibilité. Il entreprend, fébrile, la lecture du troisième courrier, envoyé presque un an plus tard. Il espère en découvrir davantage.

*Très chère Julie,*
*Voilà bientôt deux ans que nous ne t'avons lue, vue ou entendue. Cela nous peine, c'est ton choix, mais nous ne t'oublions pas et avons pensé à ton anniversaire. Daniel et moi te souhaitons une merveilleuse fête pour tes vingt ans, et beaucoup de bonheur pour ton avenir. Ce n'est pas grand-chose, mais nous joignons un billet de cinquante francs à cette lettre pour te permettre de te faire un petit cadeau à cette occasion.*
*Peut-être que tu n'as plus nos coordonnées, aussi je te mets au dos de cette feuille notre adresse et notre numéro de téléphone.*

33

*En espérant recevoir très prochainement un signe de vie de ta part.*
*À très vite Julie.*
*Daniel et Josy qui pensent beaucoup à toi.*

Franck tourne le feuillet avec empressement pour y découvrir les informations. Aussitôt, il attrape son portable et cherche dans l'annuaire électronique si les expéditeurs sont bien inscrits dans les pages blanches. Devant ses yeux s'affichent les coordonnées d'un certain Daniel Maury, domicilié à l'adresse indiquée dans le courrier, avec un numéro de téléphone correspondant. Franck frissonne. Il tient le début d'une piste, il en est convaincu. Ces gens habitent en Corrèze, le département dont son épouse est native. Il ne peut pas les appeler en pleine nuit, mais ce sera son premier geste au réveil.

La fatigue est présente, mais la curiosité l'emporte et Franck s'emploie à réunir les morceaux de papier pour reconstituer le puzzle. Il reconnaît l'écriture, identique aux autres lettres. Patiemment, il assemble les bouts déchirés et finit par obtenir un courrier quasi complet, même si certains mots sont inachevés et que des fragments de la missive manquent à l'appel.
Cette quatrième lettre date de septembre 1998, presque un an avant sa rencontre avec Julie.

*Bien chère Julie,*
*Plus de cinq ans sans la moindre information sur ta vie, je ne sais pas si tu résides toujours à la cité universitaire. Je suppose que oui, car nous t'avons déjà envoyé trois courriers depuis ton départ et, même si aucun n'a re    éponse, aucun ne nous a été retourné. Alors je me plais    roire que, bien que tu ne me ré    es pas, tu me lis. Et j'avais envie de partager avec toi cet évènement. Une fillette nous a été confiée il y a deux semaines et    te ressemble tellement ! À chaque fois que je la regarde, c'est toi que j'aperçois. Elle a les mêmes grands yeux que toi, bleus et remplis de chagrin. Elle est tout aussi sauvage que toi à ton arrivée chez    . Elle a connu un malheur identique au tien. Eh oui, to    a est bien triste, mais la terre n'en finit pas de porter des fous inhumains.*

34

*Pardonne-moi ma Julie, je ne tiens pas à raviver ta peine. Il est vrai que durant les dix années     tu as passées auprès de nous, nous n'avons jamais parlé du drame de ta vie, je respectais ton choix de taire cet immen lheur.*

*Je voulais juste que tu saches que     ons fait du mieux que nous p ons Daniel et moi, pour t'aimer autant que ta mère t'a     sûrement bien plus que ton père ne t'a jamais aimée. Bien que nous ne soyons pas tes pare     tu es notre fille de cœur, nous serons toujours présents po oi, quoiqu'il advienne et même après des années de silence. Si tu le désires, Julie, n'hésite pas à nous revenir,     e dans quelques mois, même dans quelques années,     orte te restera ouverte aussi longtemps que nous serons de ce monde.*

*Nous t'embrassons aussi fort que nous t'aimons. Aucun autre enfant ne te remplacera.*

*Daniel et Josy à qui tu manques tellement.*

Grâce à ce dernier courrier, Franck a la confirmation que Daniel et Josy sont les personnes qui ont accueilli Julie après la mort de sa mère. En revanche, il ne comprend absolument pas pourquoi elle évoque le père de Julie. Celle-ci n'a pas de père, elle ignore qui il est. À moins qu'elle ne lui ait menti. Quant au drame qu'elle a connu, s'agit-il du décès de sa mère à cause du cancer alors qu'elle était encore enfant ? En ce cas, pourquoi fait-elle allusion aux « fous inhumains » ? Il ne voit pas de lien avec la disparition maternelle. Et surtout, pourquoi ce courrier a-t-il été déchiré puis conservé ?

Il relit cette phrase « Elle a les mêmes grands yeux que toi, bleus et remplis de chagrin. Elle est tout aussi sauvage que toi ». Il la reconnaît. Ce regard lointain qui accroche celui des autres, alors qu'elle ne semble pas être présente, ce côté solitaire. Il essaie de l'imaginer avec quelques années de moins. A-t-elle beaucoup changé ? Il aimerait tellement pouvoir plonger dans le passé de sa conjointe, découvrir des photos d'elle à des âges divers pour savoir comment elle a évolué jusqu'à la femme qu'elle est devenue.

À la lecture de cette ultime lettre, Franck a l'esprit embrouillé. Mais il est persuadé que grâce à un appel téléphonique à la première lueur du jour, il en apprendra davantage sur son épouse qu'en plus de vingt ans de vie commune.

Les courriers se sont arrêtés en 1998. Julie a obtenu son diplôme en 1999 et a déménagé pour venir habiter avec lui. Difficile de savoir si c'est le dernier que Josy a écrit ou s'il y en a eu d'autres qui lui ont été retournés. Dans quelques heures, il pourra poser toutes ces questions aux principaux intéressés puisque, par bonheur, il les a localisés.

## 7

**Lyon, septembre 1998** — Julie a fini son service de midi, elle rentre à la cité universitaire. Elle ouvre la boîte aux lettres qu'elle n'a pas vérifiée depuis plus de deux semaines. À quoi bon ? Hormis des factures et des publicités, elle n'y trouve jamais rien d'autre.

Pourtant, aujourd'hui elle découvre cette enveloppe, avec cette écriture qu'elle reconnaîtrait entre mille. Cette lettre qu'elle espère et qu'elle redoute. Qu'elle espère, car elle brise sa solitude pendant une poignée de secondes ; quelqu'un, quelque part, pense à elle et lui envoie quelques atomes d'affection. Qu'elle redoute aussi, car elle ravive un malaise inexpliqué qui la plonge parfois dans un désarroi profond. Aussi gentille que soit Josy, elle n'est pas sa mère. Et même si Julie n'a que des impressions très floues de son enfance, elle se souvient qu'elle n'a pas été élevée par sa famille. Aucun enfant ne devrait être privé des siens.

Tremblante, elle approche doucement sa main de l'enveloppe. Elle l'examine un moment, fixe cette écriture ronde et appliquée qui a transcrit son prénom et son nom avec délicatesse. Avec tendresse très certainement aussi. La respiration de Julie se fait plus vive. Elle déglutit bruyamment. Elle glisse l'enveloppe dans la poche arrière de son jean, claque la porte de la boîte aux lettres pour la refermer, puis monte les escaliers trois à trois.

Arrivée dans sa chambre minuscule, elle se réfugie sous les draps, enfonce sa tête dans l'oreiller. Pourquoi Josy continue-t-elle de lui écrire malgré ses silences ?

Elle repense aux courriers reçus les années précédentes, toujours empreints de bienveillance, d'amour, qui manquent cruellement à sa vie. Elle sort la tête de sous l'oreiller, saisit l'enveloppe froissée et recommence à l'observer attentivement. Au bout d'une demi-heure, tremblante, terrée sous ses draps, elle se décide à l'ouvrir.

Dès la lecture des premiers mots, une bouffée d'angoisse resserre l'étau dans sa poitrine. Pourquoi les lettres de Josy sont-elles douloureuses alors qu'elle ne cherche qu'à lui montrer qu'ils pensent à elle ?

Soudain, Julie se fige. « *Elle a les mêmes grands yeux que toi, bleus et remplis de chagrin. Elle est tout aussi sauvage que toi à ton arrivée chez nous. Elle a connu un malheur identique au tien. Eh oui, tout cela est bien triste, mais la terre n'en finit pas de porter des fous inhumains* ».

Une crise de larmes s'empare d'elle sans qu'elle l'ait anticipée, l'obligeant à interrompre sa lecture. Une porte claque dans le couloir de la cité U, Julie sursaute et pousse un cri. Elle a de plus en plus de mal à respirer. Tout devient flou autour d'elle. Un tintamarre envahit sa tête. La douleur à son bras gauche se ravive. Elle comprime son poing et enserre son biceps de sa main droite pour tenter de se soulager. Mais ça ne passe pas. Alors elle attrape le cutter posé au pied de son lit et, comme elle aime le faire parfois, elle s'entaille le poignet. Tout devient glacial, un léger vertige la saisit. Quelques gouttelettes commencent à dégouliner sur les draps. Elle se sent mieux, elle flotte quelques secondes avant de fermer les yeux. Mais le rouge et le bleu s'imposent. Elle cligne ses paupières mouillées pour les ouvrir, pour chasser ces couleurs sang et hématome qui hantent sa vue.

Roulée en boule dans son lit, elle lutte contre ces bruits, cette douleur, ces colorations. Elle ne comprend rien à ce qui se passe. La sensation de devenir folle une fois de plus, de perdre la raison sans raison. Elle est traquée par un désespoir dont les racines lui échappent. Pourquoi le bleu et le rouge encore une fois ? Et pourquoi Josy lui parle-t-elle de son père ? Cet homme n'a jamais existé, même si rien n'est net dans sa mémoire quant à l'absence de celui-ci.

En pleine détresse psychique, elle déchiquète la lettre minutieusement, avec rage, expirant exagérément à chaque déchirure. Elle s'acharne sur ce papier qu'elle n'a pas lu jusqu'au bout. Son corps et son esprit le refusent, elle doit les écouter. Puis elle balance les minuscules bouts qui s'éparpillent un peu partout dans la pièce. Intérieurement, elle est à l'image de cette lettre, morcelée.

Elle sort d'un bond de son lit, et passe son poignet sous un jet d'eau fraîche. Elle l'enroule d'un mouchoir en tissu pour arrêter les écoulements de sang. Puis elle soulève son matelas et prend les quelques billets qu'elle a réussi à économiser. Oui, elle s'était juré de ne plus recommencer, mais elle est incapable de lutter contre des fantômes qu'elle ne comprend pas. L'anesthésie émotionnelle des scarifications ne suffit pas à étouffer ces réminiscences inexplicables. La sonnette d'alarme s'embrase. Elle a besoin de plus. L'engrenage se réactive. Elle glisse les billets dans son pantalon, sans se recoiffer ni vérifier son apparence dans le miroir. Elle claque la porte qu'elle ne ferme pas à clé et dévale les escaliers.

Après avoir pris un bus, elle marche sur une centaine de mètres. Elle sait où le trouver, elle n'a pas besoin de le chercher bien longtemps. Elle contourne le cimetière et le repère, appuyé contre le mur d'enceinte, fidèle au poste, en compagnie d'un autre junkie.

— Tiens, une revenante !

Maigre, rigide et piquant comme un clou, il a figé un sourire hargneux sur ses lèvres tuméfiées. Les lunettes de soleil, vissées sur son nez distors dans la grisaille de cette journée, ne servent qu'à dissimuler ses yeux jaunâtres injectés de sang.

— T'es pas morte blondinette ?

— Qu'est-ce que ça peut te foutre ?

L'acolyte du dealer, complètement défoncé, explose de rire, relâchant dans une expiration abrupte la fumée du joint sur lequel il vient de tirer. Le sourire du dealer s'efface.

— Calme-toi la blonde ! dit-il en la bousculant.

Il n'apprécie pas d'être traité ainsi par une femme, surtout en présence d'un autre homme. Julie porte sa main sur son épaule gauche et serre les dents. La douleur a été intensifiée par le geste brusque du dealer.

— Ça va, fais pas chier. Je suis juste venue acheter une dose, pas échanger des formules de politesse.

— Ah ouais ? Va falloir être plus gentille alors, menace le dealer en s'avançant vers elle.

Il saisit violemment la fesse de la jeune femme d'une main et approche sa bouche de celle de Julie. Elle le repousse fermement et recule d'un pas pour s'éloigner de l'haleine fétide du junkie.

— Tu me files une barrette de shit, c'est tout ce que je demande.

— C'est con, j'ai plus d'matos. Crack ?

Un sourire narquois s'affiche sur sa face édentée. Il se baisse et attrape le joint de son pote assis à terre. Ce dernier proteste vaguement avant de s'affaler sur le sol. Le dealer aspire de toutes ses forces puis expire la fumée dans le visage de Julie.

— Non.

Trop fort et trop cher. Elle ne veut pas plonger si profond dans l'obscurité.

— Rachacha ?

Elle réfléchit un instant. Elle a déjà goûté au rachacha et son corps n'avait pas aimé. Elle jette un œil hâtif sur l'horizon de tombes et de croix qui dépassent de l'enceinte. Le lieu est tout aussi glauque que le moment. Un flash rouge, puis bleu, et tout redevient glacial. Elle veut en finir, alors elle cède.

— OK.

Le dealer pénètre dans le cimetière et revient au bout de quelques minutes. Le billet et la boulette sombre et brillante passent rapidement de main en main.

— Bon app' blondinette.

Puis elle part à toute vitesse, le cœur battant, la douleur encore plus vive. Elle marche, à la recherche d'un coin tranquille pour ingérer la boulette. Elle s'engouffre dans une ruelle sans issue et s'assoit à l'abri d'une porte cochère. Elle sort la boulette enrobée de papier cigarette de sa poche et la dépose sur sa langue. Une amertume ne tarde pas à s'en dégager, mais qu'importe, Julie prend le temps de la sucer pour profiter au mieux des effets. Elle se relève et se rend dans un quartier plus animé de la ville. Au bout d'un quart d'heure à déambuler, les effets de l'opium se font ressentir. Un apaisement l'envahit peu à peu. Elle plane, loin de la merde de sa vie misérable. Elle sourit aux passants, elle avance au ralenti. Elle dénoue le mouchoir imbibé de sang qui enserre son poignet gauche et le jette dans une poubelle. Puis elle s'assoit à la terrasse d'un bar et commande une bière. À la table voisine, un groupe de jeunes enfile des shots de téquila tour à tour, s'encourageant à grands cris. Engourdie, Julie les regarde avec béatitude. Un brun BCBG et avenant s'approche. Il lui propose de se joindre à eux avec enthousiasme.

— Une aussi jolie fille ne devrait pas rester toute seule. C'est un crime !

Elle se sent bien, sociable, aimable, elle picolera avec eux avec plaisir.

Elle se réveille au petit matin, par terre, enroulée dans un couvre-lit inconnu, dans une chambre immense. Allongée, elle ne voit que les moulures du plafond éclairées par un rayon de soleil filtrant à travers les tentures. Le plafond tangue, sa bouche est pâteuse. Les relents d'alcool, de tabac froid et de cannabis l'agressent. Elle regarde autour d'elle et découvre deux hommes à ses côtés et un autre sur le lit, endormis. Julie les observe, hébétée. Saisie par une horrible nausée, elle se redresse d'un bond et part en courant dans cet appartement démesuré. Comme elle ne sait pas où se trouvent les toilettes, elle vomit sur le parquet, au milieu du corridor. Elle enserre sa tête entre ses mains et s'insulte mentalement. *Quelle conne, qu'est-ce que j'ai encore fichu ?* Elle retourne à la chambre, récupère ses affaires discrètement et file sur la pointe des pieds. Le plancher grince, mais ses compagnons d'un soir dorment profondément. Elle s'habille sur le perron, en épiant les bruits. Elle descend les escaliers recouverts de moquette, et laisse glisser ses doigts sur la rampe en bois brillant pour maintenir son équilibre.

La lourde porte se referme sur le patio intérieur et elle se retrouve projetée dans l'agitation de la place Carnot. Comment a-t-elle atterri là ? Ce n'est pas du tout le quartier où elle réside. Elle s'assoit quelques instants sur les marches de la statue de la République et tente de rassembler ses esprits. Les vomissements l'assaillent à nouveau et elle offre aux regards des passants écœurés ses déjections incontrôlables. Elle se relève péniblement et cherche l'arrêt de bus le plus proche pour rentrer chez elle. Elle a du mal à réveiller ce corps qui a dormi à même le parquet et qui a abusé de substances nocives.

Trop défoncée, elle ne pourra pas assurer le service du soir. Son patron va sûrement la virer. Tant pis, les cours à la faculté vont bientôt reprendre, son contrat saisonnier touche à sa fin. Le trajet dure une éternité. Julie détonne parmi les costards-cravates, frais et pimpants, qui partent travailler. Elle s'oblige à retenir ses nausées à chaque soubresaut du bus.

Elle sent les regards désapprobateurs posés sur elle ce qui accroît sa hâte de rejoindre son chez-elle.

En se réveillant le lendemain matin, elle rassemble les petits bouts de papier épars dans sa chambrette et se dirige vers la poubelle. Elle l'ouvre, hésite un moment, puis les range dans l'enveloppe cachée sous ses livres, là où elle conserve les autres lettres de Josy.

Elle va se reprendre en main. Il le faut.

# 8

Julie voit le jour alors que Denise et Roger frôlent la quarantaine. Elle demeure le seul fruit de leur union accidentelle. Un trésor pour sa mère, un fardeau pour son père. Chacun avoisine presque trente-cinq ans lors de leur rencontre. Elle n'a jamais été mariée. Lui a déjà partagé sa vie avec une autre femme qui l'a quitté sans préavis et relégué à l'oubli. Il l'a remplacée par la première aspirante qu'il a réussi à harponner. Dans leur univers, la problématique des sentiments amoureux relève de la contingence. On se rencontre, on s'épouse, on cohabite. Une coalition circonstancielle pour solutionner l'intendance du quotidien. Le reste, les rapports humains entretenus au sein du couple, ne sont que fioritures tant que les désirs de monsieur trouvent satisfaction.

Julie préfère quand son papa ne dîne pas à la maison. Il travaille dans une usine, à une dizaine de kilomètres de la petite ferme qu'ils habitent. C'est Denise qui se consacre au potager, qui élève quelques poules pour bénéficier d'œufs frais, des canards et des lapins destinés à être sacrifiés pour un déjeuner ou un souper. Roger, lui, part tôt le matin et rentre en début de soirée. Parfois plus tard, alors que Julie est déjà couchée.

L'homme, taciturne et sombre, apprécie le vin rouge ainsi que les programmes télévisés monochromes, déroulés continuellement et bruyamment lorsqu'il reste à la maison. Peut-être en raison de son âge, peut-être en raison de la peine de son divorce imposé, peut-être pour une tout autre raison, Roger manque d'affection envers la fillette.

Quand Roger est de repos, Julie préfère se retrancher dans sa cabane temporaire, où elle s'isole pour lire, jouer avec ses poupées ou rêvasser. S'il fait trop froid, alors elle s'occupe à ces mêmes activités dans sa chambre, refuge douillet.

Denise discrète et Roger taiseux se parlent peu. Et quand celui-ci s'adresse à la fillette, c'est toujours pour renauder d'un ton rude et ferme, qui ne tolère pas la réplique. Ce qu'il veut, il l'exige. Mais la fillette tient tête, à l'inverse de sa mère, ce qui fâche Roger qui rugit pour asseoir son autorité. Excepté pour manifester ses exigences, il ne communique guère. Le langage est une option utilisée pour la seule transmission d'informations pratiques. Pas d'encouragements, de compliments, de félicitations, de mots de satisfaction. En dehors des ordres qu'il peut lui donner, il ignore la présence de la fillette, comme si elle n'existait pas.

Qu'a-t-il à lui reprocher ? D'être, tout simplement, lui qui ne voulait pas d'enfant. Elle lui vole les attentions de la douce Denise, subjuguée par sa fille. Toute la vie de la ferme tourne autour d'elle depuis qu'elle a montré sa tête. Roger doit quémander les baisers qui ne lui sont désormais plus réservés et qu'il doit partager. Une fois de plus, il se sent abandonné, délaissé par celle qui devrait lui consacrer chacune de ses journées. L'enfant a provoqué une tempête que le falot regrette. Denise se montrait un peu plus câline et attentionnée envers lui avant l'arrivée de ce boulet aux cheveux dorés.

Toutefois la petite fille ne souffre pas de cette caverneuse atmosphère en présence de son père, grâce à sa capacité à s'extraire de ce calvaire. Elle rêvasse, elle se détache, elle s'envole dans son imaginaire. La réalité n'est pas. Elle en invente une autre plus salutaire. Une barrière pour se maintenir éloignée des réprimandes.

Grâce aussi à cette plaisante maman qui sait mettre de la poésie dans sa vie. L'exquise Denise ne se départit jamais de son sourire. Même lorsque Roger semble avoir abusé de godets alcoolisés, les soirs où il rentre tardivement de l'usine. Passablement enivré, il les invective pour tout et pour rien, plus en verve que lorsqu'il est sobre. Quand une telle situation se présente, la maman envoie alors l'enfant dans sa chambre si elle n'est pas encore couchée. Puis elle se plie en quatre pour satisfaire les volontés de l'homme éméché afin qu'il ne fasse pas soubresauter les cloisons avec ses aboiements. Julie s'immerge dans son univers, elle se construit un avenir serein et pailleté. Elle rêve à un futur prometteur avant de plonger dans les bras de Morphée.

Le lendemain, elle retrouve une maisonnée pacifiée, avec un père parti travailler et une mère toujours préoccupée à la choyer. Pour la fillette qui n'a pas d'autre modèle parental, il n'y a là rien d'anormal. En effet, les Vergne n'ont pas de vie sociale. Enfants uniques, ils ne sont jamais conviés à de grandes réunions familiales à l'occasion d'un mariage, d'un baptême ou d'une quelconque cousinade.

Quand arrive le week-end, Roger s'absente pour rejoindre ses camarades à la pêche ou à la chasse. A ces occasions-là, il rentre régulièrement à une heure indue, la plupart du temps en état d'ébriété. Si par bonheur Denise a regagné son lit avant son retour, il la laisse se reposer, s'endort sur le canapé, assommé par ses pousse-cafés. En revanche, si elle est encore absorbée par ses travaux domestiques, il grogne sans motif, maugréant, protestant, exigeant, ordonnant, réclamant de façon systématique. Son épouse fait le maximum pour le contenter. Et lorsque la météo ne lui permet pas de s'ébattre dans ses activités masculines extérieures, c'est alors un bien triste week-end à la ferme où règne la mauvaise humeur. Roger fait planer un voile lourd sur la maison, où il traîne la savate, rouspète à tout propos, ne sachant comment s'occuper autrement qu'avec le poste de télévision et en rendant sa fille responsable.

Par conséquent, Julie préfère les jours sans pluie et ne se plaint pas de son absence, heureuse de partager avec sa maman ces temps de répit, dans le calme et la joie que leur offre la providence.

Ainsi s'écoule la vie à la ferme, entre tartes aux pommes, jeux avec Narcisse, câlins et rires, en duo. Avec rudesse, désenchantement et discrétion, en trio.

# 9

**Domicile, jour 3** — Franck émerge aux premières lueurs de la journée. Il n'a dormi que quelques heures mais il a hâte de s'entretenir avec les Maury.

Le réveil affiche 7 h 40, il est encore trop tôt. Les jumeaux sont déjà partis pour l'école. Son estomac est noué, il n'a pas envie d'un petit déjeuner. Il n'est pas habitué à manger de si bonne heure. Pour tuer le temps, il entreprend de fouiller à nouveau la chambre, puis le bureau. Au cas où. Mais il ne découvre rien de plus. *Dénuement* est le mot qui lui vient à l'esprit. Sa femme ne possède aucun bien affectif. Cette idée lui brise le cœur. Il reste plongé dans ses pensées un long moment, debout devant la baie vitrée. Il ressasse les mêmes questions depuis sa rencontre avec le docteur Lemoine. Puis il décide de téléphoner à l'hôpital pour prendre des nouvelles de Julie. L'infirmière en chef n'a pas d'informations particulières à lui communiquer. Sa sortie est maintenue pour ce jour.

Plus d'une heure qu'il est levé, l'horaire lui paraît raisonnable pour appeler des inconnus. Il s'installe confortablement sur le canapé et compose le numéro, le cœur battant. Première sonnerie. Son cœur frappe plus fort. Deuxième sonnerie, puis une troisième. Et une quatrième.

— Allez ! Décrochez ! souffle-t-il.

Nerveux, il tapote contre l'accoudoir le genou qu'il a replié sous lui. Une cinquième sonnerie résonne dans le combiné en guise de réponse. Puis une sixième. Et enfin un bip signifiant que quelqu'un vient de décrocher.

— Allô ? répond une voix féminine que l'on devine d'un certain âge.

— Madame Maury ?

— Oui.

— Bonjour Madame. Je suis Franck Clénan, le mari de Julie Vergne.

Un silence s'installe quelques secondes. Il attend que son interlocutrice reprenne ses esprits.

— Julie ? Comment va-t-elle ?

46

— Bien. Enfin, presque, j'ai besoin que vous m'aidiez.

— Mais qui êtes-vous ?

— Son mari, Franck Clénan. Julie et moi sommes ensemble depuis plus de vingt ans. Nous habitons Palavas-les-Flots.

— Oh ! Elle habite près de la mer, comme ce doit être agréable, s'extasie la vieille dame. Vous pouvez me la passer, je voudrais lui parler.

Franck réfléchit à la meilleure façon d'annoncer l'accident, mais il ne voit pas d'autre solution que d'aller droit au but.

— Je ne peux pas. Elle a eu un accident de voiture, elle est hospitalisée.

— Oh mon Dieu, Julie, la pauvre !

— Rien de grave rassurez-vous, l'interrompt aussitôt Franck sentant poindre l'inquiétude dans la voix de son interlocutrice.

Il résume en quelques mots les évènements des derniers jours.

— Oh Julie ! Ma petite Julie !

Le silence se fait, madame Maury semble absente. Partie dans un ailleurs lointain.

— J'ai besoin que vous m'aidiez à faire la lumière sur le passé de ma femme, reprend Franck pour la ramener à leur conversation.

— Je ne comprends pas ce que vous dites, Monsieur.

— Julie est à l'hôpital, elle ne parle plus. Et les médecins pensent que c'est lié à son passé.

— D'accord. Vous êtes le chirurgien qui s'occupe d'elle ?

— Non, je suis Franck Clénan. Son mari.

— Oh ! elle est mariée, c'est merveilleux. Ma petite Julie, ma poupée !

Le cuisinier imagine madame Maury se perdre dans ses pensées. La discussion s'annonce compliquée par téléphone, aussi il réfléchit rapidement à une autre stratégie.

— Écoutez madame Maury, je souhaiterais venir vous voir pour que l'on puisse discuter face à face. Moi, vous et, …

Il hésite. Et si elle était veuve ?

— Vous et votre époux.

— Oui bien sûr, avec Daniel. Pourquoi voulez-vous nous rencontrer ?

— Parce que j'ai besoin que vous m'aidiez, que vous me parliez du passé de Julie.

— Mais vous êtes qui ?

— Franck, le mari de Julie Vergne ! Madame Maury, c'est important. Est-ce que je peux venir à Brive pour que nous discutions de vive voix ?

— Quand voulez-vous venir ?

Il ouvre l'application qui lui permet de calculer l'itinéraire le plus rapide : environ quatre heures de route les séparent. Il peut les faire en trois heures trente. Si Gérald lui donne quartier libre, un aller-retour le lendemain peut s'envisager.

— Demain ? En fin de matinée ? Vous en discutez avec votre époux et vous me confirmez ?

— D'accord, je vous rappelle.

Il lui communique son numéro de téléphone, la remercie chaleureusement et raccroche. Cette dame paraît avoir perdu quelque peu la tête, il espère ne pas faire le déplacement pour rien. Mais il n'a pas d'autre piste.

Son service démarre dans plus d'une heure, mais il ne souhaite pas tourner en rond chez lui et il décide de s'y rendre plus tôt. Au cours de la matinée, il consulte à plusieurs reprises son téléphone qui reste muet.

Après le déjeuner, il négocie un repos exceptionnel pour le lendemain. Les restaurants de cette catégorie affichent complet tous les samedis soir et les tables y sont réservées plusieurs jours à l'avance. Gérald renâcle à lui accorder cette faveur, Franck doit faire preuve d'une grande persuasion. Il lui promet de rejoindre son poste dès son retour, quelle que soit l'heure, pour renforcer l'extra qu'il devra embaucher afin de le remplacer. Gérald finit par accéder à la demande de son employé, fiable et cuisinier de haut vol.

Avant de reprendre son service du soir, il doit se rendre à l'hôpital pour la sortie de Julie. Pas de sieste possible ce jour-là. Il se gare devant l'immeuble austère et consulte une fois de plus son téléphone. D'ordinaire patient, il ne résiste pas et compose à nouveau le numéro des

Maury. Cette fois, une voix d'homme lui répond. Son épouse ne l'a pas informé de son appel, il est étonné de cette demande. Franck lui explique la situation. Il accepte une entrevue pour le lendemain.

L'entretien terminé, il quitte son véhicule et rejoint le bureau des sorties pour signer tous les formulaires nécessaires. Puis il se présente devant la chambre de son épouse. Il marque un temps d'arrêt avant d'entrer. La découvrir comme ça le déchire. Il inspire un grand coup et frappe doucement sans attendre de réponse.

Julie est assise sur un fauteuil. Elle pose sur lui un regard dénué d'expression. Elle paraît si fragile ; il la découvre autrement. Il ne voit plus Julie la forte, Julie la battante. Il voit son plâtre, ses hématomes, ses silences, ses supplices non-dits. Il perçoit sa douleur. Sa course pour colmater le vide, sûrement pour effacer une angoisse latente qui la pousse à se maltraiter à coup de suractivité, de caféine et de nicotine. Combien de fois a-t-il tenté de la dissuader de s'intoxiquer de la sorte ? Maintes fois, toujours en vain. Tout comme ses cauchemars, ses nuits sans sommeil qu'il a essayé d'apaiser avec de la camomille et de la valériane qu'il fait infuser dans une eau filtrée et épurée. Des élixirs insignifiants et sans effet. Pour la première fois en vingt et un ans, il se pose enfin la question : pourquoi ? Et il s'en veut terriblement. Car tous ses agissements ont certainement leurs racines dans le passé. Ils symbolisent les symptômes d'un mal-être qui ne s'exprimait pas verbalement. Qui, par conséquent, n'existait pas à ses yeux d'homme éperdument amoureux, incapable d'envisager la souffrance de sa belle. Pourtant, aujourd'hui, face à lui, Julie n'est plus la même. Ce changement invisible est perceptible. À moins que ce ne soit son regard qui ait changé ? Il observe au-delà du discernable.

Il se force à sourire puis s'avance vers elle. Il lui caresse le front. Il ose à peine la toucher par crainte de la casser. Sa Julie, qu'il découvre si fragile. Il s'accroupit et, des larmes dans les yeux, il attrape sa main en silence. Elle porte toujours sur lui ce regard vide et absent.

— Mon amour, murmure-t-il.

Il lui caresse doucement chaque doigt.

— On rentre à la maison. Je suis venu te chercher.

— Oui, souffle la blessée.

49

Franck la regarde, hésitant quelques secondes.

— Oh mon amour, mais tu parles !

— Oui, dit-elle d'une voix à peine audible.

— Je suis si heureux, si tu savais ! J'ai eu tellement peur pour toi.

Emporté par sa joie, Franck l'enveloppe avec force. Julie laisse échapper un petit cri de douleur.

— Pardon, excuse-moi. Mais je suis soulagé de t'entendre. J'ai cru que tu ne nous parlerais plus.

Elle tente un sourire pour le rassurer, mais ses yeux disent le contraire. Franck lui prend à nouveau la main et l'aide délicatement à se lever.

— Viens. Partons d'ici.

Il rassemble ses affaires et la tient par son bras non plâtré jusqu'à la voiture. Le bras gauche. Celui dont les douleurs s'éveillent régulièrement. Celui qui est scarifié. Franck ne peut s'empêcher d'y jeter un coup d'œil discret. Mais à cette saison, masquée sous un pull et un manteau, aucune lacération ne dépasse.

Il aide Julie à prendre place côté passager puis s'installe derrière le volant. Le trajet se déroule en silence. Après avoir quitté la quatre-voies, ils circulent au bord des étangs, où le soleil, qui se désagrège, projette sa douce lumière de fin de journée. Julie fixe leurs reflets scintillants sous l'effet d'un ciel rougeoyant. Elle entrouvre la fenêtre. L'air frais et iodé s'engouffre dans l'habitacle. Elle frissonne. Elle allume une cigarette et se focalise sur les volutes qui s'échappent vers l'extérieur. La radio diffuse en sourdine les tubes à la mode. Lorsque résonnent les premiers accords de *Memories*, Franck se met à fredonner. Il dodeline lentement de la tête au rythme de la douce mélodie.

« ... *And the memories bring back, memories bring back you*
*Doo doo, doo doo doo doo*
*Doo doo doo doo, doo doo doo doo*
*Doo doo doo doo, doo doo doo*
*Memories bring back, memories bring back you*
*There's a time that I remember when I never felt so lost*
*When I felt all of the hatred was too powerful to stop (ooh, yeah)*
*Now my heart feel like an ember and it's lighting up the dark*

*I'll carry these torches for ya that you know I'll never drop, yeah*
*Everybody hurts sometimes*
*Everybody hurts someday »*[1].

Pour Julie, qui parle parfaitement anglais, cette chanson est monstrueuse. D'un geste sec, elle coupe le son au deuxième couplet. Son époux tourne la tête vers elle avec surprise.

— Ça va ?

— Oui.

Elle expire une dernière bouffée puis écrase rageusement le mégot dans le cendrier. Elle rallume aussitôt une cigarette avant de porter son regard sur l'étang. Quelque chose d'indéfinissable l'a insupportée dans les mots du chanteur. Tout est de l'ordre du ressenti, sans explication rationnelle. La panique la gagne, aussi elle ouvre la fenêtre en grand et laisse l'air frais fouetter son visage. Respirer à pleins poumons. Mais que s'est-il passé ? Pourquoi tout ce flou ? Ses récents flash-backs, d'une implacable précision, ont-ils un lien réel avec son histoire ou est-ce le fruit de son imagination ? Ses perceptions ne collent pas avec ce qu'elle croit se rappeler de son enfance. Mais elle n'a personne avec qui partager ses doutes, ses incompréhensions. Le poids lourd de la solitude s'abat sur elle, malgré la présence de Franck qui lui caresse doucement le genou.

Ce dernier garde les yeux rivés sur la route de peur de croiser ceux de sa femme. Que dire ? Que faire ? Comment la soulager ? La culpabilité gagne peu à peu du terrain dans sa tête. Depuis plus de vingt ans qu'il la connaît, il n'a rien soupçonné de son passé. À présent qu'il en devine une

---

[1] « *...Et les souvenirs ramènent, les souvenirs te ramènent*
*Doo doo, doo doo doo doo*
*Doo doo doo doo, doo doo doo doo*
*Doo doo doo doo, doo doo doo*
*Les souvenirs ramènent, les souvenirs te ramènent*
*Il y a un moment dont je me souviens quand je ne me suis jamais senti aussi perdu*
*Quand j'ai senti que toute la haine était trop puissante pour s'arrêter (ooh, ouais)*
*Maintenant mon cœur se sent comme une braise et il éclaire l'obscurité*
*Je porterai ces torches pour toi tu sais que je ne laisserai jamais tomber, ouais*
*Tout le monde fait mal parfois*
*Tout le monde fait mal un jour* » extrait de « *Memories* » de Maroon 5

parcelle, il ne sait trouver les gestes ou les mots pour l'apaiser. Alors il se tait.

Devant chez eux, il ouvre la portière de Julie. Il hésite. Il lui tend une main. Elle ne la refuse pas mais la lâche sitôt sortie de la voiture. Julie la battante, pense-t-il. Il la laisse rentrer seule dans la maison et porte la maigre valise.

Un flot musical les accueille. Mély et Hugo goûtent, installés sur le canapé, pianotant sur leur téléphone. Ils ne les entendent pas arriver. Franck s'empresse d'aller baisser le son. Aussitôt ils tournent la tête vers l'entrée.

— Hey mom' ! s'enthousiasme Hugo, la bouche pleine, une tartine à la main, son portable dans l'autre.

Mély, quant à elle, se précipite vers sa mère pour la prendre dans ses bras. Franck la stoppe d'un geste.

— Doucement. Elle a encore mal.

— Oui, bien sûr, répond l'adolescente, se contentant de frôler le plâtre du bout des doigts. Est-ce que tu peux parler maintenant ?

— Oui.

— Rho maman, lâche Mély soulagée. J'ai cru que tu étais devenue muette. Qu'est-ce qui s'est passé ? Pourquoi tu as eu si peur l'autre soir ? Et pourquoi tu ne parlais plus ?

— Mély, maman est fatiguée. Laisse-la se reposer et vous discuterez de tout ça demain.

Julie caresse les cheveux de sa fille pour la rassurer.

— Plus tard, murmure-t-elle.

Plus tard quoi ? Elle-même n'a pas toutes les réponses à ces questions. Juste des angoisses colossales qu'elle ne peut pas partager avec eux.

— D'accord maman.

Mély dépose un baiser léger sur la joue de sa mère. Hugo, qui n'a pas bougé du canapé, lève un pouce dans sa direction, accompagné d'un clin d'œil. La bouche toujours pleine, il baragouine :

— Si tu veux que j't'aide à monter les escaliers mom', tu m'dis !

Julie sourit vaguement en guise de réponse. Puis elle grimpe l'escalier pour rejoindre sa chambre. Franck la devance et pose la valise au pied du lit.

— Je te fais couler un bain ?

— Non.

— Il faut que j'y aille mon amour. Gérald m'attend. Je n'ai pas pu prendre ma soirée parce que demain je n'irai pas au restaurant. Je dois me rendre dans l'arrière-pays sélectionner des producteurs pour élaborer de nouvelles recettes.

Julie hoche la tête. Peu lui importe. Ce ne sont que des mots, dénués d'intérêt. Tout est gelé en elle. Morte-vivante, ses sens sont à l'arrêt. Elle n'est à l'affût de rien, les paroles, les gestes du présent glissent sur elle, ineffectifs. Franck, qui n'a pas pour habitude de lui mentir, est soulagé de son absence de réaction. Il ne désire pas lui parler des lettres, de son rendez-vous avec les Maury. Il veut d'abord découvrir ce qu'il y a à découvrir. Il l'embrasse sur les lèvres, lui murmure « Je t'aime tant » puis s'engouffre dans la salle de bain attenante à la chambre. Il se douche et enfile des vêtements propres avec rapidité ce qui lui évite de penser à son mensonge, à sa culpabilité, à son impuissance.

Dans la pièce d'à côté, Julie effectue les mouvements contraires. Elle se déshabille avec difficulté avant de se glisser dans le lit. Tout tourne au ralenti dans sa tête.

Franck revient dans la chambre au pas de charge. Il attrape le verre déposé sur le chevet de son épouse, va le nettoyer puis le remplir dans la salle de bains et rejoint son épouse.

— À demain mon amour. Je file, je suis en retard.

Julie roulée sur un côté du lit ne réagit pas. Il ferme la porte avec discrétion et donne pour consigne aux jumeaux de ne pas déranger leur mère, excepté si c'est elle qui les appelle.

## 10

**Brive, jour 4** — Le réveil avait sonné de bonne heure car Franck souhaitait être de retour pour le service du soir comme il s'y était engagé auprès de Gérald. Il avait avalé d'une traite les quatre cents kilomètres d'autoroute le séparant de Brive.

Peu à peu, la garrigue des Corbières avait laissé la place aux Causses du Quercy, aux champs en sommeil et à la forêt. La luminosité et les degrés en moins ne gênaient pas Franck. Il n'avait rien remarqué de tout cela, trop occupé à émettre des hypothèses sur ce qu'il s'apprêtait à découvrir. En espérant que les Maury n'aient pas tous les deux complètement perdu la tête ! Si la piste de la famille d'accueil aboutissait à un échec, il ne voyait pas d'autre option pour en apprendre davantage sur le passé de son épouse. Excepté questionner Julie. Et il ne s'y sentait pas prêt. Si elle avait tu l'histoire de son enfance et de son adolescence, elle avait des raisons valables. Jusqu'où le fait de l'avoir épousée lui donnait-il des droits ? Toutefois, leur équilibre était rompu depuis quatre jours, et son intuition lui disait que leur vie d'avant ne reviendrait plus. Des réponses s'imposaient pour démêler les nœuds du passé et pour poursuivre leur vie plus sereinement dans l'avenir, quelle que soit la trajectoire à emprunter.

Le cuisinier trouve facilement la demeure recherchée grâce au GPS. Nichée dans un quartier où se mélangent les habitations de pierre claire de la région et des maisons-cubes typiques des années 60, elle se situe au fond d'une impasse. Il se gare quelques mètres avant pour se dégourdir les jambes, peu habitué à rester assis.

Franck s'approche et repère un homme en train de jardiner. Il l'interpelle depuis le portail.

— Monsieur Maury ?

L'homme, courbé, mais encore alerte pour son âge, se redresse aussitôt.

— Oui.

— Je suis Franck Clénan, le mari de Julie.

— Bien sûr, Monsieur Clénan, je vous attendais. Entrez, je vous prie.

Le jardinier accompagne son invitation d'un geste de la main, puis dépose sa sarclette dans une brouette avant de s'avancer vers Franck. Ce dernier pousse le portillon et jette un œil rapide au cadre extérieur. Le spacieux jardin est bien entretenu même si, à cette saison, la nature sommeille. C'est ici que son épouse a grandi. Son cœur se serre à cette pensée. Monsieur Maury lui tend la main. Franck s'en saisit. Le vieil homme la presse alors fortement entre les deux siennes. Son émotion est palpable.

— Je suis heureux de vous rencontrer Monsieur Clénan, dit-il d'une voix tremblotante et rocailleuse, en roulant les « r ».

— Je vous en prie, appelez-moi Franck.

— C'est entendu. Moi c'est Daniel.

Franck l'observe un moment et il aime ce qu'il voit. Un homme qui devait être grand et qui s'est affaissé sous le poids des ans. Malgré tout, il dépasse d'une tête le cuisinier de taille moyenne. La douceur de son sourire contraste avec la force qui se dégage de sa stature massive. Ce dernier relâche la main de son invité avant de poursuivre :

— Vous avez fait bonne route ?

— Oui et j'ai trouvé facilement.

— Bien. Avant qu'on entre, je dois vous prévenir. Mon épouse, elle a plus toute sa tête. Elle se rappelle parfaitement Julie, n'ayez crainte, ses souvenirs anciens sont bien là. Mais elle a du mal à se rappeler les évènements récents. Alors, vous étonnez pas si elle vous pose plusieurs fois les mêmes questions.

— Je comprends, Daniel. Pas de souci.

Dès la porte passée, des bruits de casseroles leur parviennent. Une odeur de poulet grillé mêlée à celle de gâteau beurré chatouille leurs narines. En parfait cordon bleu, madame Maury s'affaire aux fourneaux. La cuisine étant aménagée en retrait du corridor, elle ne les a pas entendus. Daniel suggère au jeune homme de déposer son manteau dans l'entrée puis le conduit vers le salon.

— Installez-vous. Je vais me laver les mains et chercher la Jo.

— Merci.

Franck s'assoit dans un fauteuil en cuir ambré. Il s'imprègne de l'ambiance sans fioritures : un sol carrelé de mosaïque, des meubles imposants en bois massif, deux canevas accrochés au mur, des lustres en osier, une tapisserie de losanges marron et orange. L'intérieur est aussi propre et parfaitement entretenu que l'extérieur. Il a vieilli avec ses occupants qui n'ont pas renouvelé la décoration depuis la construction de la demeure. Et pourtant, il s'en dégage chaleur et douceur. Il se sent bien dans cet intérieur familial baigné d'odeurs de cuisine maison. Il essaie d'imaginer Julie, petite, évoluant au milieu de ces meubles.

Sur le buffet il repère un pêle-mêle de photos. Il se lève et s'en approche. Elle est là. Il distinguerait la mélancolie de ces iris turquoise parmi des milliers d'autres. L'émotion le submerge. Il ne connaît rien d'elle avant ses vingt-trois ans. Ni sa vie, ni son physique, ni ses loisirs. Rien. Et là, la petite Julie se matérialise sous ses yeux. Il voudrait décrocher la photo pour l'observer de plus près, mais elle est sous cadre, mêlée à des dizaines d'autres portraits.

— Vous l'avez trouvée ? résonne la voix de Daniel dans son dos.

Franck se retourne.

— Oui. Elle n'a pas changé, dit-il dans un sourire.

— Franck, voici Josy, mon épouse.

— Enchantée, Franck. Daniel m'a expliqué que vous vouliez nous voir au sujet de Julie. Elle n'est pas avec vous ?

— Non, elle a eu un accident de voiture, elle est très fatiguée.

— La pauvre Julie. J'espère qu'elle va bien !

— Elle va à peu près bien.

Daniel l'invite à s'asseoir autour de la table basse où il dispose des biscuits maison. Josy propose de servir du café. Franck accepte volontiers et en profite pour la détailler. La malice de ses yeux est valorisée par les rides qui les encadrent. Ses lèvres très fines et son visage creusé s'accordent à sa frêle silhouette alors qu'il s'attendait à rencontrer une mamie plutôt gironde. Il apprécie la facétie qui se dégage de cette femme. Il trouve le couple incroyablement bien assorti malgré son âge avancé. Tout aussi chaleureux l'un que l'autre. Franck est rassuré, Julie n'a pu qu'être heureuse dans ce cocon.

— Nous n'avons pas pu avoir d'enfant. Alors tous ceux-là, ce sont un peu les nôtres, explique Daniel en pointant les nombreux clichés.

— Je comprends. Je peux vous montrer des photos de notre famille si vous le souhaitez.

— Ce serait très aimable, se réjouit Josy.

Franck sort son téléphone, s'installe auprès du couple et fait défiler des instantanés de Julie et des jumeaux en plein écran. Josy porte les mains à sa bouche et arrondit les yeux sous l'effet de surprise.

— Elle est tellement jolie ! Daniel, regarde, elle n'a pas changé. Oh Julie ! Je peux ? demande Josy qui souhaite saisir le téléphone pour se rapprocher virtuellement de celle qui lui manque tant.

Franck acquiesce d'un signe de tête et lui donne son portable. La vieille dame s'approche des photos de Julie. Elle désire la toucher. Elle pose son index sur le visage de sa poupée devenue une femme. Des larmes perlent. Elle ne cesse de répéter « Julie, Julie, ma Julie ». Franck est ému par la réaction de Josy et comprend d'autant moins la distance que son épouse a souhaité mettre entre elle et ces gens si protecteurs. Il a hâte d'aborder le sujet qui l'a conduit jusqu'ici, mais il ne veut pas les brusquer. Il se doute qu'il va éveiller des souvenirs douloureux pour le couple qui semble très attaché aux enfants qu'il a élevés.

Daniel et Josy lui posent de nombreuses questions sur le travail de leur protégée, leurs enfants, leur rencontre, leur cadre de vie. Il leur montre des photos de leur mariage, de Mély et Hugo à des âges divers.

Ils devisent depuis presque une demi-heure quand Daniel décide d'entrer dans le vif du sujet.

— Expliquez-nous pourquoi vous souhaitiez nous voir.

Franck leur raconte l'accident, la réaction démesurée de Julie et la demande des médecins d'enquêter sur le passé de sa femme pour expliquer l'état de choc dans lequel elle est prostrée depuis quatre jours.

— Vous ignorez tout de son enfance ?

— Tout. Je ne sais rien de sa vie avant notre rencontre.

— Alors j'espère que vous êtes prêt à entendre le pire.

Le cuisinier expire d'un coup sec. Son cœur frappe violemment. Il perçoit son sang couler dans ses veines jusqu'à ses chevilles. Que va-t-il apprendre ?

# 11

Franck est sous le choc. Lui, qui ignorait tout de l'enfance de son épouse, vient de découvrir l'horreur de ses jeunes années. Il n'a rien vu, rien compris, rien deviné.

La sidération qui l'écrase en cet instant le cloue sur place. Il a quitté la maison des Maury comme un automate, il reste immobile derrière le volant depuis plus d'un quart d'heure. Il observe les minutes s'égrener sur le cadran. Il pense à la promesse faite à Gérald, pourtant, il n'arrive pas à enclencher le démarreur. Pourquoi n'a-t-il rien perçu des souffrances de sa femme ? Est-ce que l'immensité de son amour l'empêchait de voir au-delà de tout ce qu'il projetait sur elle ? Est-ce qu'il s'est laissé aveugler par leur confort ? Mariés, deux enfants et un bon job. Des vacances, quelques soirées entre amis, des armoires qui débordent. Des repas de famille avec les siens, puisque Julie n'a pas d'attaches. Est-ce que l'apparence d'une existence matériellement comblée suffit à masquer tous nos traumatismes, nos cauchemars, nos peurs ?

Une moto rugissante l'extrait de ses pensées. Une demi-heure à présent qu'il essaie de comprendre. L'humidité et la grisaille se diffusent dans ses membres. Mais la stupeur qui le submerge anesthésie tous ses sens, il ne ressent pas le froid. Un bip signale l'arrivée d'un SMS. Il attrape le téléphone, « Gérald » s'affiche sur l'écran. Il doit y aller, il le sait. Il garde le portable en main, sans réaction.

« Une carapace », les mots du docteur Lemoine lui reviennent en tête. À l'intérieur, Julie doit souffrir terriblement. Maintenant, certains comportements prennent sens : sa froideur, sa distance, les lacérations sur son poignet fin et gracile, la douleur saisonnière au bras gauche, ses sursauts au moindre bruit, ses excès, son rejet du prénom « Sébastien ». Il se souvient de sa colère quand il avait suggéré « Bastien » pour Hugo. Lorsqu'ils avaient appris le sexe des jumeaux, la future mère avait aussitôt avancé Mély pour la fille. Lectrice invétérée, grande fan des œuvres d'Amélie Nothomb, Mély représentait le diminutif de son héroïne, imaginé pour leur enfant. Elle avait ensuite demandé à Franck de proposer un prénom de garçon. À peine « Bastien » avait-il franchi le seuil de ses lèvres que Julie avait explosé. Elle avait refusé ce prénom avec une telle vivacité que le futur papa en avait été surpris. Julie pouvait s'énerver, son caractère affirmé l'amenait à s'emporter lorsqu'elle se confrontait à une résistance. Mais pas pour un détail aussi futile. Franck avait abdiqué, disant qu'un autre prénom conviendrait, mais Julie ne s'apaisait pas. Les griefs contre les Bastien n'en finissaient pas. Quand, quelques heures plus tard, le calme était revenu, Franck avait questionné sa femme sur les raisons de son irritation. Elle avait été incapable de se justifier, s'était excusée et avait paru profondément troublée. Elle avait passé le reste de la soirée le nez dans un livre, sans lui adresser la parole, perturbée par sa propre attitude.

Il se souvient aussi de cette première escapade dans une fête foraine qui s'était achevée sur un fiasco. Le bruit intense, les tirs à la carabine, Julie semblait apeurée. Elle regardait dans toutes les directions, se crispant au bras de son époux qui trouvait sa réaction exagérée. Jusqu'à ce qu'elle parte en courant se réfugier dans leur voiture. Là non plus, elle n'avait pas pu fournir d'explication à Franck. Peu à peu, des tranches de vie, anodines sur l'instant, revenaient à la mémoire du cuisinier. Ainsi, les comportements bizarres de sa femme, auxquels il ne prêtait pas attention, avaient une origine cruelle.

Il persistait toutefois des zones d'ombre. Une notamment : les cinq années qui s'étaient écoulées entre le départ de Julie de Brive et leur rencontre. Qu'avait-elle vécu durant tout ce temps ? Elle étudiait, certes, mais sa vie, elle ressemblait à quoi ?

Le téléphone bipe à nouveau. Il ouvre les messages de Gérald et répond afin de le rassurer. Il rentrera au plus tôt, comme il le lui a promis. Il enlève ses lunettes, compresse ses paupières avec la paume de ses mains. Il respire longuement, pour faire le vide, chasser les images d'horreur qui pilonnent sa tête. *Ça y est, cette fichue migraine revient !* Il remet ses lunettes, attrape un comprimé de paracétamol dans le vide-poche et l'avale sans eau. Il rassemble ses forces et démarre, même si la confusion règne. Il doit rester concentré sur la route, sous peine de laisser ses pensées l'égarer et provoquer à son tour un accident. Il a trouvé ce qu'il était venu chercher, mais les explications obtenues ont creusé un autre vide : le ressenti de Julie. De nombreuses interrogations s'enchaînent dans sa tête. Il croise les attitudes de sa femme avec les informations fournies par les Maury pour tenter de reconstituer peu à peu les perceptions et le vécu de Julie. Sans oublier ce que les Maury ignorent sur ce qui s'est passé dans la vie de la petite fille avant son arrivée chez eux.

Il ne s'était jamais posé de questions sur son épouse. Pour lui, tout était limpide, il l'acceptait telle qu'elle était. Pas une fois il n'avait envisagé qu'une telle horreur ait pu façonner sa personnalité. À présent qu'il sait, que va-t-il faire de toutes ces informations pour aider l'amour de sa vie ? Car il ne peut feindre l'ignorance. Et elle, comment le pouvait-elle ? Était-il possible que certains évènements se soient effacés de sa mémoire ? Il voulait la protéger de cet effroi, lui offrir le pouvoir d'oublier, la rassurer, l'épauler, afin d'apprendre à vivre avec ses traumatismes. Les Maury avaient fait de leur mieux, mais elle n'avait bénéficié d'aucun accompagnement professionnel pour l'aider à surmonter tout cela. À l'époque, on s'en souciait bien peu.

Franck a le cœur déchiré pour sa femme. Il oscille entre culpabilité et incompréhension. C'est si violent de savoir que l'être que vous aimez le plus au monde a subi une telle cruauté. Et c'est douloureux de se dire que l'on ne détient aucun remède pour le guérir de tout ça.

Il roule trop vite, accélère, emporté par le tourbillon de ses questions qui se superposent à des scènes d'horreur. Le flash d'un radar automatique le rappelle à la raison. Il décélère, même s'il a hâte de rentrer chez lui. Que va-t-il dire à Julie ?

Franck se gare dans l'allée qui mène à leur villa. Il serre le frein à main. Rien, il ne dira rien à Julie aujourd'hui. Il doit lui-même digérer tout ce qu'il vient d'apprendre avant de pouvoir le verbaliser. Les informations sont trop récentes, il est encore en état de choc. Il sort la coupure de presse que les Maury lui ont remise. L'article daté du 25 janvier 1984 relate les évènements qui se sont produits quelques jours auparavant, dans une petite commune proche de Brive-la-Gaillarde. Le papier jauni par le temps n'a pourtant pas permis d'adoucir les mots qui y sont écrits. Franck le relit une dernière fois, comme pour s'assurer que tout cela est vrai, qu'il n'a rien imaginé. Puis il décide de le cacher dans la boîte à gants du véhicule.

Rentré chez lui, il s'assure que tout va bien pour les jumeaux. En ce samedi, les adolescents ont passé la journée suspendus à leurs écrans. Il grimpe les escaliers deux à deux et s'empresse de retrouver Julie. Il la découvre comme il l'a laissée le matin, alitée. La jeune femme n'a rien avalé et n'est pas sortie de sa chambre. Elle a lutté pendant des heures contre les souvenirs qui l'assaillaient peu à peu et se précisaient au fur et à mesure que son psychisme levait le voile.

Son époux s'approche doucement d'elle et dépose un baiser léger sur son front. Il s'agenouille au bord du lit. Il la scrute longuement, en silence, immobile, comme si elle détenait les réponses à toute l'incompréhension qu'il combat depuis sa conversation avec les Maury. Cette fois, ça y est. Il la voit. Il voit sa carapace. Le temps ralenti, alangui, ce temps d'observation lui ouvre les yeux sur cette armure invisible. Il écoute son souffle court. Il capte toute la détresse qu'elle exhale. Il dessine l'ovale de son visage avec délicatesse, d'un doigt léger puis il murmure :

— Mon amour, je suis là. Je vais t'aider. On va s'en sortir. Ce soir je suis obligé de travailler, je me suis engagé auprès de Gérald. Mais je ferai mon possible pour avoir une semaine de congés et m'occuper de toi.

Julie pose un regard vide sur lui. Il n'attend ni réaction ni réponse. Il se doute à quel point la jeune femme doit souffrir même s'il ne peut qu'émettre des suppositions quant à ce qu'elle vit actuellement.

Il se promet de rencontrer au plus vite le docteur Lemoine. Il incitera aussi Julie à prendre rendez-vous avec lui.

Julie, elle, est passée de l'autre côté du miroir. Sa mémoire spéculaire réverbère des débris lointains, fragmentés et nauséabonds.

# 12

La petite Julie a pris quelques centimètres. À l'aube de ses huit ans, sa vie à la ferme se détériore. Au fil du temps, la colère de Roger s'est accrue en même temps que sa consommation d'alcool. Julie en fait les frais, le gougnafier se mue peu à peu en tyran. L'ivresse devient quotidienne, exagérant les pulsions agressives envers l'enfant qui se sont muées en pulsions sexuelles.

En ce mois de janvier, Roger ne peut s'adonner à ses loisirs d'extérieur en raison d'une météo enragée. Alors l'humeur ténébreuse du mâle se répand sur les soirées et les journées de repos. Il abuse des godets et rugit d'un ton courroucé dans toute la maison. Ses exigences envers sa fillette augmentent avec les centimètres de celle qui devient sa marionnette. Depuis cet été, l'homme se montre sous son vrai jour de dépravé. Il reporte sur sa fille ce que sa femme ne lui offre plus, l'alcool annihilant tout interdit moral. Il affirme son autorité sur l'insubordonnée qu'il transforme peu à peu en jouet, certain de réparer l'injustice dont il s'estime victime. Il punit l'origine de ses déboires, la source de son abandon, la raison pour laquelle Denise n'est plus aussi exquise. Et, de ce qui était une punition, naît un désir inavoué. Le goût de cette chair moelleuse, cette peau délicate et doucereuse attise sa convoitise. Il la fait sienne. Il satisfait ses pulsions avec celle qui ne peut s'opposer à lui. Et puis c'est sa faute, elle le provoque. Avec ses jupettes sous lesquelles elle agite ses petites fesses rebondies qui se remplissent peu à peu. Il assouvit le manque de ce qui n'existe plus entre lui et son épouse dès que cette dernière n'œuvre pas dans les parages. Parfois, il réveille la fillette juste avant que la lune ne parte se coucher. D'autres fois, il profite du moment où sa femme travaille au potager ou nourrit les animaux. Dans ces derniers cas, il sait qu'il a peu de temps devant lui. Alors il s'empresse d'étancher son besoin physique avec une agressivité décuplée. Sous le coup de la colère ou du désir, sous l'emprise de l'alcool, il manipule et terrorise l'enfant. Tout devient prétexte pour la punir dès que Denise s'éloigne. Et il termine à chaque fois avec un : « Et ne m'oblige pas à recommencer ! » pour s'absoudre de sa perversion. Il ne détient aucune responsabilité, il ne fait que répondre aux provocations de la gosse.

Alors la blondinette en est convaincue : tout est de sa faute. Papa l'a dit. Quand elle l'entend approcher, elle laisse son esprit dériver, pour s'absenter de cette cruauté. Elle s'évade, elle fuit par la pensée. Elle s'extrait et survole la scène qui se joue dans cette chambre plongée dans les ténèbres silencieuses où il étouffe d'une main tous les cris qu'elle pourrait lâcher. Ce n'est pas elle, ce n'est pas lui, ce n'est pas la réalité. Un subterfuge pour ne pas intégrer les souffrances. Du haut de son impuissance, elle a appris à se soumettre pour se préserver. Quand le pervers commence à la toucher, elle laisse son esprit s'évaporer et observe, d'en haut, cette petite fille qui se fait violer. Sa tête est séparée de son corps, elle flotte dans les airs, bien heureuse de ne pas être concernée. Elle met son cerveau sur pause. Elle se doute que quelque chose ne va pas dans les punitions de papa, des frottements impurs, emplis d'un râle qu'elle abhorre. Mais elle échappe à ses questions et ses souffrances à l'aide de l'imaginaire. Le visage de son tortionnaire tuteur, sa voix, tout devient flou dans ces moments de supplice. Elle voudrait crier, appeler à l'aide, mais aucun son ne réussit à franchir sa bouche.

De toute façon, c'est elle la coupable, elle provoque papa, il le répète à chaque fois. Pourtant, elle ne supporte plus ce souffle vicié. Le pire advient quand Denise sort effectuer des travaux de la ferme et qu'il a abusé de l'alcool. Roger saisit l'opportunité. Il empoigne la fillette avec une force enragée, la fait voler jusqu'à sa chambre où il s'empresse de se rassasier. Julie l'a compris, alors elle accompagne maman pour nourrir les animaux ou jardiner aussi souvent qu'elle le peut. Mais en ces mois d'hiver, Denise, inflexible, refuse. Sa protégée risquerait de s'enrhumer, elle doit rester au chaud. Roger enclenche dès lors un processus redoutable en toute impunité. Julie se soumet, impuissante, aux châtiments vicieux, dans la honte de cette chambre close. Il s'agite sur elle avec une rapidité fulgurante et va de plus en plus loin dans ses exigences. Le cerveau de la fillette disjoncte pour survivre à l'emprise de son tuteur légitime. Par le biais de sa domination et de sa manipulation, il est parvenu à la chosifier.

En ce 20 janvier, Julie se lève, nauséeuse, et sort le calendrier des PTT de son coffre à jouets comme après chaque viol. Elle y dessine une croix, la vingtième en sept mois. Vingt croix ce n'est pas foison, mais tout dépend de ce dont il est question. Et ces croix commencent à peser sur son cœur, dans son ventre et dans sa tête. Elle somatise de plus en plus, dort de moins en moins, toujours sur le qui-vive. À l'école, elle a du mal à comprendre ce qu'explique la maîtresse. Elle n'a pas partagé son désespoir avec sa mère, car Roger le lui a formellement interdit. Mais puisque les croix se rapprochent dans le calendrier, elle ressent le besoin impérieux de se confier. Papa lui a fait jurer de se taire, mais elle exècre ce secret, tout comme les râles de Roger. Elle déteste quand il fait d'elle son objet. Peut-être que maman pourrait l'aider à ne plus endurer les caresses abjectes même si le vicieux lui dit que c'est pour son bien, que c'est normal. Que tous les papas punissent leurs fillettes comme ça lorsqu'elles désobéissent ou font une bêtise. Julie a bien essayé d'être sage, la plus sage possible, pour ne pas l'obliger à recommencer, mais ça ne le satisfait jamais. Roger a toujours quelque chose à lui reprocher. Maman ne la sanctionne pas de cette façon, elle.

Par conséquent, au petit déjeuner, Julie explique avec des mots simples ce qu'elle peut observer lorsqu'elle s'envole au-dessus de son lit pour se protéger. Denise, sidérée, écoute en silence ce qu'elle ignorait. Puis elle se met à pleurer. Comment ce monstre peut-il souiller ainsi une si belle et si gentille enfant ? Comment ne s'est-elle aperçue de rien, n'a rien entendu ? Elle a juste relevé que Julie se faisait plus discrète en la présence de son père. Elle ne se rebellait plus contre lui. La mère mettait cette sagesse récemment acquise sur le compte de l'âge. De son regard d'adulte, Denise trouvait que Roger n'était pas bien méchant. Gueulard, rustre, soûlard, mais pas tellement différent des hommes qu'elle a souvent côtoyés dans son milieu. Jamais elle n'aurait imaginé ça de lui puisqu'il n'aimait pas sa fille.

Quand Denise était petite, son père l'aimait trop, et il le lui avait prouvé avec des caresses, des frottements, des années durant. Aussi, elle refuse que Roger agisse de la sorte. Elle ne sait que trop bien ce que c'est. Il a dévoilé une face immonde, abjecte, qu'elle n'avait jamais soupçonnée. Maintenant qu'elle sait, elle n'a pas le droit de l'ignorer. Son cœur de mère l'exhorte à réagir, à protéger sa jolie Julie.

En ce mardi matin, tartinant une dernière tranche de pain avec du beurre qu'elle agrémente de cacao poudré, elle enjoint à la jeune élève de retrouver ses camarades de classe, comme à l'accoutumée. Elle lui promet que dans la soirée, tout sera réglé. Plus jamais elle ne laissera son père la déshonorer.

Julie est rassurée. Elle a bien fait de partager ce secret avec maman qui va l'aider à s'extirper de ces cauchemars. Et c'est le cœur léger qu'elle s'en va étudier.

Restée seule, Denise rumine et se fustige. Comment n'a-t-elle rien deviné ? Dire que si sa fille ne s'était pas épanchée, elle n'aurait rien soupçonné de ce qui lui était infligé.

Toutefois, au fond d'elle, une voix pleine de reproches l'interpelle. *Tu es sûre ? Mais si, tu le savais ! Tu n'as certes rien vu, mais tu te doutais. Tu le sentais.* Pourtant, elle a préféré rester sourde et aveugle à ce qu'il se passait sous son toit. Nier évitait d'imaginer l'ignoble puisqu'elle n'avait jamais rien constaté. Ses intuitions, ses impressions ne représentaient rien de concret. Tant que Julie ne disait rien, tout allait bien. L'homme a toujours raison. L'homme est roi dominant. Elle a été éduquée avec ce schéma par ses parents fermiers. Et parce que c'est tabou. Parce que c'est plus pratique de faire comme si rien n'existait. Parce que lorsqu'elle était petite, que papa la caressait souvent d'un peu trop près, personne ne disait rien. Tout le monde consentait en silence. Et aujourd'hui, sa perle, sa propre chair subit le même sort et lui confie toute sa souffrance. Elle ne peut plus nier. Fermer les yeux reviendrait à la condamner à perpétuité. Elle sait l'insupportable qu'elle endure. Et elle, Denise, sa mère, serait la complice consentante et encourageante, comme sa propre mère l'avait été à l'époque. Elle va protéger son enfant de cette monstruosité. Impossible d'effacer ce qui s'est produit, mais elle peut l'empêcher de récidiver. Elle ne supporte pas l'idée de ces mains rugueuses, aux doigts épais, aux ongles crasseux, profanant le corps laiteux et innocent de leur fille. Elle ne les supporte déjà plus sur son propre corps. Elle se soumet de temps à autre pour apaiser les envies de

Roger, même si sa carcasse de cochon replet s'agitant sur son ventre l'écœure. Alors, l'imaginer sur celui de leur enfant la révulse.

Toute la journée, elle oscille entre rage contre elle et fureur contre Roger. Elle s'en veut, elle lui en veut. Elle va devoir l'affronter, lui faire entendre raison, mais cela sera-t-il suffisant pour l'arrêter ? Elle peut se soumettre tous les soirs à la place de la fillette si cela peut arrêter les penchants pervers de son époux. Elle ne voit pas d'autre solution, à moins de fuir. Mais pour aller où ? Elle n'a personne chez qui se réfugier.

À la nuit tombée, Julie revient au nid, guidée par le tracé étoilé. Le bus scolaire la dépose à quelques centaines de mètres de la ferme, elle avance à pied dans le sentier pour rejoindre sa maison. Elle est soulagée, elle n'aura plus de croix à tracer dans le calendrier. Denise le lui a juré au petit déjeuner, alors elle regagne le foyer d'un pas léger.

Pourtant, ce soir, son destin va basculer.

## 13

**Montpellier, jour 4** — Franck est harassé après cette journée sans fin. Il termine son service du soir vers minuit, livide, éteint. Il a accumulé les erreurs, incapable de rester concentré après ce qu'il vient de découvrir. L'homme méticuleux, qui présente toujours des assiettes soignées, a négligé son travail. Aussi a-t-il négocié une semaine de repos avec Gérald. Celui-ci lui a demandé de lui laisser un peu de temps pour se retourner. Dès qu'il aura trouvé un extra, il pourra prendre un congé pour rester auprès de Julie.

Franck s'installe derrière le volant, mais au lieu de démarrer pour regagner son domicile, il ouvre la boîte à gants et en extrait l'article de presse. Il le défroisse du plat de la main, comme un trésor. Il est précieux. C'est le seul lien tangible en sa possession qui le connecte au passé de son épouse. Pour se donner du courage aussi. Il prend un premier contact manuel avant de pouvoir poser les yeux sur ces quelques lignes qui décrivent froidement la situation. Quand il se sent prêt, il allume le plafonnier pour le lire une nouvelle fois.

*« Brive la Gaillarde — le mercredi 25 janvier 1984*

*C'est aux alentours de 20 h que s'est déroulé un drame familial au soir du vendredi 20 janvier, sur la commune de Noailles. Monsieur Roger VERGNE, âgé de 49 ans, a tué son épouse, Denise VERGNE âgée de 48 ans, de deux coups portés à la carabine. Une balle a été tirée dans le thorax, l'autre dans le bras gauche. Les raisons de cette tragédie ne nous sont pas encore parvenues à l'heure où nous imprimons ces lignes.*
*Le couple avait une fille unique, âgée de presque 8 ans. »*

Franck lève la tête, il revoit la photo de la petite Julie aperçue chez les Maury. Il peut la transposer dans ce passé telle qu'elle était à l'époque. Même s'il ne peut qu'imaginer la ferme et inventer un visage à Roger et

Denise. Il ne parvient pas à penser les mots « ses parents », comme si l'orpheline n'en avait jamais eu. Il ne peut qu'articuler ce qui est couché sur ce papier « Roger et Denise ». Il tente de visualiser la scène. Il ne peut pas. Il n'y arrive pas. C'est trop tôt. Il doit d'abord apprivoiser l'histoire de son épouse avant de lui donner corps.

Il aimerait être transporté trente-six ans en arrière, l'arracher à ce milieu ignoble, l'envelopper, la protéger. Toutes ces lignes n'existeraient pas. Peut-être qu'il pourrait déchirer ce papier, rentrer à la maison, mettre Julie dans un avion et l'emmener loin. Très loin, au soleil. Rien que lui et elle, de la chaleur, des cocktails et un passé qu'ils noieraient dans l'océan. Le premier mot qu'avait prononcé Julie lors de leur rencontre pour le désigner, c'était « magicien ». Malheureusement il n'est pas magicien. Il n'est qu'un homme ordinaire, impuissant qui n'a aucun pouvoir pour effacer le passé.

Franck ferme les yeux un instant et s'affaisse contre l'appuie-tête. Pourquoi elle ? Pourquoi eux ? Le contact du journal sur ses doigts le rappelle à sa lecture. Il poursuit.

*« Le couple avait une fille unique, âgée de presque 8 ans. Celle-ci était séquestrée par son père depuis le vendredi soir, jour du drame. C'est son absence à l'école qui a inquiété l'institutrice, madame LEROUX. Le mardi après la classe, elle s'est rendue au domicile de la famille pour s'assurer que tout allait bien. Alors qu'elle frappait à la porte pour s'entretenir avec les parents, monsieur VERGNE a tiré à travers la fenêtre. Madame LEROUX s'est empressée de prévenir les services de gendarmerie qui sont intervenus sur-le-champ.*

*Monsieur VERGNE s'est livré aux forces de l'ordre sans la moindre opposition. Monsieur le procureur de la République a ordonné son incarcération immédiate à la maison d'arrêt de BRIVE-LA-GAILLARDE. Le cadavre de son épouse gisait dans le lit conjugal. Monsieur VERGNE a avoué être l'auteur du crime, commis vendredi soir, mais n'a pas souhaité s'expliquer sur les raisons de son geste.*

*La fillette a été retrouvée dans la chambre parentale, assise dans un coin, muette et en état de choc. Elle a été confiée à l'assistance publique en attendant l'identification de proches parents qui pourraient la prendre en charge.*

*Nous ne manquerons pas de vous informer de la suite de l'enquête lorsque des éléments nouveaux seront en notre possession. »*

Franck revient sur les quelques mots qui font référence à Julie. Quelques lignes factuelles, distantes, pour relater l'épouvante vécue par *sa* femme. Comme si le journaliste faisait l'inventaire d'une collecte de nourriture. Des faits rien que des faits. Pas une émotion. Alors que, merde ! Quatre jours… Quatre longs jours. Seule, avec son bourreau. Et le cadavre de sa mère. Comment raconter cette monstruosité avec autant d'indifférence ? On parle d'une enfant, sans défense, livrée à un… à un… Franck ne trouve pas les mots. Il envoie un coup de poing dans le volant. Son impuissance le ronge.

Qu'avait-il pu se passer durant ces quatre jours où personne n'était là pour la protéger ? Et pourquoi son père avait-il commis l'irréparable ?

Les époux Maury lui ont expliqué ce matin qu'ils avaient recueilli Julie une dizaine de jours après le drame. Elle était restée muette durant un mois. Et même quand elle avait recommencé à parler, ça avait toujours été avec mesure. Julie la silencieuse. À aucun moment elle n'avait évoqué ce qu'elle avait vécu. À aucun moment elle n'avait mentionné son père ou sa mère pendant les dix années où elle avait habité sous leur toit.

C'était une petite fille, puis une adolescente avec un fort caractère, mais discrète. Elle savait ce qu'elle voulait et se battait pour l'obtenir. Bonne élève, elle travaillait beaucoup, et déployait une énergie folle dans le sport, jusqu'à l'épuisement. Elle communiquait peu, dormait peu, mangeait peu. Elle oscillait entre parcimonie et excès selon les domaines. Elle semblait avoir du mal à régler le curseur : c'était tout ou rien, intensément ou pas du tout. Par ailleurs, elle appréciait la solitude et les Maury ne se rappelaient pas d'amitié particulière.

Malgré tout l'amour qu'ils lui portaient, Julie ne s'était pas départie de son regard triste et souriait peu. Elle paraissait hantée par des souvenirs qu'elle n'évoquait pourtant jamais. Un profond chagrin l'habitait, mais elle n'en verbalisait pas l'origine. Vers ses seize ans, Josy avait remarqué que, parfois, elle s'entaillait les poignets. Elle n'avait pas su comment réagir face à ces automutilations. Elle en avait parlé au médecin de famille qui lui avait conseillé de sévir. Josy avait préféré ne pas tenir compte de cette recommandation qu'elle trouvait inadaptée.

Elle avait fait tout ce qu'elle croyait juste et bon pour cette jeune fille qui lui avait été confiée et qui était restée renfermée dans sa coquille durant toutes ces années. Elle avait porté attention au moindre signal d'alerte, mais la psychologie à l'époque ne tenait pas la place qu'elle a aujourd'hui. Alors elle avait agi avec son cœur, avec son amour pour l'aider à pousser aussi droit qu'elle le pouvait.

Et puis Julie était partie dès qu'elle avait eu le baccalauréat en poche. Devenue majeure, plus rien ne la retenait chez les Maury qui n'avaient plus jamais entendu parler d'elle malgré leurs tentatives pour garder le contact. Les téléphones portables n'existaient pas encore et rien ne les liait officiellement à cette jeune fille qu'ils chérissaient pourtant comme la chair de leur chair. L'histoire de Julie sonnait tel un échec pour eux, conscients qu'ils n'avaient pas su la ramener à la vie. Car, d'après Daniel, quelque chose était irrémédiablement mort chez Julie. Elle ne s'accrochait à la vie que parce que son cœur l'y obligeait, en continuant de battre.

Ils avaient été heureux malgré tout d'apprendre qu'elle avait épousé un homme affectueux avec qui elle avait eu deux beaux enfants. En apparence, elle avait réussi à construire sa propre famille, et ce, malgré le drame dont elle avait été victime.

Franck, sidéré depuis sa discussion avec les Maury, cherche des réponses. Une question en particulier le taraude. Il dépose l'article de presse dans la boîte à gants et prend la direction de Palavas-les-Flots, ruminant cette incertitude : que s'était-il passé pendant ces quatre jours ? Quatre longs jours, seule, à la merci de son père, le meurtrier…

# 14

Roger est furieux. Denise ose l'affronter et l'accuser. Il est rentré épuisé et éméché de sa journée de travail et sa rombière lui tient tête. Elle refuse de lui servir le souper. Elle réclame des explications sur les confidences recueillies le matin. Mais c'est sa fille ! Il en fait bien ce qu'il veut ! Il n'a rien à expliquer. Rugissant, il tape du poing sur la table, faisant tressauter les couverts. Il n'a de comptes à rendre à personne et sûrement pas à cette femme qui n'a d'yeux que pour sa couvée au lieu de l'aimer lui, son mari devant la loi et devant Dieu.

Le ton monte entre les époux. Denise s'insurge, ne se laisse pas intimider par les aboiements du prédateur. Roger, quant à lui, accable la fillette ainsi que son épouse. Dans un délire paranoïaque, il se sent persécuté. Rien ne peut le calmer, le raisonner. Il déverse ses pensées enragées à l'égard de la blondinette qu'il juge insubordonnée. Il tient des propos incohérents, l'accuse de le provoquer en se trémoussant devant lui. Il raconte ses belles fesses tendres, des fesses que Denise refuse de lui offrir. Alors il se sert, parce qu'elle lui appartient à lui aussi. La meilleure façon de la soumettre à ses ordres tout en répondant aux devoirs que son épouse ne remplit que trop peu. Denise ne comprend rien aux justifications confuses de son mari qui disculpe ses actes entre désir et punition. Il a perdu la raison.

— Mais tu es complètement malade !

— Ne me parle pas comme ça ! rugit Roger.

Il attrape son verre de vin et le boit d'un seul trait.

— C'est toi qui débloques. C'est de ta faute tout ça.

Il se lève, et dans un grand bruit, jette la chaise à terre. Denise sursaute, mais elle en a vu d'autres. Roger continue dans son délire.

— Tu te fous de ma gueule. Tu m'as épousé mais t'es juste bonne à faire à bouffer. Tu fais pas ton travail de femme. Tu me satisfais pas. Alors moi aussi j'ai le droit de m'intéresser à la merdeuse.

Les yeux de Roger lancent des éclairs de rage. Le visage tordu de colère, il se dévoile comme Denise ne l'a jamais connu. Il semble déverser une haine contenue pendant des années.

— Je m'en fous que tu sois d'accord ou pas. Elle m'appartient, tu pourras pas changer ça. C'est moi qui décide, et vous devez m'obéir.

— Mais qu'est-ce que tu racontes ? Tu bois trop, ça te fait tourner la tête.

— Tu veux dire que je raconte que des conneries ? questionne-t-il en s'approchant d'elle.

Sa femme estomaquée recule d'un pas. Elle aurait presque peur de ce mari qu'elle ne reconnaît pas. Comment peut-il tenir des propos aussi invraisemblables sans en mesurer l'énormité ? Il ne nie pas et assure qu'il continuera ses atrocités. Mieux, il trouve la situation juste et normale. La petite a une dette à payer, il en est persuadé. Il l'accuse même de la provoquer de son corps innocent. Elle ne peut lui faire entendre raison. Or, elle ne supporte pas l'idée que ce traître perdure dans ce comportement dépravé. Et ce soir, il lui prouve qu'avec sa consommation d'alcool grandissante, il devient un autre homme. Elles doivent fuir. Inutile de discuter, il n'est plus lui-même. Par réflexe, elle essuie ses mains sèches sur son tablier avant de l'enlever et de le poser sur le dossier de sa chaise. Elle démissionne. Puis elle part à la hâte rassembler quelques affaires et enlève Julie au passage. Cette dernière s'est enfermée dans sa chambre dès que les voix se sont élevées.

Quand elle revient dans la cuisine avec la fillette et la valise, Roger hurle :

— Tu partiras pas. T'as même pas le permis, tu peux pas t'échapper !

— Je vais m'absenter quelques jours avec Julie. Pendant ce temps, réfléchis à tout ça.

Denise tente la voie du consensus pour calmer son mari. Elle doit mettre Julie à l'abri.

— Sûrement pas ! Vous restez ici.

La fermière dépose la valise au sol et s'approche de son époux en signe d'apaisement, tout en lui tenant tête.

— Roger, tu vois bien que tu es trop énervé pour discuter. On va partir quelques jours avec Julie, et puis moi je reviendrai et on parlera de tout ça.

Roger comprend que sa femme ne se soumettra pas, qu'elle va lui échapper, comme sa première compagne qui a déserté sans préavis alors qu'il était au travail. Denise, il l'avait mariée pour mieux l'enchaîner. Ainsi elle était à lui. Mais non, ça ne suffit pas ! Qu'est-ce qu'elles ont toutes, ces garces, à le lâcher ? De quel droit elles n'obéissent pas ? Pourquoi elles l'abandonnent ? C'est lui le roi, il a besoin d'elle. Elle ne peut pas le menacer de le quitter. Avec la punaise en plus. Elle ne le dépossédera pas. Non, elle ne dégagera pas en emmenant avec elle le jouet qui lui sert à assouvir ses pulsions sexuelles. Julie est à lui, tout comme Denise lui appartient. Il refuse catégoriquement qu'elles lui échappent. Ou alors, si elle veut partir, qu'elle foute le camp, mais pas avec la gosse. Il lui en faut au moins une des deux, la plus malléable de préférence.

Sous l'impulsion d'une blessure narcissique, il se précipite dans la chambre et récupère la carabine de chasseur posée dans un angle. Denise empoigne la valise ainsi que sa fille, et la presse de se dépêcher.

— Vite Julie, viens.

L'enfant, hagarde, obéit aux ordres de sa mère. Elle ne comprend pas tout de la scène qui se joue devant elle, mais elle remarque que papa est furieux. Elle ne l'a jamais vu comme ça. Elle a peur, elle se colle contre maman. L'homme revient dans la cuisine et tire un coup au plafond. Du plâtre s'effrite au sol en guise de sommation sous la volée de plomb. Denise, proche de la porte d'entrée, sursaute puis se retourne vivement. Roger a le verbe haut, la main coureuse sur leur fillette et il boit plus que de raison, mais ce n'est pas un meurtrier. Il ne tirera pas sur elles. Denise est déterminée à s'enfuir. Elle ignore délibérément son injonction et ne pense qu'à se sauver. Alors qu'elles lui tournent le dos, Roger hurle d'une voix autoritaire :

— Tu ne partiras pas.

Sa seule envie obsédante est de protéger son enfant. Son amour pour sa fille annihile toute peur. N'écoutant que son cœur, négligeant les signaux de danger qui s'allument dans son esprit, elle ignore les mises en garde. Elle fait un pas supplémentaire en direction de la sortie. Alors il accompagne sa phrase d'un premier coup de carabine qui touche Denise au bras gauche. Sous la douleur, elle lâche la valise et entoure son bras blessé de son autre main. Elle se tourne vers le tireur et s'écrie, hébétée :

— Mais tu es fou !

— Tu restes ici et tu fermes ta gueule. Ou si tu veux te barrer, tu laisses la gosse.

Elle voudrait pousser la fillette vers la porte mais la douleur est trop vive.

— Non, je ne te la laisserai pas. Tu es devenu fou.

Denise fait rempart de son corps entre Julie et son père. Ce dernier s'approche de son épouse, autoritaire, ses yeux rageurs remplis d'éclairs. Un deuxième coup de carabine tiré presque à bout portant dans le thorax a raison de la douce Denise qui s'écrase au sol en un bruit sourd. Une attaque violente et imprévisible en réponse à un sentiment d'abandon intolérable. Le meurtrier admire la scène sans ciller, détaché de son acte. Il respire tel un taureau courroucé, prêt à ruer. Il vérifie qu'elle ne bouge plus. Rassuré, il a gagné. La garce ne lui échappera pas et la gosse restera avec lui. À l'arrêt, il regarde le sang qui pisse, lentement, agrippé à la carabine, dénué de toute émotion. Vide, sec. Mais victorieux.

Les mécanismes de la grande horloge comtoise continuent de s'enrouler, entraînant le balancier qui fracasse le silence de sa ritournelle sonore, rythmant les secondes suspendues au souffle de Roger. Julie écoute le tic-tac bruyant, familier et rassurant. Immobile, sidérée, elle observe le sang tiède qui s'écoule de la poitrine de sa mère. Elle ne voit plus que ça. Bientôt, une flaque rouge électrise la pièce sous la lumière blafarde du néon, aligné entre les poutres brunes. Quelques giclées d'un vermillon scintillant se mêlent aux éclaboussures de crottes de mouches séchées et disséminées sur les murs blancs défraîchis.

Roger regarde son épouse se vider pendant quelques minutes. Puis il remet la chaise de paille et de bois à sa place habituelle avant de s'attabler. La vie, *sa* vie, continue. Il mange la soupe qui a refroidi dans une aspiration tapageuse, la carabine posée à ses côtés. Il a le sentiment d'un travail bien fait. Puis il saisit le tablier de Denise pour s'essuyer les babines. À présent, il pourra le donner à sa fille.

La tête de Julie s'est dissociée de son corps dès le premier coup de feu. Elle assiste au spectacle à distance. Elle s'est envolée dans les nuages pour observer de plus haut ce qu'il se passe. Elle voit la petite fille qui s'accroupit et qui dit :

— Réveille-toi maman, réveille-toi !

Papa a l'air apaisé, il mange sa soupe comme si de rien n'était. Tout est redevenu calme dans la maison. Elle reprend ses murmures, pleine d'espoir :

— C'est pas grave maman. Tu sais, je peux continuer de dormir avec papa. Allez, réveille-toi maman.

La voix de la petite fille se brise. Personne ne lui répond. Elle la secoue un peu, mais le corps mou, poisseux et carmin ne réagit pas. Julie s'allonge sur celle qu'elle vénère plus que tout et se met à sangloter.

Roger sort de sa torpeur, revient au décor sanguinaire qui l'entoure et rugit.

— Arrête de chouiner ! C'est ta faute tout ça. Je t'avais dit de la fermer.

Il frappe le sol de sa carabine. Julie est effrayée.

Roger crie, Denise saigne, Julie s'envole.

Roger a fini de manger. Il se lève et attrape violemment sa fille par le bras pour l'obliger à se détacher de la défunte. Il la tient fermement et exige :

— Maintenant tu vas faire exactement ce que je te dis. Parce que tout ça, c'est ta faute.

Les grands yeux bleus de Julie acquiescent. C'est normal d'écouter son papa, elle l'a compris. Et puis, en trahissant le secret, elle a scellé le destin de sa douce maman. Dès ce moment, elle se soumet sans ciller. Elle aide papa à transporter maman dans la chambre. Ils la tirent sur le sol, chacun par un bras. Maman est lourde, Julie y met toute son énergie. Elle la tracte de ses mains collantes de sang, elle expire fort à chaque avancée. Elle regarde papa pour s'assurer qu'elle fait bien comme il faut. À chaque mètre gagné, les petits pas de Julie laissent des traces rouges sur le parquet alors que le corps de Denise imprime des traînées pourpres. Puis ils la hissent sur le lit, du côté gauche, à sa place habituelle.

Roger ordonne à la fillette d'aller chercher une bassine d'eau. De la vieille armoire en chêne qui grince, il sort des draps de coton blanc, rêches d'avoir été trop lavés. À la force de ses mains, il les déchire en bandes. Julie revient, il exige qu'elle nettoie le sang qui continue de s'écouler du bras et de la poitrine de sa femme. Quand Denise est un peu plus propre, Roger soulève ce corps devenu pesant sous le poids de la mort, pendant que Julie glisse les grands pansements par en dessous. Puis le meurtrier entoure la dépouille de bandages de fortune pour en faire un garrot. Il serre de toute ses forces et comprime le cadavre de chiffon qui se laisse encore mouvoir aisément.

Lorsque le sang ne s'écoule plus, il demande à Julie de l'accompagner dehors. Munie d'une lampe de poche, la petite fille l'éclaire. Ils se dirigent vers le hangar où Roger récupère des planches de pin et des outils. Un à un, sous les yeux de son enfant, il scelle les volets de bois depuis l'extérieur. Dans la nuit noire, aucun bruit ne résonne à l'exception du marteau qui s'acharne avec virulence sur les grosses pointes. À chaque coup porté, Julie sent son cœur se serrer d'effroi. Elle se retient pour ne pas crier, bouche ses oreilles de ses petits doigts gelés. Avec ces planches barrant les ouvertures, il est rassuré, elles ne pourront pas s'échapper.

Il est près de 22 h quand ils reviennent à l'intérieur. Il envoie Julie dans sa chambre. Elle attrape le calendrier des PTT et y dessine un rond. Comme ça elle se souviendra. Une croix, c'est pour les jours où papa se rassasiera d'elle. Un rond, ce sera pour les jours où maman sera morte.

En ce vendredi 20 janvier, jour de la Saint Sébastien, son calendrier affiche un premier rond.

# 15

Le samedi, il y a classe. Julie adore l'école, mais elle n'est pas certaine que papa l'autorise à s'y rendre. Elle se lève, elle veut ouvrir les volets, mais une grande planche de bois l'en empêche.

Elle s'habille et elle attend avec son cartable, assise au bord du lit. Peu de temps après, papa rentre. Il la somme :

— Tu viens !

Julie le suit dans la cuisine avec son sac de classe, mais il n'est pas question de livres ni de cahiers.

— Nettoie, exige-t-il en pointant la flaque de sang séché.

Accroupie sous la lumière blanche du néon, Julie récure de toutes ses forces. Elle sait qu'elle n'a pas le choix. Maman aurait pu la défendre. Mais maman a l'air d'être morte aujourd'hui encore. Alors Julie apprend à se protéger toute seule. Être conciliante avec son géniteur devient la solution. Sa survie dépend à présent du bourreau tuteur, elle l'a deviné. Elle décape le carrelage avec une force acharnée comme si elle nettoyait du sang de poulet. Elle s'autoanesthésie, comme quand papa la touche, en s'extrayant de la réalité. Elle a déjà lavé le sang des volailles pour aider sa maman, ce n'est pas effrayant.

Roger, attablé pour son petit déjeuner, regarde Julie frotter. Il trempe sa grande tartine de pain beurré dans son café. Il mange avec d'amples mouvements de bouche très bruyants. Il mastique lentement, tranquillisé. Il a passé une bonne nuit. Denise a dormi à ses côtés sans broncher. Elle ne s'enfuira pas.

La mare d'hémoglobine coagulée est bien accrochée au sol, ça occupera la fillette un petit moment. Ils vont apprendre à s'organiser tous les deux pendant que Denise, elle, restera dans la chambre. Quelques jours. Pour l'instant il fait froid, et la maison est chauffée avec le seul poêle à charbon de la cuisine. Denise peut se conserver ainsi un peu de temps. Mais il va devoir lui creuser une tombe dans le jardin, c'est plus raisonnable.

Satisfait par son idée, Roger avale bruyamment son bol de café. Il se lève, enlève les miettes de pain accumulées sur son pull, qui échouent au sol, puis s'adresse à Julie :

— Quand tu auras fini de frotter cette saloperie, tu nettoieras la table.

Et il sort en prenant soin de fermer la porte à clé derrière lui.

Dans le brouillard matinal, il s'emploie à arpenter un champ derrière la ferme. Il recherche le meilleur emplacement pour creuser le trou. Pas pour le confort de Denise. Mais pour le sien. Un endroit où la terre meuble se travaillera facilement et qui ne gênera pas pour l'utilisation du tracteur. Car ce champ ne lui appartient pas. Faudrait pas que la herse de l'agriculteur qui le possède fasse remonter le cadavre en labourant.

Quand il a trouvé ce qu'il pense être le lieu idéal, il s'empresse d'aller chercher une pelle et une pioche sous le hangar. Puis il se met à creuser sans traîner. Tant qu'il a le cœur à l'ouvrage, autant en profiter. Chaque pelletée le rapproche de la victoire. Il se sent puissant, il transpire la testostérone.

Pendant ce temps, dans la maison, la fillette s'emploie docilement à satisfaire son père. Sa loyauté d'enfant est à présent dirigée vers son seul ascendant. Le seau est lourd et elle doit changer l'eau sanguinolente. Elle rassemble toutes ses forces pour le transporter jusqu'à l'évier, le vider et le remplir à nouveau. Elle est presque venue à bout de la flaque sur le carrelage beige. Mais il reste les traînées laissées par Denise et ses propres traces de pas.

Quand le sol de la cuisine est enfin nettoyé, elle s'attelle à celui du couloir. Elle appuie sur l'interrupteur. L'ampoule, qui pendouille du plafond, éclaire le chemin qui mène à la chambre mortuaire. Julie a envie de suivre les traces. Voir sa maman. Mais que se passera-t-il si papa entre à ce moment-là ? Elle n'a plus ses repères, mais elle comprend vite ce qui est permis et ce qui est interdit. Elle a saisi qu'elle serait brinquebalée au gré des humeurs de Roger. Et elle ne tient pas à provoquer davantage la colère de celui qui tolère sa présence. Son besoin d'attachement la pousse à ménager son bourreau. Ce n'est qu'une enfant donc sa vie est directement liée à celle de ses parents. Or, elle n'a plus que papa. Tout ce que dit et fait papa est juste. Il détient l'autorité, il l'a prouvé.

Aussi purifiera-t-elle uniquement le couloir et n'ira pas jusqu'à la chambre. Sans doute que papa appréciera.

Las de creuser, Roger rentre à la maison. Le trou est encore insuffisant, mais il a tout le week-end pour l'agrandir. Satisfait, il constate qu'il n'y a plus de sang séché sur le sol, ni dans la cuisine, ni dans le couloir. Toutefois la petite n'a pas astiqué la chambre. Il beugle :

— Viens ici. Viens nettoyer.

Julie, partie se réfugier dans son nid douillet en attendant le retour de son père, accourt aux vociférations de ce dernier.

— Regarde ça là, dit-il en tapant du pied sur les traces imprégnées dans le parquet, c'est sale ça. Alors tu nettoies.

Il crache sur le sol.

— Frotte.

La fillette s'empresse d'aller chercher le nécessaire puis, à quatre pattes, récure de toutes ses forces les veines du bois sous la lumière artificielle. Il y a cette odeur métallique, caractéristique de l'hémoglobine, mêlée à celle de viande froide. Et le bras gauche de sa mère qui dépasse des draps. Rigide. Troué d'une balle. Bleui par l'hématome. L'enfant se concentre sur le sol et retient sa respiration. Elle ne veut pas inspirer cette émanation. Elle ne veut pas regarder non plus. Mais il y a ce bras qui pendouille dans le vide, juste au-dessus de sa tête.

Roger s'est assis sur le lit, aux côtés de sa femme. Le sommier de ferraille grince sous son agitation exaltée.

— Alors, on est pas bien là, tous les deux ?

Il affiche un sourire satisfait, puis il part d'un rire tonitruant face à Denise qui reste muette. Froide. Rigide. Livide. Julie en conclut qu'aujourd'hui encore maman est morte et qu'elle devra ajouter un rond à son calendrier. Et elle n'a jamais entendu papa rire auparavant. Les ronds dessinés c'est triste pour maman. Mais ça rend papa heureux. Alors Julie est perdue. Que doit-elle ressentir ? Elle en vient à nier qui elle est pour vivre à travers l'emprise de Roger. L'excitation sordide du pervers finit par l'atteindre. La fillette est morcelée entre les signaux joyeux envoyés par son père, la mort de sa mère et sa propre détresse qu'elle ne sait plus distinguer ni écouter. En lévitation constante, elle est ballottée entre la cruauté satisfaite et fébrile de l'un, et l'absence de l'autre. Elle cloisonne peu à peu ses actes de son ressenti. Question de survie. L'empreinte de ces moments scabreux se tatoue par fragments désordonnés dans sa tête. Des traces indélébiles, inaudibles et invisibles, qui la marqueront au fer rouge pour le restant de sa vie, la baignant dans un chaos émotionnel anonyme et incompris. Un mal vicieux, pernicieux et silencieux qui la rongera sournoisement alors même qu'elle ignorera son existence, tombée dans un oubli salvateur.

Le sang imbibé dans le parquet s'avère plus difficile à nettoyer que sur le carrelage. La petite fille peine à venir à bout de ces témoignages du drame de la veille. Machiavel aboie :

— Tu n'es bonne à rien. Va-t'en.

Et il accompagne ses mots d'une tape sur la nuque de la gosse pour la pousser vers la sortie. Julie attrape le seau à deux mains et sort de la chambre sans un regard pour ses parents. Elle jette l'eau dans les toilettes puis se tapit dans son nid. Le bleu et le rouge mènent un duel dans ses pensées. Seules couleurs vivaces qui tranchent dans la noirceur de cette demeure.

Elle est séquestrée dans une maison enfoncée dans la pénombre. Maman n'est plus vraiment là. Elle n'a plus le droit d'aller à l'école. Alors la petite fille se résigne à plonger dans ses livres pour fuir la réalité. Elle mobilise toute son énergie pour ne pas ressentir dans son corps la peur qui beugle et la broie. Son cerveau la déconnecte de son environnement. Tout est confus. La vie sans maman se révèle différente, et elle est triste qu'elle ne puisse plus se mettre debout. Mais papa semble heureux avec maman allongée à ses côtés. Et puis papa est fort, puissant. C'est son papa, un lien infrangible les unit. Julie lui est reconnaissante de ne pas lui faire endurer pire que ce qu'il fait déjà. Elle a envie de plaire à son père. La victime en danger finit par s'identifier à son agresseur, pour justifier son geste, pour s'apaiser et supporter l'intolérable. Les cartes sont redistribuées et Julie doit apprendre à se conformer aux nouvelles règles de vie.

Un peu avant midi, la brute vient la chercher pour qu'elle prépare le déjeuner. Julie a l'habitude de cuisiner avec maman, alors elle mène à bien la tâche demandée. Ils mangent en silence, les mastications de Roger en discordance avec le tic-tac de l'horloge. Il écluse des litres de vin rouge, davantage que d'habitude, à la fois fier et contrarié. Fier parce que Julie est toujours là et que Denise ne peut plus s'opposer. Contrarié parce que, dans sa folie meurtrière, il perçoit qu'il a commis une erreur. Que faire à présent ? Et la gosse, il faudrait sans doute qu'elle retourne à l'école. Toutefois c'est risqué, elle pourrait parler. Alors il picole pour noyer ses idées encombrantes.

Quand le diable est rassasié, il allume la télévision et s'installe dans le canapé pour sa sieste de début d'après-midi. Celui-ci trône dans la cuisine, seule pièce de vie étriquée qui fait pourtant office de salon et de salle à manger. Il s'assure que la clef de la porte d'entrée est bien en sécurité dans la poche de son pantalon. Julie ne pourra pas s'échapper. Elle débarrasse et nettoie. Elle sait ce qu'elle a à faire sans qu'il ait besoin de le lui dicter. Elle a vu maman œuvrer tant de fois. Alors elle répète les gestes maternels pour satisfaire les volontés paternelles. La femme de la maison, c'est elle à présent. Elle s'emploie à bien remplir cette nouvelle fonction pour préserver l'humeur de son dictateur. Elle savonne les assiettes en grès, puis les couverts et les verres dans l'évier en céramique émaillée, écorché par le temps, avant de les rincer dans la bassine déposée sur l'égouttoir. Elle procède de la même façon avec la casserole en cuivre. Ensuite, elle les essuie et accroche la casserole au mur, à côté de ses comparses. Elle entrepose le reste dans le grand vaisselier, seul rangement de la pièce. Ils ont peu de biens, et l'essentiel de ce qu'ils mangent est fourni par le poulailler et le potager. Nul besoin de multitudes de placards. Elle agit le plus discrètement possible pour respecter le temps de repos de papa. Elle s'interdit même de respirer pour ne pas le déranger avec le bruit de son souffle. Puis elle dépoussière la table de bois vermoulu, aux lignes imparfaites. Elle attrape le balai et rassemble les miettes dans la grande pelle de fer.

Le gougnafier ronfle sur le canapé et la télévision hurle. Lorsqu'elle a achevé son travail, elle part se réfugier dans sa chambre, où les sons lui arrivent assourdis. Le temps s'écoule lentement, elle est désœuvrée, esseulée. Elle a l'habitude de la solitude, de s'enfermer dans son imaginaire. Malheureusement elle ne ressent plus la chaleur rassurante de maman. Elle est là, pas loin, mais elle reste silencieuse et inerte. Elle est absente tout en étant présente. Julie rouvre tout doucement la porte de sa chambre et file à pas de loup dans celle de ses parents. Elle prend garde à ne pas faire grincer le parquet.

Maman gît dans la pénombre. Elle n'a pas bougé. Julie pose la main sur ce visage qu'elle distingue à peine tellement la pénombre de la pièce est profonde. Les volets clos ne laissent pas suffisamment filtrer la lumière de cette journée brumeuse d'hiver. Elle retire brusquement sa main, brûlée par le contact glacial que lui renvoie le corps de Denise. L'enfant tente de réveiller sa maman, elle la secoue légèrement et l'appelle en chuchotant. Elle sait bien qu'elle est morte et ne peut pas lui parler. Mais elle ne peut s'empêcher d'espérer. Peut-être que si elle est très gentille avec papa, qu'elle se soumet à toutes ses volontés, alors tout pourrait s'effacer.

— Reviens, maman. On n'a qu'à faire comme si j'avais rien dit. Et on reste avec papa. D'accord ? Il avait raison, j'étais pas sage. Mais maintenant si, je fais tout comme il veut. Et ça me dérange pas qu'il me touche. Reviens maman.

Denise demeure résolument silencieuse. Julie sanglote sans bruit, honteuse, coupable. Si elle avait su, elle aurait obéi bien plus tôt. Elle n'aurait jamais dû le provoquer, la correction était méritée. Mais maman, elle, elle n'avait rien à se reprocher. L'enfant retient sa peine pour ne pas alerter le tortionnaire. Elle préfère quitter la chambre parentale avant de se faire surprendre.

Habituellement, le samedi après-midi, quand papa est parti, Julie s'installe confortablement sur le canapé pour regarder *Les Schtroumpfs*. Maman cuisine une tarte aux pommes ou du pain d'épices pour le goûter et lorsqu'il fait très froid, elle prépare même un chocolat chaud. La fillette se délecte de cet instant où les petits bonshommes envahissent l'écran. Chez elle, il est en noir et blanc. Mais elle sait qu'ils sont bleus, car elle l'a vu dans une bande dessinée que Denise lui a achetée il y a quelques mois. Aussi, par la seule pensée, elle les revêt de bleu et colore tous les paysages joyeux qui les entourent. Elle teinte en rouge, en orange et en jaune les champignons qui servent de maisons, en vert la vaste forêt où ses héros évoluent. Il y a bien l'horrible Gargamel, mais les Schtroumpfs sont tellement plus rusés. Les méchants perdent toujours. Du moins à la télé. Dès que le générique démarre, Julie se réjouit de passer un moment avec ces icônes si populaires qui viennent lui rendre visite, à elle, jusqu'en Corrèze. Mais aujourd'hui il n'y aura pas de bande-annonce enjouée, pas de tarte aux pommes ni de pain d'épices, pas de chocolat chaud, bien qu'elle soit glacée, pas de petits bonshommes bleus. Alors la fillette saisit la bande dessinée rangée dans son coffre à jouets et s'assied à même le parquet pour la feuilleter. Elle va faire semblant, seule solution pour s'évader, imaginer que tout se passe comme à l'accoutumée. Elle a même un pin's de la Schtroumpfette trouvé dans la cour de récré. Elle s'était empressée de le cacher dans sa poche, comme un précieux trésor. Elle le ressort et l'accroche à son pull, à côté de son cœur. La petite poupée blonde lui tiendra compagnie durant cette sombre après-midi.

# 16

Dans la nuit du samedi, Julie est réveillée par les cris de papa. Les doigts de la défunte, durs, froids et rigides le dérangent quand il les heurte, en s'agitant dans le lit. Il se met à grogner d'agacement. Puis, se souvenant qu'elle est inanimée, qu'elle est là près de lui pour l'éternité, il lui pardonne sa roideur. Il n'arrive pas à retrouver le sommeil, il file rejoindre la fillette dans sa chambre. Julie entend les pas approcher. Elle se cache sous son édredon de plumes, priant pour qu'il se rende aux toilettes. Mais non, c'est bien sa porte qu'il ouvre. Elle cesse alors de respirer, s'enfonce dans son lit pour mieux disparaître. C'est peine perdue, elle n'échappera pas au calvaire.

Quand il a fini son affaire, il retourne dormir auprès de Denise. Julie ne tarde pas à entendre les ronflements paternels. Elle ne trouve pas le sommeil, torturée par ses pensées et la douleur qui enflamme son bas-ventre. Elle ne s'y fait pas. C'est toujours aussi infect, quoiqu'en dise papa. Celui-ci s'imagine qu'elle apprécie ces moments, qu'elle en redemande. Il lui a affirmé tout à l'heure « *Tu es heureuse qu'on soit tous les deux maintenant* ». Elle ne s'oppose pas, et qui ne dit mot consent. Mais comment pourrait-elle s'insurger ?

Quand le feu s'apaise, elle plonge peu à peu dans le sommeil, écrasée par la fatigue. Toutefois elle se réveille rapidement, à cause d'une chaleur humide. Elle touche ses draps tout mouillés et comprend qu'elle s'est laissée aller. Jamais elle n'a fait pipi au lit. Elle se sent honteuse. Si papa découvre ça, il n'appréciera pas. Elle voudrait aérer pour chasser l'odeur d'urine, mais la planche de bois retient l'ouverture des volets. Si elle change les draps, elle pourrait réveiller papa. Ça non plus, il n'aimera pas. Alors elle se décale dans un coin du lit et tente de se rendormir, sans succès. Les heures s'égrènent sans qu'elle ait vraiment conscience du temps qui s'écoule, en attendant que Roger vienne la sommer de se lever.

Quand elle entend du bruit, elle saute sur ses pieds. Son premier réflexe est d'attraper son calendrier. Toute la matinée, Roger ordonne la préparation du déjeuner, le ménage de la maison. Il aboie à chaque contrariété. Le repas n'est pas assez chaud, la viande est trop cuite, elle a oublié de remonter du vin rouge de la cave, elle manque de rapidité ou d'adresse. Il crie une fois, deux fois. Puis, agacé, il balance une claque. À l'occasion, il l'accompagne d'une seconde pour équilibrer les dérouillées. La petite fille ploie sous le poids de ces soufflets. Elle retient ses larmes, serre les dents, baisse les yeux et s'empresse de réparer ses délits. Elle se donne au maximum pour plaire à papa. Quand il se tait, l'absence de reproches sonne comme un compliment. Ce n'est pas la première fois qu'il la frappe, rien d'anormal, c'est avec de bonnes gifles qu'on éduque les enfants à cette période. Toutefois, les raclées semblent plus fortes et surtout bien plus rapprochées depuis que l'ombre de Denise ne veille plus sur elle. Julie n'en finit pas de s'évader pour encaisser. Mais plus elle s'échappe par la pensée, plus elle s'anesthésie et plus elle est sous l'emprise de son bourreau, ne distinguant plus le bien du mal. Tout devient normal dans l'irréalité de cette situation barbare. Elle en vient à apprécier son papa comme jamais auparavant. Elle veut le combler, le satisfaire, pour le voir rire à nouveau, comme il l'a fait avec maman quelques heures plus tôt.

Après le déjeuner, le gougnafier s'endort devant *Starsky et Hutch*. Leurs sirènes hurlantes couvrent les bruits de la maison, et Julie en profite pour rendre discrètement visite à sa maman. Elle referme la porte et n'allume pas. Ses yeux s'habituent un peu plus à la pénombre à chaque heure qui passe. D'une main, elle remonte le pull sur son nez pour faire barrière à la puanteur fétide de plus en plus prégnante. De l'autre, elle tient la main glacée dans la sienne, petite et chaude, pour lui transmettre tout l'amour qu'elle lui porte, espérant à chaque fois que ces quelques joules lui permettront de revenir à la vie. Elle s'emploie à ne pas regarder le bras gauche tuméfié qui dépasse du drap. Papa le laisse pendouiller.

Elle devine ce visage qu'elle adorait, différent, bouffi et enlaidi, sans toutefois pouvoir le distinguer vraiment. La douce Denise s'éloigne chaque jour un peu plus. Cette mère aimante que Julie ne veut surtout pas oublier. Alors elle s'embarque dans ses souvenirs : les caresses, la tendresse, les tartes aux pommes et les chansons de sa maman. Toutes ces douceurs lui paraissent si lointaines. Elle craint de les effacer de sa mémoire et cette pensée l'effraie. Elle se concentre sur son vécu pour ressentir un peu de joie et d'amour au milieu de cette horreur. À tel point qu'en ce dimanche, elle néglige le moment présent. Elle omet d'écouter les bruits environnants. Les ronflements se sont tus, mais elle ne s'en est pas aperçue, étouffés par les péripéties de *Starsky et Hutch*.

— Qu'est-ce que tu fous là ? gronde une voix dans son dos.

Tétanisée, Julie ne sait comment elle doit réagir.

— De quel droit tu entres dans ma chambre, sale merdeuse ?

La brute s'est approchée d'elle, le souffle court, ses propos puants de colère. Il la saisit par l'épaule, l'obligeant à faire volte-face.

— Tu voulais voir la traînée ?

Julie a lâché la main de maman dans la violence du geste. Elle baisse les yeux. Elle ne sait que répondre pour apaiser l'irritation de son bourreau.

— Je… pardon, murmure-t-elle.

— Mais elle est crevée la garce, assène-t-il froidement. Tu comprends ça ? Et il t'arrivera la même chose si t'écoutes pas.

Julie cache sa tête dans ses mains. Elle ne parvient plus à retenir les larmes chaudes qui brûlent sur ses joues glacées. Elle fait un pas de côté, pour essayer de s'échapper. Mais cette tentative de fuite a le don de faire redoubler la rage du diable.

— Tu restes là. Tu voulais voir la garce, alors tu restes là. Et tu vas lui dire au revoir. Parce que bientôt, elle va disparaître.

La fillette lève des yeux ronds d'incompréhension sur Roger.

— Non, laisse-la !

Il la gifle. Elle heurte le bras de maman et crie sous l'effet de la surprise. Roger l'attrape par les cheveux et l'oblige à se tourner vers le lit.

— Regarde-la. Dis-lui au revoir.

Julie sanglote. C'est au-dessus de ses forces. Elle ne réagit pas aux aboiements du tyran alors ce dernier la contraint à approcher ses lèvres du visage de la défunte.

— Dis-lui au revoir, bordel !

Il fait sombre, mais le peu qu'elle distingue de sa mère l'effraie. Sous la charge des émotions, Julie s'évanouit.

La petite fille se réveille quelques minutes plus tard, quelques heures peut-être, à même le sol de sa chambre. Tout est calme. Elle suppose être seule. Elle sent le froid du bois brut sur ses jambes nues. Elle n'a plus ni jupe, ni collants, ni culotte, ni pull. Elle essaie de bouger, mais elle est laminée. Elle rampe jusqu'à sa lampe de chevet, l'allume et découvre des hématomes sur son corps. Son cou lui fait terriblement mal aussi, comme si quelqu'un l'avait serré très fort pour l'étouffer. Elle a le bas-ventre en feu. Elle en conclut que son bourreau a encore sévi. Elle ne se souvient de rien, mais elle connaît ces sensations d'entrailles anéanties par d'incessants allers-retours.

Elle se lève péniblement et saisit ses vêtements éparpillés dans la chambre. Elle se rhabille, puis éteint la lumière en espérant noyer toute cette laideur dans l'obscurité. Elle se hisse dans son lit encadré de rosaces en fer forgé. Elle se cache sous son édredon et tente de taire toute la peine qui grandit en elle en songeant à plus tard, quand elle sera ministre. Son esprit s'évade et construit des jours meilleurs. Blottie dans le lit humide de son incontinence, elle vogue entre rêveries, déni et oubli. Telle une loque, elle n'est plus que l'ombre d'elle-même, baissant peu à peu le rideau de l'amnésie.

Soudain la porte d'entrée claque. Elle n'a aucune notion de l'heure. Les pas approchent. Julie retient son souffle, son cœur cesse de battre. Il s'introduit dans la chambre et allume, éblouissant la fillette.

— Lève-toi feignante ! braille-t-il en tirant sur les draps.

Depuis le décès de Denise, Roger semble déverser sans modération toute la rage contenue. Les cris, les insultes, les claques fusent en nombre, sans qu'elle conteste. Il voulait faire taire la rebelle qui sommeillait en elle, il a gagné. Maintenant, elle ne sait qu'abdiquer. Il souhaite la posséder dans son intégralité, la réduire à néant, en faire son esclave pour la dominer à jamais. N'écoutant que son instinct de survie, Julie obéit, luttant contre ses muscles endoloris, grimaçant. Elle se dresse sur ses jambes, il la tire en direction de la cuisine sans un mot.

Elle comprend qu'il doit être l'heure de préparer le dîner. Le réfrigérateur est presque vide. Elle partage cette information avec Roger qui lui répond « Démerde-toi ». Aussi elle déploie des trésors d'imagination pour assouvir l'appétit vorace de son maître avec le peu dont elle dispose. Un reste de charcuterie, des pommes de terre qu'elle fera sauter, de la salade qu'il a cueillie dans le potager et un gâteau au yaourt cuisiné à la hâte. Car elle sait que tout doit être prêt pour dix-neuf heures précises. Le balancier s'agite, nonchalant, les aiguilles approchent dangereusement de l'heure fatidique.

Il s'installe à table, elle le sert puis s'assied en face de lui, sur la chaise de paille de maman. Comme pour sentir sa présence rassurante. D'un geste inattendu qui surprend Julie, il saisit l'assiette de cette dernière et la jette au sol.

— Va bouffer dans ta chambre. Je veux pas te voir.

La fillette ravale ses larmes et ramasse minutieusement toute la nourriture disséminée dans la cuisine. Elle veille à ce que plus rien ne traîne, sous peine d'attiser davantage la rage de papa qui, chaque jour, monte d'un cran.

Ce soir, elle ne mangera pas. L'assiette pleine au pied de son armoire, le corps meurtri, l'esprit ravagé, en sursis, elle s'enroule sous la douceur des plumes, à la recherche d'une accalmie.

# 17

Julie est réveillée par les cris des animaux de la ferme. Il fait encore noir, mais le jour pointe tard en cette saison. Une nouvelle fois, le lit est mouillé. Et pour la troisième fois, elle s'est endormie sans le baiser de maman.

Elle se lève sans bruit. Elle enlève sa chemise de nuit, se toilette rapidement, puis elle se parfume avec l'eau de rose de Denise. Pour se souvenir de cette odeur qui était sienne. Et pour écraser celle de la mort, nauséabonde, qui se fait un peu plus envahissante chaque jour, ainsi que celle d'urine qui commence à imprégner sa chambre. Elle s'habille, à la hâte, de vêtements secs et propres et file en cuisine où la pendule indique 6 h 30. Roger dort, Julie est satisfaite, elle peut préparer le petit déjeuner avant qu'il ne se réveille. Elle s'évitera peut-être des remontrances. Son corps est encore douloureux, son ventre brûle. Mais qu'importe, elle n'a pas le temps d'y penser. Elle ouvre la porte du poêle, y jette quelques pelletées de charbon pour raviver la rude atmosphère. Elle frotte ses mains gelées au-dessus, tout en écoutant craquer la pierre noire mangée par les flammes. Quelque peu réchauffée, elle fait couler le café et met la table avec discrétion. Elle s'évertue à respecter le sommeil de son géniteur. Quand tout est fin prêt, elle retourne s'enfermer dans son nid. Peu à peu, elle intègre les nouvelles règles de vie auxquelles elle doit se soumettre.

Elle irait bien s'occuper des animaux, mais Roger garde la clé sur lui. Elle voudrait jouer avec Narcisse, prendre l'air. Pour cette petite fille amoureuse de la nature et des grands espaces, être séquestrée dans la noirceur et la puanteur ajoute à sa souffrance. Mais elle s'accommode de sa claustration, vaincue.

Les bruits de pas résonnent dans la maison. Elle devine Roger, tout habillé, qui pratique ses rapides ablutions dans la minuscule salle de bain. Il se rend dans la cuisine. Le silence revient. Julie est soulagée, il apprécie sûrement de trouver le nécessaire pour se restaurer. Puis elle l'entend s'agiter. Sans un mot, elle le voit déposer quelque chose dans la chambre, puis remarque le grincement d'une serrure. Les pas reprennent, la porte d'entrée claque, et l'accalmie s'impose. Elle allume pour observer ce que papa a déposé : une carafe d'eau, un verre, du pain, des clémentines.

Elle ne comprend pas le sens de ce geste. Elle éteint la lumière et retourne se coucher dans les draps refroidis et moites. Recroquevillée sur elle-même, elle reste en boule, dans le silence absolu de cette ferme isolée. Les minutes s'écoulent sans bruit, dans la noirceur. Quand la faim commence à se faire sentir, elle se lève et tente d'ouvrir sa porte. Celle-ci refuse d'obéir. Bien sûr ! Il l'a cloîtrée dans sa chambre pour partir travailler. Elle ne l'avait pas encore réalisé. Résignée, elle s'accroupit au sol et épluche minutieusement une clémentine. Papa veut qu'elle reste là. Alors elle ne bougera pas. Elle mange lentement son repas frugal. En dehors des tartes de maman, elle a toujours eu un maigre appétit, ces provisions sont donc bien suffisantes pour la journée.

Dans l'après-midi l'envie pressante d'uriner se fait sentir. Julie attrape la carafe et se soulage dedans. Elle n'a pas meilleure idée.

Puis les bruits reviennent. Papa est rentré. Julie attend ses ordres qui ne tardent pas à arriver. Il déverrouille la porte et décrète :

— Suis-moi.

— Oui papa.

Dans le couloir, les vapeurs méphitiques ont gagné du terrain. Elle retient un haut-le-cœur. Dans la cuisine, la pendule affiche seize heures. Papa est rentré plus tôt que d'habitude.

Il l'entraîne dehors, Julie est immédiatement saisie par le froid mordant. Elle n'a pas enfilé son manteau, son père ne l'a pas prévenue. Elle enroule ses bras autour d'elle, secouée par des tremblements. Elle plisse ses perles azurées. Voilà plusieurs jours qu'elle vit dans la quasi-pénombre, à la seule lumière artificielle, aussi ses yeux sont presque éblouis malgré le brouillard dans lequel ils baignent. Immobile, elle respire à pleins poumons l'air frais et pur.

— Avance !

Retrouvant une sensation de liberté, Julie en avait oublié le tyran. Elle se presse d'obéir et glisse sur une plaque de verglas formée sur le béton à l'entrée de la ferme, en poussant un léger cri. Roger se retourne, alerté par le bruit de la chute. Il hausse les épaules et continue d'ordonner :

— Dépêche-toi !

Sous la glace, l'enfant discerne des traces de marelle, dessinées à la craie à une époque qui lui semble remonter à une éternité. Elle se relève, sans prendre le temps de faire l'inventaire de ses blessures sur ses jambes nues. Elle le rejoint sous le hangar où l'homme pend une pelle et lui remet une pioche.

Soudain, Julie entend Narcisse. Voilée par la brume, la fillette peine à la distinguer, mais elle reconnaîtrait ses cacardements parmi une dizaine d'autres. Alerté par la voix de sa maîtresse, le volatile accourt vers elle. Les deux amies sont tout en joie de se retrouver après plusieurs jours de séparation.

— Narcisse ! exulte Julie.

— Fous le camp, exige Roger, en envoyant un coup de pied à l'oie.

En réponse, cette dernière attaque l'homme. Elle charge son ennemi, le mord au bras. Le bourreau hurle sous la douleur, se débat, alors que l'oiseau continue le duel. Julie redoute le châtiment qui ne tardera sans doute pas à arriver. En effet, profitant d'un moment où Narcisse revient au sol, le meurtrier abat la pelle sur la tête du volatile. Julie est tétanisée. Une fois de plus le rouge gicle sur ses pieds. L'oie, clouée au sol, continue de battre des ailes, en mouvements automatiques. Le gougnafier, qui veut être certain que sa proie ne partira pas, s'acharne sur elle, à grands coups de pelle.

L'animal ne bouge plus. Les coups ont cessé. Devant tant de cruauté, le cri strident de Julie déchire le calme. Le meurtrier l'avertit, levant l'outil dans sa direction :

— Tais-toi ! Ferme ta gueule ! braille-t-il les yeux exorbités, en regardant autour de lui.

Son cri s'éteint dans la brume hivernale. Docile, elle abdique et cède aux menaces. Narcisse l'a attaqué, il s'est défendu, elle ne peut que se résigner.

Sous l'effet de la colère, les pétéchies de l'homme se sont accentuées. Il rougeoie telle une lanterne, de l'air chaud sort de ses narines qui enflent. Il mange ses lèvres et se retient de ne pas foutre un coup de pelle à la gosse. Il a besoin de son jouet. Alors il quitte le hangar, tournant le dos à la fillette qui lui emboîte le pas, pioche en main. Ils se dirigent vers le champ voisin. Le paysage est incertain. Elle distingue vaguement les silhouettes pelées des arbres décharnés dans la lumière blafarde du brouillard. Elle prend garde à ne pas glisser pour ne pas provoquer une colère supplémentaire. Arrivés dans le champ, ils marchent encore un peu avant de s'arrêter devant un trou énorme.

— C'est pour la garce. Pioche !

Julie regarde le tyran, pleine d'incompréhension. Il ne peut s'empêcher de préciser pour la torturer davantage :

— On va l'enterrer. Elle commence à puer. Elle devient trop laide.

Il affiche le sourire satisfait du vainqueur. Julie reste statufiée, ce qui irrite Roger.

— Pioche, dépêche-toi !

Comme une automate, la fillette descend dans le trou quatre fois plus grand qu'elle et balance un premier petit coup de pioche dans la terre collante. La cavité pourrait contenir deux personnes allongées, mais Roger veut creuser encore et encore pour bien recouvrir sa Denise de glaise et de cailloux afin qu'aucune bête sauvage, ni même un chien, ne vienne la déterrer. L'enfant souffle bruyamment, rassemble toutes ses forces et manque s'écrouler lorsqu'elle doit retirer l'outil du sol. Le crachin brumeux qui s'abat sur elle la refroidit jusqu'aux os. Roger l'invective. Elle n'est pas assez rapide, pas assez vaillante, pas assez dynamique. Elle s'extrait et s'envole dans une nébuleuse où le flou domine. Elle observe la scène d'en haut une fois de plus, cadenassant ses ressentis physiques et psychiques. Le bout de son nez est glacé, ses doigts engourdis peinent à se mouvoir, mais elle pioche du mieux qu'elle peut. Puis papa déblaye la terre à grands coups de pelle. Bientôt, maman reposera dans sa nouvelle demeure. La fatigue s'empare peu à peu de ses muscles meurtris, cependant elle déploie toute son énergie pour maintenir la cadence. Heureusement, la nuit tombe tôt. Roger annonce qu'il est l'heure de rentrer, mettant fin à son supplice.

Une fois la porte close, coupée à nouveau du monde extérieur, elle n'a même pas le temps de se réchauffer devant le poêle à charbon qu'elle doit se dépêcher de cuisiner. Elle s'active autant qu'elle le peut, mais ses mains engourdies par le froid ne répondent pas à ses commandes. Elle fait tomber un saladier qui s'écrase au sol, réveillant la colère de son maître affalé dans le canapé. Il l'insulte, la rabaisse. Julie encaisse. Elle s'en veut de gâcher ces moments d'apaisement.

Quand tout est prêt, elle récupère la carafe d'urine dans sa chambre, l'astique aussi bien qu'elle le peut avant de la remplir d'eau. Puis elle dispose un unique couvert sur la table de la cuisine et emporte sa part, pour dîner seule dans son repaire.

# 18

La journée du mardi se déroule sur le même rythme. Julie se hâte de préparer le petit déjeuner en silence. La mort étend sa présence et le fumet putride se faufile sous les portes fermées. Après sa toilette, elle emporte l'eau de rose dans sa chambre. Elle ne s'habitue pas à cette odeur putrescente. Elle prend aussi la petite conserve d'ananas précieusement entreposée au fond du vaisselier et un ouvre-boîte pour se restaurer. Elle apprend vite, elle suppose qu'elle sera assignée dans son nid. Avant de partir, il lui balance quelques restes du dîner, sans un mot.

Comme la veille, la fillette passe la journée dans le sombre silence, à chantonner, à laisser son esprit divaguer, emmitouflée dans l'édredon de duvet. Ses yeux s'étant habitués à la pénombre éclaircie de quelques faisceaux de lumière extérieure, elle n'allume pas sa lampe de chevet. Cloîtrée, elle s'immerge dans un monde imaginaire, oublie qui elle est, où elle se trouve, sans lutter contre son sort. Elle s'attache aux conditions de vie que lui accorde son bourreau, qu'elle ne souhaite pas contrarier. Ne serait-elle pas plus en danger seule, à l'extérieur de cet abri familier, loin de son géniteur kidnappeur ?

Quand la faim se manifeste, elle ouvre la boîte d'ananas et en extrait une rondelle. Consciencieusement, elle suce le jus très sucré du fruit confit par le sirop. Le liquide coule sur son menton. Elle l'essuie d'un revers de main qu'elle lèche. Puis elle croque avec gourmandise dans la tranche exotique, s'offrant, par la même occasion, un moment de bonheur au goût d'interdit. Les conserves d'ananas, maman les sortait uniquement pour les grandes occasions. Un plaisir doucereux, rare et subtil, qu'elle savoure délicatement, et qui la rapproche quelques instants de Denise, à défaut de sa tarte aux pommes. Avant de les avaler, elle laisse les fibres parfumées fondre lentement sous sa langue, qu'elle balaie ensuite sur son palais, ses dents, l'intérieur de ses joues, afin de diffuser les arômes dans toute sa bouche. Un à un, elle savoure chaque tronçon doré, faisant durer la dégustation autant que possible. Elle happe jusqu'au dernier morceau, aspirant avec délice la douceur sucrée de l'ananas. L'espace d'un moment, elle est hors du temps. Seuls le goût, la texture et l'odeur du fruit tropical occupent tous ses sens. Elle lèche un à un ses doigts collants avec délice, avant de passer méticuleusement son index sur les bords de la boîte, afin de profiter, jusqu'à l'ultime gramme de ce régal, qui la réchauffe.

Mais la magie ne dure pas, la parenthèse enchantée prend fin lorsque la conserve est vide. La puanteur se diffuse puissamment jusque dans son refuge, s'infiltrant dans chaque brèche, la ramenant à la réalité, pourrissant tout. Julie respire à pleins poumons l'eau de rose avant de s'en asperger à nouveau. Elle n'a pas revu sa maman depuis dimanche, mais la prégnance indéniable de la pestilence atteste de sa présence morbide tout près d'elle. L'ombre spectrale se déploie heure après heure, devenant difficile à occulter plus longtemps, même avec quelques rondelles dorées et sucrées.

Cette fois, quand papa rentre du travail et vient la chercher, ils se rendent directement dans la chambre mortuaire. Il allume. Julie ferme les yeux pour se protéger de l'éclat lumineux.

— Occupe-toi d'elle. Habille-la. Fais-lui une beauté.

Et il lui tourne le dos sans autre consigne. La porte de la cuisine claque. Il est sorti.

Julie ouvre les yeux, serre les lèvres et pince son nez fortement. Immobile sur le pas de la porte, elle observe sa maman, méconnaissable. La lividité cadavérique lui saute au visage. Ses yeux globuleux et turgides se sont opacifiés et semblent vouloir s'extraire de leurs orbites. Son épiderme à nu est devenu sec, brunâtre, dur. Ses paupières et ses lèvres sont gonflées. La raideur des premiers jours a disparu, la défunte est avachie dans le matelas, mâchoire relâchée, langue qui pend. La tuméfaction donne l'impression qu'elle a doublé de volume. Boursouflée, on dirait un ballon de baudruche prêt à exploser. Seuls ses cheveux étalés sur l'oreiller attestent que c'est bien la tendre Denise qui gît là. Et cette odeur… L'exhalaison de la mort, qui commençait à se répandre dans tous les recoins, l'a saisie dès que le meurtrier a ouvert la porte de la pièce. Malgré le froid, la putréfaction amorce son œuvre. Le parfum de viande faisandée imprègne chaque centimètre carré de la chambre conjugale et semble se déposer sur l'épiderme de l'enfant, pour être absorbé par chacun de ses pores.

La fillette est figée. Elle n'ose approcher la profanée qu'elle ne reconnaît pas. On lui a volé sa maman. Un monstre bleui, congelé et gonflé a pris sa place. La frayeur s'empare d'elle au fur et à mesure qu'elle se connecte à la réalité.

Des haut-le-cœur emprisonnent son estomac. Elle se précipite vers les toilettes. Elle n'a même pas le temps d'y parvenir que le vomi gicle par son nez et remonte dans sa gorge. Elle rampe jusqu'à la cuvette toute proche et finit de vider ses entrailles à s'en brûler les tripes. Elle mêle le sel de ses sanglots irrépressibles à ses soubresauts bruyants. Elle reste longtemps dans les cabinets à se purger de son dégoût, de son désarroi et de sa peur qui lui mangent le cœur. Trop longtemps. Quand Roger revient, Julie n'a pas bougé, recroquevillée sur elle-même dans les toilettes, en état de choc, secouée par des spasmes.

Le père n'en a cure. Il l'oblige à se relever en la tirant par le bras et la contraint à l'assister pour changer Denise. L'esprit de Julie s'extirpe de cette barbarie. Robotisée, elle aide le tyran à déshabiller la défunte. Sous l'ampoule qui pend du plafond, le corps dénudé dévoile un abdomen verdâtre et bouffi, exhibant quelques extrusions hideuses. Des bouffissures déforment la peau autrefois si lisse du visage de maman. La fillette vomit de la bile, par à-coups, incapable de se contrôler, ce qui a le don d'irriter le gougnafier. Elle souille le cadavre de ses déjections, aussi Roger l'oblige à le toiletter. Les yeux de Julie, gonflés et brûlants, ne voient qu'à travers un voile. Ses gestes mécaniques répondent aux exigences du tortionnaire, elle espère l'amadouer grâce à sa docilité. Enveloppée de coton, elle n'est plus là. Son corps se soumet, mais sa tête, torpide, s'est désolidarisée. Elle aide le bourreau à enfiler une robe sur la créature de chiffon nettoyée et défigurée. Désarticulés, les membres œdémateux sont malléables à loisir ce qui réjouit le Machiavel, extatique, grisé. L'obéissance de Denise attise son excitation. Elle est bien à lui, rien qu'à lui. Même la sale gosse n'en veut plus. Elles sont toutes les deux à lui.

Quand les préparatifs sont terminés, Roger explique à la défunte :

— Voilà, tu es prête. Demain, on t'enterrera.

Puis il se tourne vers Julie.

— Dis-lui au revoir !

Effrayée, ses larmes coulent à l'intérieur. Ce monstre à la tête de veau ne ressemble pas à sa mère. Elle ne peut pas l'approcher et encore moins l'embrasser. Mais le meurtrier insiste. Face à l'inertie de la gosse, il beugle :

— Dis-lui au revoir !

Cette gorgone difforme aux yeux exorbités dans sa belle robe ne peut pas être sa mère. Face à l'acharnement du tyran, tout parvient assourdi à la fillette qui vit la scène à distance, comme enivrée. Il exige que Julie l'embrasse. Elle sait qu'il ne capitulera pas. Alors elle s'approche de celle qui fut jadis si douce, si jolie, mais qui est aujourd'hui si disgracieuse. Elle s'immobilise à un pas de la défunte. Résignée, elle chuchote en apnée, un filtre devant les yeux :

— Au revoir.

— Mieux que ça ! Dis-lui au revoir mieux que ça ! hurle-t-il en frappant le sol de la crosse de sa carabine qu'il vient de saisir.

Ses mots respirent la haine. Il est clair, dans son regard, qu'il ne cessera que lorsque la fillette cédera.

# 19

Du haut de ses huit ans, Julie endure un calvaire innommable. Elle est prise au piège dans cette pièce exiguë, dénuée de toute décoration, où seule la lumière artificielle amène un peu de vie. Quatre murs, une vieille armoire en bois, un lit au sommier grinçant, un cadavre puant et un tortionnaire.

Dans son dos, son bourreau hurle et exige. Il frappe le sol de son arme. Il enrage. Il s'excite. Elle ne veut pas le fâcher davantage. Elle voudrait embrasser la créature et lui dire au revoir. Pour faire plaisir à papa. Pour ne pas blesser maman. Mais elle n'y parvient pas, le dégoût est trop fort, au point qu'elle en occulte la douleur de son âme.

À un pas d'elle, dort celle qui l'a bercée de ses tendres mélopées. Son arôme où se mêlaient odeurs de cuisine et eau de rose subtile s'est transformé en une pestilence immonde. Ses rondeurs rassurantes et charnelles ont muté en une baudruche bouffie. Le velouté délicat de sa peau s'est mû en une sécheresse brune, aride. Elle est devenue repoussante et abjecte. Julie ne sait plus si elle peut encore l'aimer.

Elle tente de masquer les secousses qui agitent son corps soumis à la peur, au désarroi et à l'aversion. Elle ravale ses larmes. Rassemble son courage. Elle ne peut que capituler pour faire taire la colère de papa. Le temps est suspendu aux exigences de Roger qui somme :

— Dis-lui au revoir ! Dis-lui au revoir !

Il empoigne les cheveux de Julie et, comme la veille, il approche brusquement son visage de celui de la créature.

Soudain, quelqu'un frappe bruyamment au carreau de la porte d'entrée de la cuisine. Une voix féminine appelle :

— Madame Vergne ? Monsieur Vergne ?

Roger lâche aussi sec la tignasse de la gosse et se retourne vers le couloir, des éclairs plein les yeux. Qui ose venir perturber leur quiétude ? La femme insiste. Elle tambourine, sa voix parvient quelque peu assourdie, mais on discerne ses appels.

— Julie ? Madame Vergne ?

La brute abandonne sa proie et part à grandes enjambées vers l'entrée, arme en main.

— Foutez-moi le camp d'ici !

Il accompagne ses propos de grands gestes du bras. Madame Leroux distingue mal Roger, flouté à travers le verre trempé des carreaux de la porte de cuisine. Sans pouvoir deviner l'horreur qui se cache derrière les murs de cette ferme aux volets clos, l'institutrice persévère.

— Monsieur Vergne ? Monsieur Vergne, que se passe-t-il ? Pourquoi Julie n'est-elle pas venue à l'école depuis samedi ?

Roger n'est pas décidé à répondre, et devant l'insistance de la maîtresse, il part chercher la carabine dans la chambre et revient, tire un coup de feu dans le plafond. L'institutrice pousse un cri et, n'écoutant que sa peur, s'empresse de rejoindre sa 4L garée à quelques pas. Le cœur battant, elle s'installe derrière le volant et tourne la clé. La voiture capricieuse tousse et cale à plusieurs reprises sous les gestes malhabiles de l'enseignante effrayée. Madame Leroux jette des coups d'œil angoissés dans le rétroviseur, mais la nuit est tombée, elle ne distingue pas grand-chose. Enfin le véhicule cède. Elle ne voit qu'une solution : alerter la gendarmerie.

Roger revient dans la chambre, furieux. De quoi se mêle cette bonne femme ? Tout ça c'est de la faute de Julie, si elle n'allait pas à l'école, personne ne se serait inquiété pour eux. De rage, il lui flanque une gifle bien méritée.

— Tu restes ici !

Et il repart en claquant la porte, carabine au poing. Il se précipite au-dehors. Il veut finir de creuser le trou pour enterrer Denise, il comprend que la situation devient urgente. S'il cache son corps avant que l'institutrice revienne, ils ne pourront rien prouver. Rien ! Éclairé par la lune, il déploie toute l'énergie qu'il peut, persuadé qu'il échappera à son sort.


Julie est seule dans la chambre mortuaire. Elle a la joue en feu suite à la rouste magistrale de Roger, mais elle ne perçoit même pas la douleur. Sa souffrance est orientée vers la créature qui continue de fixer le mur avec ses yeux exorbités et sa langue qui pendouille. Elle ne peut plus regarder ce spectacle. Pourtant, obéissante, elle ne quitte pas la pièce. Papa lui a demandé d'y rester. Par conséquent, elle se réfugie dans un coin de la chambre et se recroqueville sur elle-même, la tête cachée dans ses genoux. Elle se met à chantonner et se berce de petits mouvements alternés. Elle enveloppe son corps du mieux qu'elle peut pour se réchauffer. Elle enfonce son nez dans le col roulé qui dépasse pour y respirer l'eau de rose de maman. Elle use de tous les stratagèmes possibles pour s'éloigner de l'horreur dans laquelle elle est séquestrée.

Soudain, des gyrophares apparaissent au bout du chemin. Roger accélère ses gestes, il jure, il halète. Il réalise qu'il est trop tard, alors il s'empresse de retourner vers la maison pour s'enfermer avec Denise et Julie. Ils ne les lui voleront pas. Et s'il doit crever lui aussi, ils crèveront tous les trois. Dans la précipitation, il a oublié sa carabine auprès du trou. Il fait demi-tour, mais les véhicules sont arrivés dans la cour. Tel un lapin pris dans les phares d'une voiture, il court comme un dératé dans toutes les directions. Il veut son arme pour se préserver. Il veut rentrer pour être avec le cadavre et la gosse.

Les gendarmes sortent avec empressement de leurs fourgonnettes, le menacent de leurs armes à feu et exigent :

— Mains en l'air, ne bougez plus !

Le meurtrier est perdu, il ne sait dans quel sens aller, mais il refuse de se rendre. Il repart vers la tombe pour attraper la carabine. Un gendarme tire en l'air en guise de sommation alors que ses collègues lui ordonnent de s'arrêter. Roger s'embourbe dans la terre détrempée, trébuche dans le noir de la nuit sans lune. Il tombe, se relève. Ses jambes peu habituées à produire des efforts ont du mal à le mener aussi vite qu'il le voudrait. Les militaires qui le poursuivent ne tardent pas à le rattraper. Ils le plaquent au sol. La gueule dans la terre mouillée, essoufflé, il n'a pas assez d'énergie pour se débattre. Il capitule sans broncher, vaincu face aux forces de l'ordre.

Les sirènes hurlent, les portières claquent, les gendarmes braillent, les coups de feu retentissent, les animaux s'agitent. Le vacarme envahit la ferme habituellement si calme. Pourtant Julie ne réagit pas. Plongée dans sa bulle protectrice, elle est sourde au tintamarre de la cour. Quelqu'un fracasse la porte d'entrée fermée à clé pour pénétrer dans le logis. De grands bruits de verre brisé, de porte fracturée parviennent à la fillette. Elle continue de se bercer en fredonnant. Des pas s'agitent dans toute la maison, des voix masculines et inconnues résonnent. Puis quelqu'un ouvre la porte de la chambre mortuaire.

— Quelle horreur ! Les gars, venez, c'est par ici, dit un homme en enfonçant machinalement le nez dans le col de son manteau bleu marine.

Julie perçoit d'autres voix qui expriment leur écœurement. Des pas s'approchent d'elle. Une main la caresse maladroitement, puis la soulève du sol avec des mots qui se veulent rassurants. Julie hurle et se débat. Elle réclame son bourreau pour qu'il lui porte secours face à ces étrangers qui l'enlèvent.

— Papa ! Papa !

Elle frappe l'inconnu de ses poings. Elle appelle son géniteur à l'aide. Elle continue de l'implorer tout en se démenant.

— Papa ! Papa ! Viens, s'il te plaît !

Mais papa ne vient pas.

— Calme-toi ma petite. Calme-toi. Comment tu t'appelles ?

Julie ne répond pas. Elle tremble de tout son corps, ses yeux bleus remplis d'effroi. Elle lutte de toutes ses forces pour s'échapper, mais l'homme est bien trop fort pour elle. Elle reprend ses supplications. Elle n'a pas d'autre alternative que de chercher du réconfort auprès de son papa.

— Papa ! Papa !

Elle hurle à s'en briser les cordes vocales. Papa ne répond pas. Papa ne vient pas. Sa voix s'éteint. Le monsieur la transporte vers la cuisine et l'installe dans le canapé. Autour d'elle, tout n'est que bruit, agitation. La porte d'entrée est éventrée, il y a du verre partout sur le sol. Les gyrophares éclairent la cour d'une lumière bleutée qui pénètre dans la maison. Le froid extérieur s'est engouffré dans la pièce. Le monsieur dépose une couverture sur l'enfant. Il lui parle, mais elle ne comprend pas ce qu'il lui dit. Où est papa ? Où est *son* papa ? Son seul repère.

Roger est à terre, mains menottées dans le dos, la joue écrasée contre le béton de la cour. Lui aussi se tait. Il est vaincu.

Il a broyé au passage deux vies féminines dans sa folie destructrice qu'il appelait « amour ». *Parce qu'on ne retient que ceux qu'on aime vraiment* avait-il expliqué à Julie l'avant-veille, alors qu'il violait l'enfant évanouie sur le parquet de la chambre.

Les pompiers arrivent peu après sur la scène du crime, ajoutant au fracas et au tumulte. Une civière vide passe devant Julie, absente du spectacle. Puis elle repasse une dizaine de minutes plus tard dans l'autre sens, cachant la créature sous un linceul. La puanteur s'échappe peu à peu par la porte ouverte, mais restera imbibée dans les murs qu'elle parfumera à jamais. Tout le monde semble avoir occulté la fillette, poupée atrophiée dans un coin de canapé. Son esprit s'est soustrait. Elle se remet à fredonner. Quand quelqu'un se soucie enfin d'elle, elle ne réagit pas à ses mots. La personne la prend par la main et l'emmène vers l'extérieur. La suite se passe dans le lointain de l'esprit de Julie qui est transportée à l'hôpital, puis dans un service de l'assistance publique.

Julie fait naufrage en silence, sombrant dans un oubli salvateur. L'oubli, seule chance de survie. Ces quatre derniers jours n'auront pas existé.

# 20

Julie se tient droite, face à ces inconnus qu'on lui présente comme *sa* famille d'accueil. On lui a expliqué que papa irait en prison et maman au cimetière. Alors on a trouvé d'autres personnes pour prendre soin d'elle.

— Moi c'est Josiane. Mais tu peux m'appeler Josy. Ou même Jo.

Josy sourit, avenante. Elle plonge ses yeux noirs et rieurs dans ceux de la fillette.

— Et lui c'est Daniel. T'inquiète pas, c'est un grand costaud, mais il est doux comme un agneau.

Josy continue de la fixer, sans se départir de son sourire, attendant une réaction, un mot. Accroupie au milieu du couloir, elle déploie des trésors de bienveillance pour accueillir chez elle cette fille chétive et mutique, retrouvée dix jours plus tôt auprès du cadavre de sa mère. Derrière elle, l'assistante sociale pose la petite valise de Julie dans laquelle est rassemblé son maigre bagage.

— Je pense que je vais vous laisser faire connaissance. En cas de besoin, appelez-nous. Enfin… vous connaissez la procédure. Bon courage !

Elle serre les mains du couple Maury et dit vaguement au revoir à la fillette qui lui tourne le dos. Elle referme la porte derrière elle, abandonnant Julie à de nouveaux inconnus. Depuis dix jours, elle ne fait que ça. Croiser des inconnus, à l'hôpital où elle a vu médecins, infirmières, aides-soignantes, gendarmes. Puis à l'Assistance publique, elle a croisé tout un tas d'adultes et d'enfants tristes, paumés ou agités. Jusqu'à ce qu'on la confie aux Maury. Pour longtemps, lui a-t-on expliqué. Son enfance et tout ce qu'elle possède sont livrés aux bons soins des Maury.

Josy et Daniel lui parlent doucement, en souriant. Ils tentent plus que jamais de se montrer rassurants face à cette petite qui vient de vivre un cauchemar innommable. Ils ignorent tout de ce qu'elle a enduré pendant ces derniers jours, cloîtrée entre les quatre murs de sa ferme. Mais ils savent qu'elle a été retrouvée dans la chambre de ses parents, où gisait le cadavre maternel. Un traumatisme suffisant pour expliquer le mutisme dans lequel elle s'est enfoncée, aux dires des services sociaux.

Les grands yeux bleus de Julie fixent les Maury, dénués d'une quelconque expression. À l'image du contenu de son cœur : vide, sec, atone. Lorsque les pompiers l'ont arrachée au domicile familial, Julie a perdu son histoire, son existence. Alors, pour la préserver plus que jamais, son cerveau a enclenché le mécanisme « survie » en mode intensif. Une programmation amorcée depuis quelques jours déjà. Depuis que son père a abattu sa mère, froidement, sous ses yeux, pour pas grand-chose. Il n'enregistre plus rien, ne ressent plus rien, ne désire plus rien. Une adaptation immédiate à une situation barbare. Seuls les gestes du quotidien se répètent en automatismes ancrés dans les habitudes : se laver et picorer. Et obéir. Elle a appris que la rébellion pouvait tout détruire. Pourtant, vivre sans les siens n'a pas de sens pour une enfant de son âge. Même un géniteur barbare vaut mieux que rien du tout, que personne, que la solitude dans un monde étranger où elle est ballottée d'inconnus en inconnus.

Elle peut passer de longues heures, immobile et fixe, dans un coin, là où on l'aura délaissée. Dans le foyer temporaire où elle a logé avant d'être placée « pour longtemps » chez les Maury, Julie n'interagissait pas avec ses pairs. Ils étaient transparents. Elle ne les regardait pas, ne les entendait pas, ne jouait pas avec eux, pas plus qu'elle ne répondait aux multiples questions des adultes chargés de son bien-être.

Maintenant, elle est face à ce couple, indifférente à leurs sourires et leurs mots chaleureux.

— Viens, on va te faire visiter.

Josy saisit la main de la fillette qui se laisse emmener. Elle a appris à abdiquer en quelques jours, aux côtés de Roger qui a brisé tous ses repères, toutes ses habitudes. Puis dans le foyer où elle a bien compris que la meilleure réponse était de s'adapter en respectant les règles et les ordres. Daniel empoigne la valise. Un courant d'air s'engouffre par une fenêtre restée ouverte, faisant claquer une porte. Julie sursaute. Ses traits se crispent. Ses yeux expriment enfin quelque chose : tout son effroi et son désarroi.

— Là, tout doux Julie. Tout va bien à présent, tente de la réconforter Josy.

Cette dernière perçoit à cet instant que le chemin sera long pour apprivoiser ce petit animal sauvage et effarouché.

— Pauvre petite, murmure Daniel, plus pour lui-même que dans l'attente d'une réponse.

S'il le pouvait, il irait casser la gueule du sale type qui a tué sa femme et traumatisé sa gosse. Quel ignoble bonhomme ! Il ne mérite pas de vivre. Josy regarde son époux. Un triste sourire se dessine sur ses lèvres. Eux qui n'ont pas pu avoir d'enfant ont des trombes d'amour à déverser. Une quantité illimitée de douceur, de baisers et de câlins, disponibles et prêts à être distribués. Mais ils savent aussi que ces vies brisées ne font souvent que passer dans la leur. Cette fois pourtant, on leur a promis. Julie restera chez eux jusqu'au bout. Ils pourront la chérir sans retenue, sans peur de s'attacher pour finalement voir l'oiseau s'envoler au bout de quelques mois. Ils ont compris que cette âme déchirée emprisonnait une souffrance bien trop lourde à porter. Leur mission s'annonce ardue, mais ils ne renonceront pas. Ils sont disposés à l'aimer sans limites, aussi fort qu'elle en aura besoin, en espérant réparer cette petite fille sérieusement cabossée.

Ils grimpent les escaliers recouverts de moquette et la conduisent à l'étage.

— Là, c'est ta chambre. Si tu as besoin de quoi que ce soit, tu nous le dis, on pourra l'arranger à ton goût.

Julie, égale à elle-même, n'exprime rien. Josy lâche sa main, se saisit de sa valise et l'ouvre sur le lit. Elle la vide et range les affaires dans l'armoire. En dehors du basique, il n'y a rien. Ni photo, ni doudou, ni jouet. Rien qui la relie à sa vie passée. Aucun souvenir. Josy sent son cœur se serrer. Il faudra qu'elle demande aux services sociaux si elle peut retourner dans la ferme récupérer davantage d'effets personnels de la fillette ainsi que quelques objets qui la rattacheraient à sa maman. Daniel reste silencieux. Il est trop bouleversé pour parler. Le cœur de cette guimauve aux allures d'armoire à glace s'est fendu en deux à l'instant où son regard a croisé ces grands et ronds iris azurés. Cette jolie poupée est si gracieuse, d'une beauté à couper le souffle malgré ses cernes et son air impénétrable. Elle semble à la fois fragile, en raison de sa frêle corpulence, et forte sous cet air froid et absent. Il s'est juré de lui redonner le sourire. Foi de Daniel ! Il refuse d'envisager la cruauté qu'elle a subie avant d'être placée chez eux, et il fera tout pour la lui faire oublier.

Ranger les maigres affaires de Julie n'occupe Josy que quelques minutes. La fillette n'a pas bougé, elle se tient toujours près de la porte de la chambre. Daniel a déposé une paluche large et chaude sur l'épaule de l'enfant en guise de réconfort. Elle ne le repousse pas. Elle a déjà physiquement lutté contre papa, contre le gendarme qui l'a extraite de la pièce mortuaire. Elle n'a jamais fait le poids. Inconsciemment, elle adapte ses attitudes par rapport à son vécu. Ignorer, court-circuiter les ressentis désagréables, c'est la meilleure arme à sa disposition.

Les Maury sont troublés par le silence et l'inaction de Julie. Ils ne savent s'ils doivent la laisser toute seule dans cette chambre inconnue ou l'inviter à les suivre dans le salon pour discuter, puisqu'elle ne répond pas.

— Bon, voilà, dit Josy sans grande conviction pour signifier qu'elle a terminé.

Elle sourit à Julie et Daniel.

— Tu préfères rester ici ?

Elle regarde son époux, sollicitant son aide. Il lève les yeux au ciel en signe d'impuissance. Josy reprend :

— On va te laisser un peu toute seule pour faire connaissance avec ta chambre. Mais si tu préfères venir avec nous, c'est possible aussi.

Ils s'éclipsent, laissant Julie à l'entrée de son nouveau nid. Cette pièce l'indiffère. Elle n'est ni belle ni laide. Une énorme peluche est posée sur le lit. Le papier peint fleuri jaune et vert fait office de décoration murale. Et la moquette beige renvoie une ambiance ouatée, assourdissant les bruits. Le lit au cadre en pin miellé est calé contre un mur, face à la fenêtre. Sur le dessus, une courtepointe en patchwork est soigneusement étendue. Une petite armoire avec un miroir et un bureau, eux aussi en pin, finissent de remplir la pièce. Le radiateur renvoie des glouglous d'eau naviguant dans les méandres des tuyaux. Julie s'avance vers le lit, s'assoit sur le matelas moelleux et attend. L'ambiance feutrée et chaleureuse ne l'enveloppe pas.

Quand Josy passe devant la chambre dont la porte est ouverte, elle aperçoit Julie, immobile sur le lit. Elle s'approche d'elle en silence. Elle s'accroupit, prend la main de la petite et la lui caresse doucement. Elles restent ainsi toutes les deux pendant de longues minutes. Josy se demande si elle arrivera à briser la glace qui enserre le cœur de cette petite fille éteinte. La poupée impénétrable ne se départ pas de son masque figé.

Elles se taisent. Le chauffage central diffuse sa douce chaleur dans la chambre enrobée de moquette, pourtant Josy a la chair de poule. Son esprit s'imprègne de la douleur propagée par la paralysie de Julie. Elle devine les traumatismes subis, tout autant que le peut son imaginaire. Elle continue de caresser lentement la menotte. Elle est froide. Même le sang de la fillette semble ne plus circuler dans son corps. Tout a perdu vie en elle. Il ne lui reste que des traces incertaines, entre irréalité et incorporéité. Entre doute de ce qui lui a été vraiment infligé et ce à quoi elle s'est inconsciemment soustraite.

Une fuite psychique vitale afin de survivre à la cruauté, dont les souvenirs vont s'effacer. Jour après jour.

## 21

**Brive, jour 4** — Il fait sombre en cette journée de grisaille, et seule une lampe posée sur une console diffuse une lumière tamisée. Les radiateurs gargouillent à intervalles réguliers. Ils répandent une douce chaleur et une mélodie apaisante. L'ambiance est douillette, le café fume dans les tasses, les biscuits beurrés et le poulet grillé diffusent leurs odeurs toujours vivaces. Josy, enfoncée dans le moelleux du canapé, accroche un sourire permanent à ses fines lèvres. Ses yeux rieurs reviennent parfois à la réalité. Elle demande alors à Franck qui il est et pourquoi il est là. Sa mémoire n'enregistre pas les évènements récents, l'oubli à mesure est devenu sa peste comme celle de Daniel. Les souvenirs anciens en revanche résistent. Aussi, dès que Franck répond qu'il est l'époux de Julie, son visage s'illumine et ses yeux noirs semblent rire davantage encore. Pourtant la tension monte en Franck. Ils échangent des politesses depuis presque une demi-heure. Il a rangé le téléphone dans sa poche une fois toutes les photos de Julie et de leurs enfants visionnées.

Daniel se redresse et s'assoit au bord du canapé, comme pour donner le feu vert. Il fait face à son invité et dit de but en blanc :

— Expliquez-nous pourquoi vous souhaitiez nous parler.

Franck leur raconte l'accident, la réaction démesurée de Julie et la demande des médecins d'enquêter sur le passé de sa femme pour tenter de comprendre l'état de choc dans lequel elle est prostrée depuis quatre jours.

— Vous ignorez tout de son enfance ?

— Tout. Je ne sais rien de sa vie avant notre rencontre.

— Alors j'espère que vous êtes prêt à entendre le pire.

Le cuisinier expire bruyamment. Son cœur frappe violemment. Il perçoit son sang couler dans ses veines jusqu'à ses chevilles. Que va-t-il apprendre ?

— Je crois que je n'ai pas le choix.

— Bien, alors voilà, démarre Daniel de sa grosse voix qui roule les « r ». La gamine est arrivée chez nous quand elle avait huit ans. Elle avait été découverte quelques jours plus tôt auprès du cadavre de sa mère. C'est son père qui l'a tuée.

Josy sourit. Daniel se tait. Franck encaisse. Il ferme les yeux quelques instants, passe sa main devant sa bouche avant de demander :

— Je... je n'ai pas compris. Son père a tué sa mère ?

— Oui. Les gendarmes ont découvert le drame quatre jours après.

— Attendez. Vous voulez dire que Julie est restée enfermée avec son père, un tueur, et sa mère, morte, jusqu'à ce que les gendarmes interviennent ?

— Oui.

Franck ferme les yeux. Il a l'impression que son cœur a raté un battement. Les mots de Daniel n'ont pas de sens. Il ouvre la bouche. La referme. Se force à analyser ce que vient de dire le vieil homme. Ça n'existe pas une situation pareille, il doit mal raconter ou se tromper de personne.

— Daniel, c'est impossible. Vous êtes sûr de vous ? On parle bien de Julie, *ma* Julie ?

— Je suis désolé mais, oui, y a pas de doute. On parle bien de la même Julie.

Après un moment de torpeur pendant lequel Franck assimile l'information, il reprend :

— Mais c'est ignoble ! Pourquoi a-t-il fait ça ?

— On sait pas. Le saligaud a jamais expliqué son geste. Tout ce que l'assistante sociale nous a dit, c'est qu'il avait jamais été connu pour violence. Apparemment un homme sans histoires qui a dégoupillé.

— Et Julie, elle ne vous a jamais rien dit à ce sujet ?

— La pauvre petite semblait avoir perdu la mémoire quand elle est arrivée chez nous. Elle parlait plus, mangeait à peine, elle avait que quelques vêtements c'est tout. On a pas pu retourner à la ferme chercher des objets qui auraient pu la rattacher à son passé. Remarquez c'est peut-être mieux.

— Pourquoi ?

Daniel expire bruyamment pour se donner du courage.

— C'est terrible mon pauvre ami, terrible. Elle est restée quatre jours enfermée dans la ferme avec sa mère morte. Quand ils l'ont découverte et qu'ils l'ont amenée à l'hôpital, ils ont relevé des traces de violences sur son corps.

— Vous voulez dire… Daniel, est-ce que vous voulez dire que son père la violait ?

— Oui.

Franck peine à déglutir. Une boule bloque le passage de la respiration dans sa gorge. Son estomac se serre. Ses mains tremblent. Quelles atrocités sa femme a-t-elle supportées ? Quels cauchemars la petite Julie a-t-elle endurés ? Daniel reprend.

— Il la violait, mais pas que ça. Elle avait des bleus un peu partout sur le corps et des marques… Ah ! Comment on dit ? Vous savez, comme quand on veut étouffer quelqu'un.

— De strangulation ?

— Oui, c'est ça, des marques de strangulation.

— Mais quelle horreur ! Il est où ce salopard maintenant ?

— Il a écopé de dix ans de prison. Il est ressorti depuis longtemps, je suppose, mais je sais pas où il est. Je peux même pas vous garantir qu'il ait purgé toute sa peine. On a pas suivi l'affaire, juste le verdict. C'était trop dur pour nous.

— Dix ans ! manque de s'étrangler Franck. Mais il mérite pas de vivre ce chien ! Dix ans pour le meurtre c'est ça ?

— Oui.

— Et pour ce qu'il a fait à Julie, il a été puni ?

Daniel répond par la négative d'un mouvement de tête. Franck bondit d'un coup du fauteuil. Il en chialerait. Il y a tellement d'incompréhension haineuse en lui.

— Putain ! rage-t-il en envoyant claquer son poing droit dans sa main gauche.

Daniel se lève et l'attrape par les épaules, abattu.

— Qui êtes-vous ? demande soudainement Josy, sortant de sa torpeur.

— C'est le mari de la Julie, notre Julie.

— Oh, Julie, ma petite poupée, où est-elle ? interroge Josy avec ses yeux rieurs.

Franck pose sur elle un regard vide. Sa mâchoire tremble. Puis il détourne la tête, incapable de soutenir la joie sans faille de Jo. Daniel le guide vers le fauteuil où il était installé quelques secondes plus tôt avant de s'adresser à son épouse.

— Elle a pas pu venir. Mais elle va bien.

— Je suis contente d'avoir de ses nouvelles. Elle me manque tellement. Vous lui direz de nous rendre visite ?

Franck acquiesce d'un hochement de tête, les larmes aux yeux.

— Jo, c'est bientôt l'heure des *Douze coups de midi*[2]. Je vais t'allumer la télévision et on va s'installer dans la cuisine avec Franck. Comme ça, tu pourras regarder tranquillement ton émission.

Jo sourit, encore et toujours. Daniel clique sur le grand écran, seule touche de modernité dans cette maison rétro. Le couinement enjôleur des publicités envahit soudainement la pièce. Il s'assure que son épouse est confortablement calée avant de proposer à son invité de le suivre dans la cuisine. Le fond sonore des annonces mielleusement ânonnées et interrompues de *jingles* d'alerte leur parvient distinctement. Mais Daniel préfère laisser les portes ouvertes. Il veille sur Josy autant que possible. Il tire une chaise en formica beige, assortie à la table. Il s'installe incitant Franck à en faire de même. Ce dernier songe que Julie s'est certainement assise sur ces chaises et a mangé sur cette table emblématiques des années 70. Il se doute qu'elles n'ont pas été changées depuis que les Maury habitent ici.

La sidération et l'incompréhension ont envahi Franck. L'homme, habituellement mesuré, a du mal à gérer ses émotions. Fouler les terres de Julie au moment où il découvre son vécu, c'est beaucoup à assimiler en quelques minutes. Une multitude d'informations lui parviennent, suscitant l'apparition de tout autant d'inconnues.

— Voilà, on sera plus au calme ici. Excusez la Jo, mais vous comprenez…

Daniel fait un geste flou dans l'air, laissant sa phrase en suspens.

— Où on en était ?

---

[2] *Les douze coups de midi* est un jeu télévisé français, présenté par Jean-Luc Reichmann et diffusé quotidiennement sur TF1 depuis juin 2010

— Vous m'expliquiez que le père de Julie avait pris dix ans de prison et qu'aujourd'hui il se baladait tranquillement en liberté on ne sait où.

— Oui, c'est ça. Désolé de pas pouvoir vous en dire plus. On a juste gardé la première coupure de presse de l'affaire. Je vous la montrerai si vous voulez.

— Oui, je veux bien. Mais parlez-moi de Julie s'il vous plaît. Comment était-elle à son arrivée ? À quoi ressemblait son enfance chez vous ?

— Son arrivée…

Daniel sourit. Ses yeux se perdent dans le vague, partis à la rencontre de souvenirs lointains. Puis il regarde à nouveau Franck.

— On aurait dit un petit animal sauvage, triste et sans vie. Elle est restée muette pendant plus d'un mois, je crois. Et puis peu à peu, elle a repris de la vigueur. Mais vous savez Franck, il y a quelque chose qui m'a fait terriblement mal.

La voix de Daniel se brise. Il déglutit avant de poursuivre.

— Je m'étais juré de lui redonner le sourire. J'ai pas réussi. C'est un échec. Pour moi, cette gamine, elle était comme placée sous respirateur artificiel. Elle vivait sans vivre.

Franck sent son interlocuteur prêt à s'effondrer. Aussi il pose quelques secondes sa main rassurante sur la grande paluche râpeuse de son hôte.

— Je suis certain que vous avez fait de votre mieux.

— On a essayé, confirme Daniel dans un sourire résigné.

— Mais Julie, elle se souvenait de quoi au sujet du meurtre et des sévices ?

— On a jamais vraiment su. Je dirai… de rien. Ou de pas grand-chose.

— Elle ne posait jamais de questions sur ses parents ?

— Non, jamais. Elle était convaincue que sa mère était morte d'un cancer et qu'elle avait pas de père. On a pas eu le courage de lui dire la vérité. Alors on a gardé ce mensonge qui semblait lui convenir.

Franck se tait quelques instants. Il cherche à comprendre comment l'enfant, puis la femme, avaient pu effacer tout souvenir de cette horreur.

— C'est fou quand même qu'elle ait tout oublié. Excusez-moi d'insister, mais vous êtes sûr qu'elle n'y a jamais fait allusion ?

— Pas que je sache non. Par contre, elle avait parfois des comportements … bizarres.

— C'est-à-dire ?

— Ah, je sais pas trop comment vous dire ça. Un peu comme si elle était possédée. Elle disait devenir folle, mais ça durait pas longtemps et on a jamais compris ce qui se passait vraiment.

— Maintenant que vous le dites… J'ai assisté à quelques scènes étranges, mais c'était isolé alors je n'y ai pas prêté garde. Julie mettait ça sur le compte de la fatigue, du surmenage.

Daniel hoche la tête pour signifier qu'il comprend.

— Et puis quand elle a grandi, je sais qu'elle se taillait les poignets parfois.

— Et vous n'avez rien fait ? Vous ne l'avez pas amenée chez le psychologue ?

— Oh les psy vous savez ! C'était une autre époque. Il me semble que Jo en avait parlé avec le médecin, mais je pourrais pas vous l'affirmer. Et j'ai pas bien envie de lui demander. Comme vous l'avez vu, elle est déjà assez perturbée sans ça.

— Pas de souci, je ne souhaite pas bousculer votre vie. Je désire juste comprendre un peu mieux ce qui a pu se passer. C'est un choc incroyable. Je n'ai rien soupçonné en vingt et un ans, c'est comme une terrible bombe qui vient d'exploser. Et j'ai du mal à croire que Julie ait tout oublié.

— Moi, je suis pas bien un spécialiste, vous savez. Mais la Jo, elle s'était renseignée à l'époque. Et apparemment ça se peut. C'est la mémoire qui s'efface pour protéger la personne, mais je peux pas vous en dire plus.

Les deux hommes plongent l'un et l'autre dans leurs réflexions. Franck essaie de se remémorer les propos du docteur Lemoine. Daniel repense aux jeunes années de la jolie poupée. Les fous rires de Jean-Luc Reichmann et de son public résonnent dans la maison, contrastant avec l'ambiance pesante qui règne dans la cuisine.

Puis les hommes reprennent leur discussion. Daniel lui rapporte tout ce dont il se souvient de Julie : sa force de caractère, son goût pour le sport, ses réussites scolaires, sa solitude, sa tristesse infinie, le bleu de ses yeux, sa claustrophobie, ses cauchemars, la peine qu'ils ont eue de ne plus jamais avoir de ses nouvelles, sa douleur fréquente au bras gauche, sa hantise des bruits qui claquent. Sous ses airs bourrus, en bon père adoptif, Daniel avait tout enregistré de la vie de sa jeune protégée, guettant ses réactions, à l'affût de ce sourire tant escompté.

Cette petite, elle leur en avait apporté, des espoirs. Ils lui en avaient donné, de l'amour. Et elle leur en avait fait, de la peine. Elle avait une trop grosse souffrance à porter, ça l'écrasait, ça prenait toute la place, ça avait fini par les ronger eux aussi. Jo en avait perdu son sourire jusqu'à ce qu'elle perde la tête. Daniel avait enterré sa conviction de la faire rire un jour. Ils avaient essayé, ils avaient échoué et elle avait disparu, les laissant à leur chagrin et leur solitude de parents adoptifs déchus.

Enfin Daniel va chercher la coupure de presse qu'ils ont gardée. Il autorise Franck à emporter l'article qui relate le drame de la nuit de la Saint Sébastien.

Après presque deux heures d'entretien, Franck est certain que Julie n'a pas manqué d'amour sous ce toit, ce qui le rassure un minimum. Il quitte les Maury en leur promettant de les informer sur l'évolution de la situation et de revenir les voir avec Julie si elle le veut bien. Il a levé quelques zones d'ombre. Toutefois, un épais brouillard persiste.

## 22

**Brive, été 1991** — Julie s'étire dans le jardin après son footing. Cette activité l'aide à se défouler et répond à son besoin de lumière, d'espace et d'air pur. Car peu à peu elle devient claustrophobe. Quand elle se retrouve cloîtrée dans un lieu exigu et obscur, une impression de danger imminent s'empare d'elle, sans qu'elle sache l'expliquer. Josy et Daniel ont même dû changer les meubles de sa chambre. Ils sont allés à Conforama où ils ont investi dans du mobilier en kit, en un mélaminé laiteux, afin d'éclaircir la pièce. Ils ont remplacé les rideaux par des voiles couleur crème, arraché la tapisserie, repeint les murs en blanc. L'adolescente s'y sent un peu mieux, toutefois c'est insuffisant.

Alors elle court, autant qu'elle peut ou que nécessaire, depuis que Josy a accepté de la laisser s'adonner à ce plaisir solitaire. Julie intégrera le lycée à la prochaine rentrée, Jo l'estime en âge de se promener seule. Aussi, depuis presque deux mois, elle court un jour sur deux. Elle galope à la recherche de dopamine, pour stimuler ses sensations. Elle fonce jusqu'à l'épuisement, dépassant la douleur physique. Dans ces moments-là, elle a l'impression d'habiter son corps et de le connecter à sa tête. Elle est *une*. Elle sent. Elle ressent. Elle respire. Elle vit. Et c'est cohérent. Car peu à peu, Julie perçoit qu'elle nage en eaux troubles. Ce n'est pas net. Rien n'est clair. Quand elle court, elle *est*. Elle s'échappe de la confusion permanente dans laquelle elle baigne.

Elle reste dans le quartier, sur les trottoirs. Parfois, elle se rend au stade ou emprunte un chemin qui longe la voie ferrée. En ce samedi matin, elle a parcouru une bonne dizaine de kilomètres, son walkman sur les oreilles, écoutant une cassette des hits de l'année. Elle aime particulièrement *Désenchantée* de Mylène Farmer qu'elle rembobine jusqu'à s'enivrer. Elle connaît les paroles par cœur. Comme si Mylène chantait pour elle. La sensation de chaos qualifie bien le quotidien de l'adolescente. Et cela n'a rien à voir avec les perturbations caractéristiques de son âge.

*« Si la mort est un mystère*
*La vie n'a rien de tendre*
*Si le ciel a un enfer*
*Le ciel peut bien m'attendre*
*Dis-moi*
*Dans ces vents contraires comment s'y prendre*
*Plus rien n'a de sens, plus rien ne va*
*Tout est chaos*
*À côté*
*Tous mes idéaux, des mots*
*Abîmés*
*Je cherche une âme, qui*
*Pourra m'aider*
*Je suis*
*D'une génération désenchantée*
*Désenchantée*
*Chaos*
*Chaos »*


Les rayons du soleil frappent dru en ce début juillet, Julie est en nage. Des perles de sueur dégoulinent le long de ses tempes, de sa gorge, avant de s'écraser sur la pelouse verdoyante ou d'être absorbées par son tee-shirt. Elle finit de s'étirer lorsque Josy l'interpelle depuis la fenêtre de la cuisine qui donne directement sur le jardin.

— Alors ma jolie poupée, tu as bien couru ?

La sportive ôte le casque de ses oreilles puis envoie un regard interrogatif à Jo.

— Tu as bien couru ma chérie ?

— Ça va, répond Julie en haussant les épaules.

Josy la couve d'un œil plein d'affection. La jeune fille lui sourit, plus par politesse que par envie. Elle est devenue une adolescente séduisante que les Maury adorent comme leur propre chair. Pour autant, elle ne s'est départie ni de sa sauvagerie ni de sa tristesse. Elle ne réussit pas à se faire des amis. Elle n'arrive pas à s'attacher aux gens, même au Maury. Elle se sent coupable de ne pas leur rendre tout cet amour, mais c'est ainsi, elle n'y arrive pas et elle n'a aucune justification.

— Fais attention à pas attraper un coup de soleil !

— T'inquiète, j'ai bientôt fini.

— Tu viendras m'aider à préparer le déjeuner ?

— Si tu veux.

— File sous la douche d'abord, tu dégoulines, la taquine Josy en prenant un air faussement dégoûté.

— Oui, Jo.

Cette dernière envoie un baiser de la main à la jeune fille, ferme le volet pour préserver la fraîcheur intérieure et retourne vaquer à ses occupations domestiques.

Jo. Josy. Julie n'a jamais pu se résigner à l'appeler « maman » même si elle vit chez eux depuis la moitié de sa vie, et qu'ils sont sa seule famille. Une famille de cœur, pas de sang. Et encore, elle n'est pas sûre d'être suffisamment attachée à eux pour les considérer comme tels. Jo, c'est son assistante familiale. Éduquer les orphelins, c'est son travail. Même si elle le fait avec beaucoup de dévotion et d'amour, Julie ne peut s'empêcher de penser qu'elle fait uniquement son job. Rien d'autre. L'adolescente se rappelle vaguement sa mère, la douce Denise, et Narcisse, son oie. Elle se souvient de jeux enfantins dans une cour de ferme. Elle se souvient de rires, de tartes aux pommes et de tendres mélopées. Des bribes, des images lointaines, comme si elles appartenaient à un autre monde. Puis maman disparaît. Julie entend beaucoup parler de cancer, un fléau redoutable qui emporte de nombreux parents. Elle est en pleine confusion, tout s'emmêle dans son esprit, aussi elle est persuadée que c'est ce qui s'est produit. Et comme elle ne connaît pas son papa, on l'a placée dans une famille de substitution.

Elle a demandé une fois à Josy si sa maman était bien morte d'un cancer. Jo a eu l'air embarrassée, mais elle n'a pas démenti, puis elle s'est empressée de changer de sujet. Comme Julie n'avait pas d'autre explication que celle que son cerveau voulait bien lui offrir, elle s'y est accrochée. Elle n'a pas de souvenirs d'anniversaires ou d'autres évènements marquants. Elle était jeune quand maman est morte. Ne se rappeler que peu de choses est sans doute logique, surtout qu'elle se trouve dépourvue d'objets, de photos qui pourraient la rattacher à son passé. Alors Julie apprend à vivre avec sa mémoire trouée et son mal-être croissant. En même temps, quoi de plus normal pour une adolescente que se sentir mal dans sa peau, surtout en l'absence d'une amie à qui confier ses interrogations. Pourtant, elle se perçoit différente des autres, elle ne se reconnaît pas dans la horde de boutonneux qu'elle côtoie au collège. Et puis la soif d'apprendre l'habite depuis toujours. Discrète, droite, tenace, opiniâtre, elle peut écraser tous ses camarades de classe si nécessaire. Elle, elle veut réussir. Elle regarde au-delà de ses quinze ans. Elle veut s'échapper de ce trou à rat où on l'a déposée comme un colis sans qu'elle sache pourquoi.

Ses étirements terminés, elle jette un coup d'œil autour d'elle. Tout y est affreusement banal. Une maison-cube, un jardin bien entretenu où s'épanouissent dahlias et œillets, des abeilles qui butinent, un gazon taillé au cordeau. Daniel, très bon jardinier, met un point d'honneur à ce que les espaces entourant la maison resplendissent en toute saison. C'est sans doute joli, mais elle y est indifférente. Tout l'indiffère. Même le sempiternel steak-frites-salade-mousse au chocolat du samedi midi que Josy a instauré depuis son arrivée. Été comme hiver, qu'ils aient grande faim ou petit appétit, dès potron-minet, Josy empoigne son chariot roulant. Elle se rend à la boucherie puis chez le primeur du coin pour acheter le nécessaire à ce qu'elle considère comme le summum du régal pour un enfant. Son cœur de mère adoptive tente de prouver son amour à la blondinette de multiples façons.

Julie inspire profondément une dernière fois, balance son corps de droite à gauche, expire et rentre. L'été, fenêtres et volets restent grands ouverts toute la nuit pour que l'air frais pénètre. La lune et les étoiles apportent une douce lumière dans toute la maison. Mais dès que le soleil se lève, les Maury ferment toutes les ouvertures, plongeant les lieux dans la pénombre pour faire barrage à la chaleur. Jusqu'à présent, cela ne dérangeait pas trop Julie, mais depuis ce début d'été, elle étouffe. Elle n'est pas à l'aise dans cette maison obscure aux volets barricadés. Elle n'est pas retenue prisonnière, elle le sait. Elle peut aller et venir à sa guise.

Mais tout de même, quelque chose la perturbe, allant jusqu'à l'oppresser, comme si on la séquestrait. Pour contrer cette sensation, elle reste au maximum à l'extérieur, à écouter de la musique, faire du sport, ou lire sous le tilleul dont les fleurs embaument le jardin.

Quand elle sort de la douche, elle rejoint sa chambre où elle enfile une tenue légère et ouvre les volets. Tant pis s'il y fait chaud ! Daniel et Josy ne la réprimandent jamais, elle n'a pas à se soucier d'un éventuel reproche. Puis elle rejoint la cuisinière dans ses quartiers.

— Ma chérie ! Tu es de plus en plus jolie, sourit Josy, admirant les jambes fuselées et bronzées qui dépassent du short de l'adolescente.

— Merci. Je t'aide à quoi ? renchérit Julie qui n'a que faire d'être belle.

— Comme d'habitude, aux frites du samedi !

L'enthousiasme de Josy n'atteint pas son apprentie cuisinière. En quoi tailler des frites s'avère-t-il si réjouissant ? Surtout dans cette pièce, éclairée seulement par la loupiotte de la hotte.

— J'allume, dit Julie tout en s'approchant de l'interrupteur.

— Surtout pas ! Tu vas réchauffer la maison !

— Mais c'est un glaçon ici.

— Justement ! Si tu ouvres les volets ou si tu allumes, on va tous mourir de chaud !

— Moi, je me gèle, réplique Julie en frottant ses bras où la chair de poule est apparue.

— Tiens ma poupée.

Josy saisit un gilet qui traîne sur une chaise en formica et le dépose délicatement sur les épaules de l'adolescente.

— Merci, murmure Julie, toujours frissonnante.

Puis les deux cuisinières entreprennent de peler et couper les pommes de terre en silence. Le ronronnement du réfrigérateur, le tic-tac bruyant de la pendule et le raclement des économes glissant sur les tubercules viennent rompre la quiétude. Josy sait que sa protégée n'est pas une grande bavarde, alors les jours où elle n'est pas décidée à monologuer, elle se tait. Rien que sa présence à ses côtés la rassasie. Elle avait tant d'amour à donner que, chaque matin, elle bénit le ciel de l'entrée de cette petite dans leur vie. Daniel, lui, se désespère. Il dit que son cœur est mort et qu'elle continue de vivre uniquement parce qu'elle respire encore. Jo n'aime pas le constat douloureux de son mari. Mais elle doit bien admettre qu'il n'a pas complètement tort.

Les frites sont prêtes pour la cuisson. Josy demande à la jeune fille de sortir la viande du réfrigérateur et de la placer sur une assiette. Julie se lève, frotte ses cuisses fraîches pour les réchauffer, puis attrape l'emballage blanc et rouge où les steaks sont précieusement rangés. Elle dépose le sachet sur la table. Debout, elle le déplie. Une puissante odeur de viande froide la saisit. Au même moment, Daniel revient et la porte d'entrée claque. Julie sursaute. Puis son cœur s'arrête brusquement. Cette infâme odeur de viande froide, dans cette ambiance particulière, la terrifie. Elle n'arrive plus à respirer, elle ouvre grand la bouche pour y faire entrer tout l'air possible. Mais il reste bloqué dans sa gorge, incapable de glisser jusqu'à ses poumons. La table la retient, sans quoi elle se serait écroulée. Elle voudrait parler, appeler à l'aide, mais aucun son ne sort. Josy, affairée à nettoyer la vaisselle, lui tourne le dos. Daniel se déchausse dans l'entrée, puis il s'approche de la cuisine pour y retrouver ses petites femmes, comme il aime les nommer.

— Je suis là ! dit-il de sa grosse voix enjouée en franchissant le seuil de la pièce.

Josy se retourne aussitôt. Son sourire s'efface net lorsqu'elle perçoit, dans la demi-pénombre, Julie livide, la bouche grande ouverte, la poitrine se soulevant amplement, les yeux écarquillés d'effroi, prête à s'écraser au sol.

— Julie ! Julie ! Mais qu'est-ce qui t'arrive ?

Daniel se précipite vers la jeune fille et l'oblige à s'asseoir sur le carrelage, en la soutenant par les aisselles. La fraîcheur du sol accentue la frayeur de l'adolescente. Et les mains de Daniel, qui se veulent rassurantes, sont interprétées comme une agression par le corps de Julie. Dans un réflexe, elle lui envoie un coup sec pour se défendre. Perturbé, il retire aussitôt ses mains. Elle s'affale à terre. Ses genoux se replient instinctivement sous sa poitrine, en position fœtale, en signe de protection.

— Apporte-lui un verre d'eau.

Josy s'exécute mais Julie n'a pas soif. Elle ne réagit pas à leurs sollicitations. Elle est enfermée dans une bulle noire de puanteur. Elle est recroquevillée dans un caveau invisible qui empeste la viande pourrie. Le monde qui l'entoure n'existe pas. Un grand flou s'abat sur elle. Un sentiment de finitude et de vide la persécute. Ses mâchoires restent désespérément ouvertes, elle tente de gober de l'air frais pour éviter de s'asphyxier. Elle suffoque. Soudain, du bleu. Et puis du rouge. Ces couleurs s'imposent devant ses yeux jusqu'à lui manger la tête. Pourtant, le carrelage et les meubles autour d'elle sont beiges ou marron. Pourquoi du bleu, pourquoi du rouge ? Julie saisit son crâne entre ses mains, crispe ses paupières et se met à se balancer à même le sol, comme pour se soulager, s'apaiser de bercements. Josy la serre contre elle et lui parle, mais elle n'entend pas. Dans cette tête, résonnent uniquement des bruits secs et violents. Daniel semble paniqué, à la recherche de solutions. Il s'agite dans la pièce, trompant son impuissance par une effervescence inutile, roulant encore plus les « r ».

— Donnons-lui de l'eau-de-vie ! Une couverture ! Portons-la dans sa chambre ! Appelle le docteur !

Il propose mille remèdes, mais Josy s'est accroupie auprès de sa poupée qu'elle ne lâche pas et accompagne ses bercements. Daniel ouvre les volets pour l'aider à respirer. Le soleil inonde la pièce soudainement, secondé par une douce chaleur. Les effluves de viande morte sont remplacés par celles du tilleul. Le corps de Julie, hypertendu, se ramollit peu à peu. Elle ferme la bouche, déglutit, et calme son souffle. Son rythme cardiaque ralentit doucement. L'air circule à nouveau dans sa gorge. Le bleu et le rouge s'estompent. Elle perçoit le contraste entre le froid du carrelage et la chaleur extérieure qui l'enveloppe. Hébétée, elle regarde Josy et Daniel qui affichent une inquiétude interrogatrice. Le moment a été bref. Tout ça a duré moins de deux minutes. Et pourtant, ce fut extrêmement violent pour la jeune fille qui s'est sentie transportée dans un monde tout à la fois familier et inconnu mais surtout, terrifiant. Elle est revenue à Brive, dans la cuisine des Maury, elle ne peut ni les rassurer ni leur expliquer ce qu'il vient de se passer. Elle sait juste qu'elle a surréagi à cette odeur de viande morte, de sang, qui ne l'avait jamais dérangée jusqu'à présent.

Elle se relève péniblement, aidée de Daniel dont les grandes mains la guident jusqu'à l'étage. Dans les escaliers, elle trébuche. Elle voit flou, ses tempes tambourinent, elle se sent vidée de toute énergie. Dans la chambre, Daniel l'allonge pendant que Josy entreprend de fermer les volets.

— Non ! Laisse ouvert, réclame-t-elle d'une voix éteinte.

— Mais tu vas avoir chaud. On étouffe. Déjà que tu ne te sens pas bien !

— S'il te plaît, supplie Julie dans un chuchotement.

Et elle se tourne vers le mur, leur signifiant qu'elle souhaite rester seule. Le couple s'éclipse discrètement. Julie est paumée. Elle ne comprend rien à ce qu'il vient de se produire, elle a eu la sensation de sombrer dans une folie passagère. Brève et puissante. À présent, elle ressemble à une coquille vide. Des larmes se mettent à rouler sur ses joues. Elle qui ne pleure jamais, soudain elle a peur. Rien de cohérent ne peut expliquer sa réaction subite. Son ressenti était tout à la fois vague, flou et pourtant incroyablement intense. Familier. Comme un *remake* d'une scène déjà vécue mais dont elle n'a aucun souvenir. Des sons trop forts et des images aveuglantes. Une sensation de danger imminent, exactement comme lorsqu'elle se sent prise au piège d'une pièce sombre et étroite. À cela s'ajoutaient, pour la première fois, des perceptions olfactives écœurantes, des bruits et des couleurs qui envahissaient tout son espace visuel. Le chaos. Comme dans la chanson de Mylène. Julie saisit son walkman, le pose sur ses oreilles et enclenche la cassette pour s'apaiser. Elle ne bougera pas jusqu'au soir.

Dans la cuisine Josy et Daniel n'ont pas le cœur à déguster le traditionnel steak-frites. Ils mangent sans entrain et en silence, accompagnés par les sons de la pendule et du réfrigérateur. Chacun essaie de mettre du sens sur ce qu'il vient de se produire. Eux aussi ont peur pour leur poupée. Mais ils préfèrent se taire. De crainte que leurs paroles ne portent préjudice à leur protégée. Nier évite d'entrer dans le concret. Ils espèrent juste que cet épisode restera isolé. Ils savent bien que Julie n'est pas heureuse, ils ne sont pas idiots, ils le voient. Mais que peuvent-ils faire de plus ? Elle est devenue leur raison de vivre et ils n'aspirent qu'à son bonheur. Sa souffrance est intolérable. Alors ils prient pour que cet incident ne se reproduise plus. Et se taisent pour conjurer le sort.

# 23

Ils viennent de fêter la nouvelle année. Pour célébrer ce passage en 1992, les Maury avaient invité plusieurs couples d'amis. Julie était restée en retrait, elle n'aime pas les rassemblements qui sont autant d'occasions de se sociabiliser, surtout qu'il y avait essentiellement des adultes. Les lycéens de son entourage s'étaient réunis dans des soirées d'adolescents où elle n'avait pas été conviée. Elle s'en moquait, elle n'y serait pas allée. Aux douze coups de minuit, elle avait été autorisée à boire de l'alcool pour la première fois. Elle avait goûté de façon modérée. Elle avait aimé. Elle avait embrassé tous ces gens, ils s'étaient souhaité le meilleur, puis elle était partie se coucher, avec un profond sentiment de solitude et le goût du champagne dans la bouche. Jamais elle ne s'était sentie aussi seule depuis qu'on l'avait confiée aux Maury. Elle grandissait et les attentions que le couple lui portait ne suffisaient plus à la rassurer, même si elle n'en avait pas conscience.

Depuis quelques jours, une douleur s'éveille dans son bras gauche. En classe, elle soulève lentement son épaule et la secoue pour se soulager temporairement. Elle a dû se faire mal lors d'un match de basket, pendant son cours de sport, la semaine dernière. Elle a trouvé dans la salle de bain un tube de crème pour apaiser ses muscles. Le soir, après la douche, elle s'en applique en massage, mais l'effet n'est pas probant. Elle préfère ne pas en parler à Josy. Elle connaît sa propension à la couver de trop près, ça finirait chez le médecin. Or Julie déteste être auscultée. Elle n'aime pas qu'on la touche. Cette intrusion, à la finalité pourtant bienveillante, la rebute. Seuls les câlins des Maury restent acceptables et, fort heureusement, ils ont tendance à diminuer au fur et à mesure qu'elle prend des centimètres. Même si elle se doute que Josy se retient pour ne pas la presser contre elle au quotidien ! Aussi se contente-t-elle de cette crème en espérant qu'elle réussira à l'apaiser et évite de grimacer en présence de Jo pour ne pas l'alerter.

De plus, depuis quelque temps, des cauchemars l'assaillent durant son sommeil. Elle se réveille en pleine nuit, transpirant à grosses gouttes, suffoquant. Ces mauvais rêves deviennent envahissants, par conséquent Julie lutte contre l'endormissement pour ne pas mourir pendant ces terreurs nocturnes. Mais elle finit toujours par sombrer dans un repos agité. Elle n'a pas un souvenir précis de ces songes malfaisants. Elle a la sensation de se retrouver dans une pièce sinistre, cloîtrée. Elle a l'impression de hurler, sans que personne ne l'entende. Elle a la bouche grande ouverte, mais elle s'époumone en silence. Comme prisonnière d'une cloison trop épaisse pour laisser passer le moindre son. Elle est certaine qu'elle ne crie pas réellement durant ses cauchemars, sinon Josy interviendrait. En revanche, elle est incapable de dire si elle s'est vue dans le rêve, ou s'il y avait d'autres personnes. Cela relève plus du ressenti, d'un sentiment d'oppression et de péril. Elle est claustrophobe jusque dans ses nuits alors qu'elle évite soigneusement tout lieu susceptible de provoquer une crise d'angoisse, maintenant qu'elle a conscience de son aversion pour les pièces exiguës et sombres. Même en classe, elle a choisi d'emblée une place près de la fenêtre pour recevoir un maximum de lumière, surtout en cette période hivernale. Aussi elle ne comprend pas pourquoi ces peurs troublent son sommeil.

Entre douleurs, cauchemars et fatigue, le mal-être de Julie ne cesse de croître depuis ces derniers jours. En cours, elle déploie beaucoup d'énergie pour rester éveillée et suivre les leçons. Et dans son lit, elle déploie beaucoup d'énergie pour lutter contre les pensées noires et les effrois nocturnes. Elle est épuisée. Depuis ce début d'année 1992, elle vit dans un état de combat permanent, accompagné d'un sentiment d'oppression. Ces dernières années passées chez les Maury n'étaient pas la panacée puisqu'il lui manque sa maman, mais elles se sont déroulées dans une relative sérénité. Puis il y a eu cet épisode dans la cuisine depuis lequel elle a opté pour le végétarisme ; le dégoût des odeurs de viande morte est devenu trop puissant. Et à présent ces nuits perturbées par des images terribles. Pourtant, elle en est certaine, rien de rationnel ne peut expliquer tout cela. Elle mène une vie ordinaire.

De plus, depuis son entrée au lycée, elle s'est liée « d'amitié » avec Valérie. Elles fréquentent la même classe, elles partagent leur intérêt pour le sport, la lecture et l'envie de quitter Brive. Valérie, une brunette pétillante, pleine d'enthousiasme, connaît la moitié de l'établissement. Elle a été attirée par le contraste de forces et de faiblesses qui se dégage de Julie. Elles ne passent pas tout leur temps ensemble, car la populaire Valérie navigue entre ses bandes de potes et des moments en duo avec Julie. Cette dernière la considère pour l'instant plus comme une bonne copine que comme une véritable amie. Leur relation est trop récente pour qu'elle accepte de la voir en dehors du lycée et la fasse entrer dans l'intimité de sa vie. Mais, pour la première fois, elle se sent bien avec quelqu'un de son âge. Car sous ses airs fanfarons, Valérie cache une grande douceur et de la bienveillance. Elle veut faire des études de médecine et devenir psychiatre. Julie, qui ne sait pas encore à quoi destiner ses jours futurs, envie cette capacité à se projeter et à se construire un avenir.

Elle plaît aux garçons, c'est ce que Valérie lui dit. Mais elle s'en moque. Contrairement aux filles de son âge, les jeux de séduction ne l'intéressent pas. Se maquiller pendant des heures devant un miroir pour se pavaner ensuite auprès d'appareils dentaires montés sur des quadriceps de poulet ne l'emballe pas. Une chance pour elle, ils ne sont pas très valeureux et se laissent rebuter par son air froid. Son côté mystérieux les attire tout autant qu'il les apeure. Ce qui arrange Julie qui n'a pas à repousser leurs avances. Elle est d'autant plus admirative de Valérie, la seule à ne pas avoir renoncé face à sa distance et son détachement.

Julie attend assise sur les grands escaliers qui mènent à l'entrée du lycée, que retentisse la sonnerie. Les phares des véhicules qui slaloment sur le parking illuminent la fine bruine qui se dépose doucement sur l'asphalte. Le temps est brumeux et grisâtre, le jour peine à se lever en ce matin d'hiver. Il fait humide mais pas trop froid, la couverture nuageuse permettant de garder une certaine température. Peut-être que Valérie est déjà arrivée et qu'elle l'attend dans la cour du lycée. Elle aurait sûrement des tas de choses à lui raconter de son week-end, mais peu importe, elle n'a pas envie de parler. Elle préfère rester seule ce matin, à savourer la morosité de ce lundi. Alors qu'elle se concentre sur la sensation des gouttelettes qui se déposent sur son visage, elle entend quelqu'un héler :

— Sébastien ! Hey Sébastien !

Une jeune fille peroxydée aux couettes tressées se précipite toute joyeuse vers un garçon assis non loin de Julie. Elle agite son écharpe rose acidulé tel un étendard et hurle depuis le parking où se croisent autobus, mobylettes et voitures, éclairée par leurs lumières. Le lycée est grand, ils sont nombreux, Julie ne les connaît pas. Pourtant, quelque chose tilte dans sa tête quand elle entend la jeune fille interpeller son camarade. Elle a l'impression de recevoir une claque invisible. Une claque si forte qu'elle décrocherait la tête de son cou.

— Youhou Sébastien, bonne fête !

Le Sébastien en question écrase négligemment sa cigarette et expire la fumée dans un sourire de satisfaction. Il se lève pour rejoindre la mini Britney Spears qui trottine vers lui. La suite, Julie ne la voit pas.

Du bleu. Du rouge. Julie tremble de tout son corps et suffoque. Les bruits autour ne sont qu'un brouhaha indistinct. Dans son crâne, ça martèle « Sébastien, Sébastien, Sébastien ». Des ronds tracés à la main apparaissent. Le froid, il fait affreusement froid, tout devient glacial. Elle est enfermée dans une nébuleuse assourdissante bien plus sombre que l'obscurité de cette matinée. Les sons, les images s'agitent uniquement dans sa tête. Autour d'elle, plus rien n'existe. Cette sensation de danger imminent qui l'habite à chaque réveil nocturne est terriblement prégnante. Un fusible saute dans son cerveau. Tel un zombie, elle dévale les escaliers et part se cacher derrière le local à deux-roues. « Sébastien, Sébastien, Sébastien, Sébastien ». Pour des raisons obscures, une voix caverneuse martèle ce prénom. Les ronds dessinés à main levée s'agitent sur un fond mêlant le vermillon et l'azur. À l'abri des regards, elle ouvre son sac à dos de ses mains tremblantes, puis sa trousse. Elle saisit son cutter et entaille doucement son poignet gauche. Le sang commence à perler. La vue du rouge suintant la fait sursauter. Une deuxième claque virtuelle lui est assénée. Elle ferme les yeux et serre les paupières aussi fort qu'elle le peut. Le bleu et le rouge continuent de se mélanger, une main d'enfant dessine des ronds sur un calendrier. La voix caverneuse cogne toujours dans sa tête « Sébastien ! ». L'incongruité de la situation la dépasse. Ça n'a aucun sens. Elle devient folle. Complètement folle. Julie est enfermée dans une prison mentale dont elle voudrait s'extraire. Alors, elle se fait une entaille plus profonde en regardant ailleurs. Elle serre les dents. Cette douleur physique endort sa détresse psychique. Une vague de bien-être la saisit, elle plane, comme si elle allait perdre connaissance. Son rythme cardiaque cavale encore, mais un peu moins vite. Elle relâche le cutter qui tombe au sol dans un bruit métallique. Le bleu et le rouge s'estompent. Le ronflement d'un moteur de scooter qui se gare dans le local la sort de sa torpeur. La pluie s'est intensifiée, ses vêtements sont trempés. Peu à peu, l'agitation ambiante lui parvient à nouveau aux oreilles : les crissements de pneus sur la route mouillée, les voix des quelques lycéens encore sur le parking. La sonnerie retentit. Elle aperçoit les retardataires qui courent dans les escaliers, s'abritant sous leur sac ou le col de leur manteau remonté sur leur tête. Elle regarde son poignet. Il saigne. Elle ne peut pas aller en cours comme ça. Elle attrape son foulard et le noue autour de son poignet pour s'en faire un garrot temporaire. Elle ramasse le cutter, l'essuie dans le foulard, le fixe quelques secondes, pensive. Elle ne sait pas expliquer pourquoi elle a fait ça. C'est la seule réponse qui lui est venue à l'esprit pour anéantir ces invasions insensées. Elle se relève et se dirige vers les escaliers.

Elle les monte sans se hâter, elle n'en a pas le courage. La pluie drue s'abat sur elle. Puis elle circule dans les dédales extérieurs de l'établissement, croise d'autres lycéens. Certains, empressés, la bousculent au passage, avant de rejoindre les couloirs abrités. Elle marche sur un lit cotonneux, ses pieds s'écrasent dans du velours. Tout est doux, moelleux. La douleur a disparu. Elle est à nouveau dissociée, mais elle l'ignore puisqu'elle ne sait rien de ses fantômes, de ses angoisses, de ses traumas. Elle arrive devant la salle de classe des secondes 6, elle frappe. Personne ne répond, alors, distinguant du vacarme derrière la porte, elle entre sans attendre l'autorisation. Elle n'est pas très en retard, ses camarades s'installent. Elle ruisselle, ses cheveux dégoulinent, une mèche est collée sur son front. Valérie lui adresse un clin d'œil. Le professeur lui fait un signe de tête pour l'encourager à rejoindre sa place.

Elle enlève son manteau, le dépose sur le dossier de sa chaise. Celui-ci goutte tranquillement sur le sol. Elle tire sur la manche de son pull ample, s'assied et démarre le pilote automatique pour se concentrer au mieux sur le cours de mathématiques qui ouvre le bal de cette semaine, comme chaque lundi matin. À la récréation, elle s'enferme dans les toilettes, retire le foulard. Elle ne saigne plus. Deux stries rougeoyantes témoignent de ce qu'il s'est passé quelques heures plus tôt. Sans ces traces, elle croirait avoir cauchemardé. Elle renonce à comprendre, tout ça est dénué de sens.

Quand elle regagne son domicile, elle ne s'arrête pas pour embrasser Jo qui s'affaire en cuisine. Le lundi est une grosse journée car Julie est inscrite à un atelier d'écriture qui est dispensé de 17 h à 18 h. Lorsqu'elle rentre, la nuit est tombée et l'heure du goûter largement dépassée. Elle rejoint sa chambre à l'étage et jette son sac dans un coin. Jo est sortie de sa cuisine et lui parle depuis le bas des escaliers :

— Ça va ma poupée ?

— Oui ça va, ça va, grommelle Julie tout en se déshabillant.

Non, ça ne va pas. Jo l'a bien compris. Mais elle sait qu'il ne sert à rien d'insister. Son sourire s'estompe, ses yeux se voilent, elle fixe la moquette. Elle se sent démunie. Vers qui se tourner ? Elle préfère ne pas parler de ses difficultés aux services sociaux, elle ne voudrait pas paraître incompétente. Le dimanche, à l'église, parfois elle confie ses tourments au Seigneur. Mais peut-être qu'être maman, ça s'apprend pendant la grossesse ou à l'accouchement ? Et que, malgré tout son amour, elle ne pourra jamais trouver les mots, les gestes qui rassureront Julie, qui l'apaiseront. Elle essuie des gouttes imaginaires sur ses mains contre son tablier et retourne dans la cuisine où elle mitonne un petit salé aux lentilles et une tarte aux poires. Daniel adore les tartes aux pommes, mais elle n'en fait pas. La petite n'aime pas ça.

Sous la douche, Julie a tourné le thermostat au maximum. Elle veut se laver de l'intérieur et évacuer le froid qui la glace depuis ce matin. Elle frotte les croûtes de sang séché sur son poignet. Quand elle ferme le robinet, sa peau a rougi sous l'effet de l'eau bouillante. Elle s'essuie puis elle pose des pansements sur son poignet où le sang recommence à couler.

Elle prend soin de revêtir le pull le plus grand possible afin de cacher les stigmates de sa folie passagère.

À 19 h précises, elle rejoint le couple dans la cuisine. Le couvert est déjà mis, la pièce embaume, mais Julie n'a pas d'appétit, comme à l'accoutumée. Elle veille à ce que les manches de son pull dissimulent son secret. Le repas se déroule dans un silence relatif, toujours accompagné du tic-tac de la pendule, du glouglou du réfrigérateur et des raclements de fourchettes dans les assiettes. Il y a des jours où Josy n'a pas le cœur à être joyeuse. C'est rare, mais ça arrive, surtout quand elle sent sa poupée tourmentée par de mystérieux spectres. Parfois, elle se demande si elle ne devrait pas dire la vérité. Du moins, ce qu'elle sait. Puis elle y réfléchit et elle conclut que si la petite a préféré tout enterrer, c'est sans doute mieux pour son équilibre. De quel droit irait-elle briser ses croyances, celles qui semblent l'aider à tenir debout ? Vacillante certes, mais debout et vivante. Elle en a déjà discuté avec Daniel, mais il n'a point d'avis sur la question. À ce qu'il dit, les hommes et la psychologie, ça fait deux. Peut-être qu'elle devrait l'emmener consulter ? Mais si elle découvrait tout et les rejetait à cause de leurs mensonges ? D'autant plus que Julie approche de ses dix-huit ans. Jo redoute ce moment. Elle craint que la jeune fille ne s'enfuie pour toujours.

Tant qu'elle était petite, ils ne s'en tiraient pas trop mal. Mais plus elle grandit et plus les failles se révèlent. Ses silences et son air mélancolique ne mentent pas sur ses tourments intérieurs, même si elle ne les dévoile pas.

Quand le repas est terminé, Julie aide à débarrasser avant de remonter dans sa chambre où elle s'attelle à ses devoirs. Soudain, les cris de Daniel résonnent dans toute la maison. Ils arrivent, étouffés par la moquette, jusqu'à l'adolescente qui se demande ce qu'il se passe.

— Jo ! Viens voir, vite, vite !

Julie entend le bruit d'une casserole qu'on laisse tomber brutalement. Le son de la télévision a été monté. Intriguée, elle descend pour voir l'origine de ce raffut.

— Bigre ! Un avion s'est crashé, explique Daniel.

Depuis la porte du salon, Julie écoute vaguement le flash spécial. Jo se tient debout, les mains devant sa bouche grande ouverte, les yeux écarquillés d'effroi. En ce 20 janvier 1992, un Airbus A320 d'Air Inter s'est écrasé en pleine colline boisée, de nuit, dans le brouillard, il y a environ une heure. Les secours sont partis à sa recherche, mais la balise Argos de l'avion a été détruite dans l'accident. Aucune information supplémentaire ne peut être communiquée dans l'immédiat, mais le sentiment de drame est prégnant.

Pourtant Julie y reste insensible. Parce qu'elle aussi a vécu un drame, moins bruyant, mais non moins terrible en ce 20 janvier. Et elle n'a personne avec qui le partager. Parce que quelque chose est profondément brisé en elle et la distancie des douleurs, des malheurs, que ce soient les siens ou ceux des autres. Parce qu'un mal invisible la ronge et, sournoisement, occupe beaucoup d'espace. Parce qu'une intuition inexpliquée lui dit que le 20 janvier est une date spéciale et pas à cause du crash du Mont Sainte-Odile.

Elle secoue son bras gauche pour le soulager et remonte dans sa chambre.

## 24

L'année scolaire touche à sa fin. Les douleurs au bras se sont estompées, les cauchemars aussi. Julie n'a pas été assaillie par d'autres flash-backs inexpliqués. Pourtant elle vit depuis quelques mois en état d'hypervigilance, comme si elle avançait en terrain miné et qu'une bombe pouvait exploser à tout moment. Une oppression latente et permanente l'habite. Elle passe son temps à éviter les situations qui l'ont déjà mise en difficulté. Elle déploie beaucoup d'énergie pour garder un contrôle constant. Et quand la sensation de douleur mentale devient trop virulente, elle se lacère le poignet. C'est le remède le plus efficace qu'elle ait trouvé pour s'anesthésier au moment où les hyènes affamées accourent, la grignotant de l'intérieur. Elle s'est mutilée à deux autres reprises depuis janvier. La dernière fois, c'était en début de semaine. Elle s'est sentie assaillie par une forte angoisse au moment de se coucher, sans déclencheur particulier. Ou du moins, rien dont elle n'ait eu conscience.

Le week-end est arrivé, ce soir Julie participe à une fête de fin d'année. Ce sera sa première sortie en compagnie d'un troupeau d'ados. Valérie a tellement insisté pour qu'elle se joigne à eux qu'elle a fini par céder. Elle espère aussi qu'une fête contribuera à chasser les idées noires qu'elle broie quasi perpétuellement.

En début d'après-midi, elle aide Jo à étendre du linge sur le fil, à l'arrière de la maison. Julie suspend une robe, Josy est baissée, le nez dans le panier. Quand elle se relève, face à l'adolescente, elle voit son poignet. Les bras levés, les manches de son sweat-shirt ont légèrement glissé, dévoilant de fines cicatrices encore rouges. Josy laisse tomber dans le panier le torchon qu'elle vient de piocher puis saisit doucement le poignet de Julie.

— Tu t'es blessée ?

Julie s'empresse de se dégager de cette emprise et tire sur la manche de son sweat pour cacher les sévices qu'elle s'inflige.

— Non, répond-elle sèchement.

— Ma poupée, qu'est-ce qui se passe ?

— Rien.

— Ma chérie, s'il te plaît, insiste Jo en la fixant.

La brise berce le linge suspendu. Julie regarde au loin, sur le toit d'une maison une antenne qui brille au soleil. Elle évite les yeux de Josy. Puis elle se penche pour attraper un pantalon de Daniel afin de couper court à cette conversation. Mais cette fois Josy n'a pas envie de faire semblant. Cela devient trop douloureux pour elle aussi. Elle prend le vêtement que tient Julie, le repose dans le panier, puis lui prend la main. Elle l'attire dans un coin du jardin, sous une pergola de fer forgé au plafond de glycine parsemée de fleurs, la saison touchant à sa fin. Elle s'assoit et invite l'adolescente à faire de même.

— Ma Julie, je t'aime tellement. Je sais que je ne suis pas ta maman, mais je fais au mieux pour la remplacer.

Elle caresse de son pouce les marques sur son poignet gauche. Quand son doigt bute sur les fines zébrures, le cœur de Jo se serre. Elle souffre pour sa petite.

— Pourquoi tu te fais ça ? J'ai trouvé un cutter avec du sang au pied de ton lit la semaine dernière. Je pense que tu te fais du mal avec. Pourquoi ? Tu veux bien m'expliquer ?

Julie souffle pour manifester son agacement.

— Si tu as besoin de soutien ou si tu veux qu'on parle de quelque chose, je suis là, tu le sais. Dis-moi ce que je peux faire pour t'aider et je le ferai. Quoi que ce soit.

Julie s'entête à ne pas la regarder même si elle ne repousse pas ses caresses sur son poignet mutilé. D'une part elle n'a pas envie de se confier, d'autre part elle ignore comment expliquer son geste. Si ce n'est que ça la soulage. Temporairement.

— Ma poupée…

Face au mutisme de l'adolescente, Jo abdique. Une larme perle sur sa joue. Elle s'en veut de ne pas réussir à la protéger de ses démons intérieurs. Elle a tellement souhaité que Julie vive sa jeunesse dans la joie, qu'elle croque la vie à pleines dents, qu'elle baigne dans leur amour. Elle est incroyablement belle, incroyablement intelligente, sportive, volontaire, et elle ne manque de rien. Pourquoi n'arrive-t-elle pas à se remettre de ses blessures passées ? D'autant plus qu'elle ne se les rappelle pas. Josy ne comprend pas comment on peut souffrir de quelque chose que l'on ignore.

Elle se lève et retourne à son panier de linge. Julie, de son côté, rentre dans la maison, sans autre explication. Elle n'a plus envie d'aider Jo. Elle étouffe sous cette bienveillance. Il n'y a que lorsqu'elle court qu'elle respire pleinement. Aussi elle chausse ses baskets et part décharger toute sa colère en repoussant une fois de plus ses limites. Elle préfère faire son footing sur le chemin qui longe la voie ferrée afin de ne croiser personne. Elle a besoin de solitude, surtout qu'elle verra bien assez de monde ce soir. Elle court furieusement, pour sentir son cœur tambouriner, son corps bouger, sa tête s'oxygéner, et s'aveugler de toute la luminosité. Elle aime regarder ses pieds défiler à toute allure sur la terre battue, remuant la poussière, dessinant des traînées sous le rythme effréné. C'est grisant cette sensation de vitesse. Elle bute sur un caillou et se tord la cheville. Elle jure, s'arrête, enlève le casque de son walkman. Elle s'assied dans l'herbe. Elle ne s'est pas loupée. Elle masse doucement sa cheville qui enfle et bleuit. Une belle entorse en perspective, mais qu'importe. Elle se relève et marche sur quelques mètres puis se met à trottiner, puis à courir sur la douleur. Elle s'en moque. Ce n'est rien, ça ne fait pas si mal que ça.

À son retour, elle se rend dans le garage et récupère de la glace dans le congélateur avant de s'installer dans le jardin au soleil. Elle l'applique sur sa cheville. Tout le linge est étendu, il flotte dans la brise avec de petits claquements secs. Elle éteint son walkman pour penser à Jo, à sa patience, sa douceur, sa tendresse, son inlassable présence. Après avoir pris sa douche, elle va dans la cuisine, prend Jo dans ses bras et, en silence, la serre très fort. Elle n'a rien à lui dire, rien à lui expliquer, mais elle s'en veut de sa froideur à l'égard de cette femme qui fait de son mieux depuis huit ans pour la rendre heureuse. Josy ne dit rien. Elle savoure cet élan de tendresse inattendu. Puis Julie lui embrasse la joue et part comme elle est venue, sans un mot. Josy ne sait pas ce qui motive ce geste, mais il la réconforte car elle craint d'avoir échoué sur toute la ligne. Les marques d'affection ne sont pas le fort de sa petite, alors quand il y en a une, elle s'en régale pleinement.

Julie inspecte le contenu de son armoire. Des jeans, des sweats et des tee-shirts. Pas de jupes, de robes, de bustiers. Les apparats féminins ne lui ressemblent pas, aussi elle décide de s'habiller exactement comme tous les jours. Elle ne se maquille pas et ne met pas non plus de bijoux. Le rendez-vous est prévu à 20 h devant le lycée, où un car doit les prendre en charge pour la soirée. Valérie a insisté pour passer la chercher chez elle une bonne demi-heure plus tôt. Ses parents les véhiculeront jusqu'au point de rencontre et Daniel assurera le retour. Elles n'habitent pas très loin l'une de l'autre, pourtant elles ne se sont jamais invitées. Plus précisément, Julie s'est débrouillée pour que cela ne se produise jamais.

Valérie se présente avec un peu d'avance, Julie est déjà prête. Quand cette dernière ouvre la porte à son amie, la pétillante brunette s'exclame :

— J'en étais sûre !

— Ben quoi ?

Valérie s'approche, fait claquer deux bises sonores, puis recule d'un pas et désigne d'une main, du haut vers le bas, la tenue de haut en bas de sa camarade.

— Ça ! dit-elle d'un air dédaigneux. Regarde-toi ! On dirait que tu vas au lycée !

— Oui. Et ?

— Eh bien, tu ne vas PAS au lycée. Bon, suis-moi, grouille-toi.

Julie attrape la veste en jean accrochée au portemanteau et crie depuis l'entrée.

— Je pars !

Un bruit de chaise raclant le sol dans la cuisine leur parvient.

— Attends, dit Daniel en accourant et en s'essuyant la bouche, pleine de salade, avec sa serviette de table en tissu fleuri.

Il mastique et déglutit à la hâte, avant de reprendre de sa voix claironnante :

— On se retrouve à quatre heures comme convenu. S'il y a le moindre problème, tu appelles. Je brancherai le téléphone dans la chambre pour l'entendre.

Josy l'a suivi à la trace.

— Et tu es sage, précise-t-elle.

— Promis, Madame, je veillerai sur elle, assure Valérie avec son plus beau sourire.

Des bises sont échangées et les filles partent à pied jusqu'à la somptueuse villa des parents de Valérie, à quelques pâtés de maisons. En chemin, Valérie fait mille projections sur la soirée. Elle a vécu toute l'année dans l'attente de cette fin juin ! Julie boîte un peu. Elle a mis un bandage et de la crème à l'arnica, mais ce ne sera pas suffisant. Elle le sait. Elle a l'habitude de courir avec une cheville blessée. Elle aggrave ainsi la situation et retarde la possibilité de récupérer, mais qu'importe. Cette sensation de pouvoir tout surmonter est plus gratifiante que la capitulation. Demain, après-demain, et les jours suivants, elle ira quand même courir. Sous la pluie, dans la nuit, le vent, le froid, la neige, la canicule, malade ou pas, elle s'en moque. Au contraire. Plus il y a de défis à relever, mieux c'est. Elle écoute distraitement son amie d'une oreille. La soirée s'annonce longue, très longue. Mais elle peut aussi la vivre comme un challenge. Rester avec une meute d'adolescents immatures et surexcités s'apparente à un pari pour elle, la sauvageonne.

Une fois chez Valérie, cette dernière conduit rapidement Julie jusqu'à sa chambre et exige de revoir son look. Elle lui prête une paire de créoles, lui relève les cheveux en chignon et frise au fer quelques boucles qui tombent négligemment. Elle souligne l'azur de ses yeux de mascara et d'un trait de khôl. Julie se laisse manipuler sans rechigner, elle sait que c'est peine perdue. Quand elle est prête, elle se regarde dans le miroir, indifférente. Sa copine est comblée, ainsi elle lui fiche la paix. Tant qu'elle ne l'oblige pas à porter des mini-jupes et des talons, elle peut accepter ses lubies.

Valérie s'enthousiasme du résultat.

— Toi, tu es superbe ! Tu vas en faire craquer plus d'un. Déjà que… frétille la brunette en clignant de l'œil.

Julie sourit poliment. Elle vit tellement loin de toutes ces préoccupations qu'elle se demande si elle est normale.

— Et souris ! C'est pas difficile. Il suffit de faire comme ça, dit Valérie étirant de chaque index, les commissures des lèvres de sa copine. Voilà, surtout ne bouge plus ! Tu es parfaite. Ah non, pas tout à fait.

Elle saisit le flacon de *Trésor* de Lancôme et asperge son amie de quelques gouttes.

— Maintenant tu es parfaite !

Puis elle se parfume à son tour et virevolte sur elle-même.

— Que la fête commence ! Youhou !

Julie envierait presque son exaltation. Ce doit être bon de s'enflammer pour des moments simples. L'insouciance. Elle ne sait pas à quoi ça peut ressembler. Elle admire aussi son aisance, sa verve. Avec Valérie, nul besoin de parler. Elle a toujours matière à alimenter la conversation.

— Allez, viens !

Elle tire Julie par les bras et elles rejoignent les parents de Valérie. Quand ils les déposent sur le parking du lycée, ils ne peuvent s'empêcher de leur prodiguer mille recommandations dont la brunette n'a que faire. Elle n'a qu'une hâte : s'amuser !

## 25

Les deux jeunes filles retrouvent leurs camarades, ainsi qu'une classe d'élèves de terminale. Le soleil commence à décliner, la chaleur devient lourde, certains transpirent. Elles embrassent chacun d'eux, un calvaire qui n'en finit pas pour Julie qui déteste devoir frotter ses joues à celles des autres. Surtout à coup de deux bises dégoulinantes. Elle remarque que quelques garçons saisissent l'occasion pour poser leur main au creux de ses reins. Elle prend sur elle, mais au quatrième qui ose ce geste malheureux, elle s'empare de sa main et la repousse vivement. Elle ne dit rien, mais ses yeux parlent pour elle. Le grand dadais ne comprend pas ce qu'il lui arrive, il n'a pourtant rien fait de mal. Il soulève les sourcils, et secoue la tête, signifiant « N'importe quoi ! ».

Julie s'éloigne et s'assoit sur les marches de l'escalier, à l'entrée du lycée. Elle n'aurait jamais dû accepter cette sortie. Elle repère la cabine téléphonique, hésite. Elle pourrait demander à Daniel de venir la chercher. Elle fouille dans ses poches, elle n'a pas de monnaie. Elle a emporté un billet de dix francs, au cas où, puisque tout a été payé à l'avance auprès de chaque prestataire. Transport, restaurant, discothèque. Alcool compris. Elle n'a pas le temps de réfléchir davantage, Valérie, survoltée, l'arrache à ses pensées.

— Grouille, le bus est là !

— J'ai pas envie. Je rentre.

— Ah non, non, non, sûrement pas ! Pour une fois tu vas t'amuser. Et souris nom d'un chien. Là, comme ça, dit-elle en tirant sur ses lèvres.

Julie repousse les doigts de son amie.

— Arrête !

— Oh, t'es casse-pieds à la fin. Tu peux pas te marrer une toute petite fois dans ta vie ? Comme tous les jeunes de ton âge ?

Les iris bleutés se voilent. Elle aussi, elle adorerait se comporter comme tous les jeunes de son âge. Elle va essayer, elle s'est promis de relever le défi. Alors elle monte dans le car et s'installe du côté de la fenêtre. Le véhicule n'a même pas démarré que l'excitation est à son comble. Cinquante adolescents sans le moindre adulte pour les chaperonner ; ils s'en donnent à cœur joie. Ils chantent, crient, tapent des mains. Ils se lèvent, déambulent de place en place, se bousculent. Le cœur de Julie se serre. Plus que jamais, son exclusion, qu'elle a elle-même orchestrée lui saute au visage. Le tintamarre de ses camarades lui parvient assourdi. Amère, elle perçoit sa solitude auprès de tous ces jeunes qu'elle « fréquente » depuis presque un an. Elle a repoussé un à un tous ceux qui ont essayé de sympathiser en dix mois de cohabitation scolaire. Elle est l'unique responsable de son isolement. Mais elle méconnaît les codes qui régissent les relations sociales. Elle a l'impression d'être une handicapée des rapports humains. Comme s'il lui manquait un gène, un neurone, une fonction intégrée ou quelque chose comme ça. Elle n'a pas été convenablement dotée, voilà tout. Alors elle regarde par la fenêtre et son esprit s'échappe loin du présent.

Valérie s'est levée, un garçon a pris sa place aux côtés de Julie. Elle tourne la tête vers lui. Il n'est pas dans sa classe, du moins, elle ne le pense pas. Il lui sourit. Il sort son paquet de Camel et lui en tend une.
— T'en veux une ?
— On n'a plus le droit de fumer dans un bus, répond-elle sèchement.
— Ouh là là, une fliquette ! Et alors tu vas m'arrêter ? Oh oui, allez-y, arrêtez-moi Madame la gendarmette. Je suis votre esclave ! Menottez-moi ! Faites de moi ce que vous voulez, dit-il en lui caressant le genou.
Julie le gifle sans avoir anticipé son geste. Il pose sa main sur sa joue, les yeux écarquillés de stupeur.
— T'es une grande malade toi ! T'as de la chance qu'on soit pas que tous les deux, menace-t-il en se levant.
Dans le car, le répertoire de chansons paillardes continue de défiler. Elle n'a même pas le temps de reprendre son souffle qu'un autre garçon s'installe sur le siège.
— Laisse tomber c'est un con, dit-il pour la rassurer.
Devant l'absence de réaction de la jeune fille, il poursuit.
— Julie, c'est ça ? Moi c'est Olivier. Je suis en terminale F et je me coltine l'abruti depuis la seconde, précise-t-il sur le ton de la confidence en se penchant légèrement vers elle.

Puis il appuie confortablement sa tête contre le fauteuil et ne lui adresse plus la parole de tout le trajet, désinvolte. Cette attitude convient parfaitement à la jeune fille. Il se tait, et avec lui à ses côtés, plus personne ne peut envahir le petit espace qu'elle s'est créé. Il connaît son prénom alors qu'elle-même découvre son existence. Comme la majorité des personnes assises dans cet autocar. Les gens sont tellement transparents à ses yeux qu'elle ne leur porte aucune attention. Non seulement elle ne les côtoie pas, mais elle ne les voit même pas.

À la sortie du car, Olivier lui propose une cigarette. Elle n'a jamais fumé, mais ce soir, pour entrer dans l'ambiance, elle accepte. La première d'une vie entière de tabagisme… Il lui allume, elle crapote, la fumée râpe sa gorge.

— T'inquiète, la première est toujours dégueulasse. Puis tu t'habitues.

Valérie arrive dans son dos et lui saute au cou.

— Oh, mais madame parfaite fume ! Enfin tu te lâches ! Cette soirée s'annonce i-nou-bli-able, hurle-t-elle.

— Cette fille est folle, rit Olivier.

— C'est comme ça qu'on m'aime, rétorque-t-elle avant de déposer un rapide baiser sur ses lèvres.

Puis elle repart en sautillant pour aller parader devant d'autres prétendants potentiels, montée sur des piles d'extase. Julie tousse, la tête lui tourne légèrement. Olivier s'approche et murmure à son oreille.

— Si tu veux goûter autre chose, j'ai aussi.

L'adolescente ne saisit pas ses propos. Elle observe les jeunes descendus du car qui les a déposés sur un grand parking goudronné, devant un restaurant et une discothèque, aux abords de la ville. Ça jase, ça rit. Les filles roucoulent, les garçons se pavanent. Les hormones culminent à leur apogée. Certains se dirigent vers le restaurant, d'autres continuent de discuter dehors.

Puis les accords de *Smells like teens spirit*, de Nirvana[3], attisent leurs oreilles, envoyés à pleins watts par le barman qui tient à les galvaniser dès leur arrivée. Un titre qui électrise davantage l'atmosphère. Une bande de garçons se cambre, gratte sur une basse imaginaire, simule un concert improvisé. Deux autres concurrencent Kurt Cobain et chantent à s'en briser les cordes vocales. Quelques groupies crient, encouragent, tapent des mains. Il fait chaud. Julie sent la sueur dégouliner le long de son bras après ce voyage, confinée dans un car à l'environnement survolté. Elle n'est définitivement pas à sa place. Elle s'accroupit pour masser sa cheville. Quand elle se relève, Olivier reprend :

— Et puis ça pourrait te soulager. Le hasch ça agit bien contre la douleur. Viens.

Il lui fait un signe de tête, lui indiquant de le suivre. Elle obtempère, séduite par l'idée de s'éloigner de tout ce monde. Les bruits s'estompent au fur et à mesure qu'ils avancent. Ils s'assoient contre un talus, à l'abri des regards. Olivier fouille dans la poche intérieure de sa veste. Il en sort une petite boîte d'où il extrait une feuille de papier tabac qu'il pose sur sa cuisse. Il la garnit de cannabis séché. Il prend ensuite une cigarette, l'ouvre et récupère le tabac qu'il mélange au chanvre. Enfin, il roule consciencieusement le joint de ses doigts experts. Il l'allume, en tire deux bouffées puis le tend à Julie. Il en profite pour ranger son matos. Elle avale la fumée, tousse, s'étouffe. Toutefois, l'odeur et le goût particuliers ne lui déplaisent pas. Ils possèdent la saveur de l'interdit qui mène à la béatitude. Elle tente une nouvelle fois avant de le rendre à Olivier.

— T'es pas une bavarde toi. Ça me va, dit-il en récupérant le joint.

Il la fixe quelques secondes. Elle est sacrément belle dans la lumière du soleil couchant, ses yeux brillants d'humidité à cause de la toux. Pourtant, tout son être transpire une forme de détresse. Au lieu de la rendre repoussante, cette tristesse la rend impénétrable, ce qui accentue sa splendeur. Il lui sourit avec compassion. Puis il s'allonge. Chacun leur tour, ils inspirent quelques bouffées de bonheur artificiel. Peu à peu Julie se détend. Un sentiment de bien-être s'empare d'elle. Elle ne se souvient

---

[3] Groupe de grunge américain formé en 1987 qui connut un énorme succès en 1991, notamment grâce au titre *Smells like teen spirit*. Kurt Cobain, le chanteur, se suicida en avril 1994.

pas d'avoir déjà ressenti une forme identique de sérénité. Même quand elle se lacère les poignets. Elle finit par s'étendre dans le gazon elle aussi. Tout, autour d'elle, devient plus intense. Les bruits, les odeurs, les couleurs sont exacerbés, à l'image de ses cinq sens. Elle a même envie de rire lorsqu'elle aperçoit un avion dessinant une traînée rougeoyante dans le ciel.

— Regarde, un avion qui pisse du sang !

Olivier la toise d'un air suspicieux. Sans doute qu'elle plane, comme l'avion. Il a bien compris que c'était sa première fois. Il l'a peut-être dosé un peu trop fort. Mais ce remède l'allégera des poids qu'elle semble porter. Une fois leur joint terminé, ils profitent quelques instants encore de leur isolement. Puis Olivier l'informe qu'il faudrait retourner avec les autres. Elle se relève, son chignon n'a pas apprécié d'être écrasé au sol. De l'herbe s'est perdue dans ses cheveux. Olivier approche ses doigts pour lui enlever les brins verdoyants emmêlés dans sa coiffure. Sous l'effet du cannabis, elle ne le repousse pas. Elle trouve ce geste tendre et agréable. Un inconnu la touche et elle aime ça. Elle le fixe intensément pour le remercier à sa façon.

À l'approche du restaurant, la mélodie tourbillonnante de *You*[4] leur parvient. Julie adore cette chanson. Elle regarde Olivier tout sourire, attrape sa main et l'incite à la faire tournoyer sur elle-même. Elle souhaite danser, sourire et même rire. Elle ! Elle se sent terriblement vivante. Plus encore que lorsqu'elle court. Le jeune homme se prête au jeu et la fait virevolter. Les effets du cannabis sont moindres sur lui, mais il est ravi de voir sa partenaire de défonce se dérider. L'herbe, y'a que ça de vrai ! Autour d'elle tout n'est que joie, plaisir, contentement.

Une partie des adolescents est installée en terrasse, d'autres discutent à l'intérieur, en groupes, en duos. La fête bat son plein, les bouteilles d'alcool circulent de main en main. La bande est composée de majeurs et de mineurs, le barman les sert sans contrôler leur âge, fermant les yeux sur l'interdiction officielle. Julie décide de boire une bière, portée par son enthousiasme nouveau. Elle a faim, terriblement faim. Elle a envie de parler, de communiquer. Elle se joint à un groupe d'ados et discute avec

---

[4] Ten Sharp

eux comme si elle les côtoyait fréquemment. Le restaurateur indique que le repas est prêt. Olivier s'assoit aux côtés de sa protégée qui teste le vin rouge, puis le rosé.

— Vas-y mollo sur les mélanges.

— Oh le rabat-joie, rit Julie.

Le goût âpre l'écœure. Elle passe outre cette impression de rudesse et boit quelques verres en mangeant goulûment.

L'ambiance est toujours joyeuse, la musique tambourine, les voix portent. Certains quittent la table pour vomir, ayant dépassé la limite que leur corps peut tolérer. Ils rient, ils chahutent. Et Julie participe à cette euphorie. Elle est intégrée.

Puis arrive l'heure de se rendre en discothèque. Le son des chansons retentit plus fort qu'au restaurant, les lueurs électriques éblouissent l'adolescente. Elle commence à redescendre, les bénéfices du cannabis s'estompent, les effets secondaires de la drogue et de l'alcool surgissent. Sa tête tourne, elle est prise de nausées. Elle court aux toilettes et vomit. Elle reste enfermée dans le réduit, à l'abri des lumières et de la musique agressives pendant près d'une demi-heure, vomissant par intermittence. Elle sort des toilettes et aperçoit son visage dans le miroir sans vraiment le reconnaître. Elle est livide, le mascara dessine des traces noires sous ses yeux, son chignon à moitié défait branle sur un côté. Désorientée, elle ne sait pas où elle se trouve, elle a mal au crâne, à la cheville, à l'estomac. Le goût de bile dans sa bouche pâteuse attise sa soif, aussi elle se penche pour boire au robinet. Mais il n'y a que de l'eau chaude. Tant pis, elle se désaltère avec, faute de mieux.

Elle sort de la pièce et à peine a-t-elle ouvert la porte que la musique frappe ses oreilles. Elle déambule, titubante, dans un couloir rempli d'une foule d'exaltés. Elle s'appuie contre un mur et se laisse glisser. Elle s'accroupit là, au milieu du passage, dénuée de force pour avancer. Valérie, qui s'inquiète, la cherche partout. Elle l'aperçoit, la contraint à se relever et la soutient jusqu'à une banquette où elle l'installe et lui ordonne de s'allonger. Elle part réquisitionner des vestes puis revient la couvrir. L'euphorie est retombée, ne reste qu'un goût amer et un mal-être encore plus vivace. Elle s'endort malgré le vacarme assourdissant.

Valérie est persuadée qu'elle a sombré dans un coma éthylique. Apeurée, elle la gifle de toutes ses forces pour l'extirper de sa torpeur. Julie finit par se réveiller. Il est 2 h du matin, sa fin de soirée est gâchée. Elle sort de la discothèque et s'assoit contre le mur dans la douce chaleur nocturne de cette fin juin. Elle patiente, seule, jusqu'à l'heure du départ. Elle plonge sa tête dans ses bras pour se préserver de ceux qui viennent, de temps à autre, faire un tour à l'extérieur. Elle ne veut voir ni entendre personne. Elle n'a plus envie de se sociabiliser. Le ciel étoilé tangue. Son corps apathique lance des signaux de douleur.

# 26

Julie se réveille avec la gueule de bois. La fin de la soirée a été longue et difficile. Cependant, elle se souvient d'une chose : le moment d'extase partagé avec Olivier. C'est illégal mais elle s'en moque. La rebelle qui sommeille en elle depuis tant d'années, écrasée par la pression paternelle, ressuscite. Elle veut revoir Olivier. Problème, scolarisé en terminale, il ne reviendra pas au lycée, elle ne le croisera plus. Par conséquent, dès le lundi, elle convainc Valérie d'activer son réseau pour connaître l'adresse du garçon. Elle ne peut pas lui expliquer la vraie raison, aussi elle en fournit une qui ravit son amie : elle est tombée sous le charme du bellâtre. Valérie, enthousiaste à l'idée de contribuer à la naissance d'une idylle, se montre d'une efficacité redoutable. Dès le mercredi, elle lui remet un papier où sont notées les coordonnées tant espérées. Julie remercie son alliée d'un sourire discret. Elle tient le sésame entre ses mains. Elle hésite à lui téléphoner dès l'après-midi puis se ravise. Elle préfère une conversation en face à face.

De retour chez les Maury, elle déjeune à la hâte, chausse ses baskets et part en courant jusque chez Olivier. Elle ne se soucie pas de sa cheville et force autant que possible. Elle arrive, dégoulinante de sueur, devant la maison du jeune homme. Elle n'ose pas sonner de crainte de tomber sur ses parents. Elle patiente un long moment au soleil, assise sur le muret de la villa d'en face. Elle scrute les fenêtres, espère repérer un mouvement mais rien ne se passe. Au bout de presque deux heures de guet, elle rentre, elle ne tient pas à affoler Jo. La saison des volets fermés est revenue chez les Maury, aussi Julie passe-t-elle le plus clair de son temps à l'extérieur. Cependant, elle ne s'absente jamais plus de deux heures d'affilée, pour aujourd'hui, elle ne peut que capituler.

Le vendredi, les cours s'arrêtent un peu avant la date officielle, comme chaque année. L'adolescente participe de loin à cette dernière journée aux allures festives, entre bonbons, sodas et films vidéo. Les enseignants affichent un profil détendu. Les lycéens frétillent à l'idée des deux mois à venir, exposant leurs projets de vacances.

La journée est finie, l'année scolaire aussi. Avant de descendre du bus qui les ramène chez elles, Valérie serre fort son amie contre elle.

— On se voit cet été, promis ?

— Promis, assure Julie.

— Tu m'appelles ?

— D'accord.

— Non, tu m'appelleras pas, Madame la sauvage. Donc *je* t'appelle. Et je veux absolument tout savoir sur Olivier et toi, se réjouit Valérie dans un gloussement. Gaffe quand même. C'est un beau gosse, mais il n'est pas net, net. Te laisse pas entraîner.

Elle lui envoie un clin d'œil puis avance dans l'allée centrale du bus pour rejoindre la porte qui s'ouvre et en descendre. Julie se dit qu'elle lui manquera un peu. Cette pensée la surprend elle-même. Jamais personne ne lui a manqué. Au fil des mois, elle a fini par s'attacher à l'exubérance de son amie. L'autobus redémarre dans de lents cahots. Elle regarde Valérie marcher dans la rue, lui fait un signe de la main. Leur caractère les oppose, de la volonté de Valérie à tout mettre en œuvre pour se faire remarquer à la discrétion de Julie, de la popularité de la brunette à l'isolement de la blondinette. Physiquement, Julie déteste tout ce qu'aime Valérie : les tenues extravagantes et féminines, le maquillage, les bijoux. La tornade est de taille moyenne, Julie culmine au-dessus de tous les élèves de sa classe. Elle semble plus mature qu'eux. Mais malgré toutes ces différences, Valérie a quelque chose de plus que la horde de boutonneux. Elle est bourrée de bienveillance sous ses airs tapageurs. Elle n'a pas gagné sa popularité à coup de « paraître ». Les gens l'aiment parce qu'elle aime les gens. Avec sincérité, avec l'envie de leur offrir des particules de bonheur en permanence, sans attente particulière. Elle s'intéresse à chacun, écoute, observe, remarque. Elle rassure, bouscule, console, conseille, soutient, encourage. Valérie, c'est un peu la Joëlle Mazart de *Pause café*[5], que l'adolescente regardait quelques années auparavant, mais en mieux.

---

[5] Série télévisée diffusée de 1981 à 1989 où la comédienne Véronique Jannot interprétait le rôle de Joëlle Mazart, assistante sociale dans un lycée.

Quand elle pose ses yeux noirs sur Julie, cette dernière a l'impression que son amie en discerne davantage sur elle qu'elle-même n'en connaît. Et même si Julie n'est pas démonstrative dans l'amitié qu'elle lui porte, elle pressent que Valérie devine la taille de ses sentiments et lui voue une affection particulière. Elle respecte son besoin de solitude, se montre prévenante sans être envahissante, la secoue sans tabou, l'incite à s'intégrer sans la contraindre à se noyer dans les bandes de jeunes. Et lors de la soirée du week-end précédent, elle a veillé sur elle, s'est inquiétée, l'a accompagnée dans l'indifférence des autres participants. Leur intérêt commun pour le sport et la lecture, qui les a rapprochées, s'est mué au fil du temps en un début d'amitié, sans que Julie y prenne garde. Si seulement elle pouvait capturer son aisance, sa capacité à s'ouvrir au monde puis s'en imprégner, pense Julie. Remarque, elle l'a pu, sous l'effet du hasch…

Elle est arrivée chez elle, elle embrasse Jo puis se précipite dans sa chambre. Elle ouvre ses volets, vide son cartable et le range sous son bureau pour plusieurs semaines. Il est presque 18 h, il n'est pas trop tard pour faire un tour jusqu'au domicile d'Olivier, à condition d'être prête à temps pour le dîner. Elle revêt sa tenue de sport à la hâte, espérant le croiser, et file à toute allure. Devant la maison du jeune homme, elle fait quelques allers-retours, sans succès. Il demeure invisible. Sa tentative échoue cette fois-ci encore, elle recommencera demain.

Le samedi, elle décide de se lever de bonne heure, pour courir à la fraîche et surtout afin de disposer de plus de temps pour guetter Olivier. Jo, coiffée d'un large chapeau de paille, cueille des légumes frais de rosée dans le potager. Elle la prévient qu'elle risque de s'absenter plus longtemps que d'habitude. Elle lui parle de loin, de crainte que Josy ne remarque sa cheville enflée et bleuie et ne lui interdise d'aller courir.

Arrivée devant la maison de l'adolescent, elle avise une femme, accroupie dans le jardin, qui arrache les mauvaises herbes et les dépose dans un seau. La joggeuse ralentit sa course, l'observe, puis continue. Elle est brune, le visage anguleux, et Julie ne doute pas qu'il s'agisse de la mère d'Olivier, tant la ressemblance la frappe. Quelques mètres plus loin, elle fait demi-tour et repasse devant la demeure. Après tout, que risque-t-elle à l'aborder ?

— Bonjour Madame.

La femme se lève et lui répond :

— Oui ?

Julie s'avance tout près du muret surmonté de grillage.

— Bonjour, je suis une amie d'Olivier. Est-ce qu'il est là, s'il vous plaît ?

— À cette heure-ci ? Mais ma pauvre petite, il dort !

— Ah, se rembrunit l'adolescente avec une moue dépitée.

— Tous les jeunes ne sont pas aussi vaillants que vous. Vous êtes bien matinale ! dit-elle en s'avançant à son tour, serfouette en main.

— J'aime bien me lever tôt.

— Si vous voulez, je lui dirai que vous êtes passée.

— Savez-vous plutôt quand je pourrai le voir ?

La femme se gratte le menton de son gant de jardinier, déposant un peu de terre sur son visage au passage.

— En général il n'est pas debout avant midi quand il n'a pas de cours. S'il n'a rien de prévu, vers 14 h, le temps qu'il se prépare et déjeune. Je lui dirai de vous attendre si vous voulez.

— Super, merci Madame, sourit Julie avec sincérité. Je reviendrai à 14 h.

— Je transmets.

— Merci beaucoup ! Bonne journée. Au revoir.

— À tout à l'heure Mademoiselle !

Julie redémarre sa course, la femme l'interpelle de loin.

— Mademoiselle, rappelez-moi votre prénom déjà ?

— Julie, lance-t-elle.

Cette dernière rentre chez elle, satisfaite. Il ne restera plus qu'à convaincre Olivier. Quand celui-ci apprend qu'une certaine Julie, très jolie, a souhaité le voir, il n'est pas surpris. Il se doutait qu'elle avait apprécié son cadeau lors de la soirée et qu'elle finirait par lui en demander. Il se rase, s'asperge d'after-shave, enfile un jean, son plus beau tee-shirt et ses *Stan Smith*[6]. Il l'aime bien cette Julie, elle est différente, alors s'il peut lui offrir plus que quelques feuilles séchées, il n'est pas contre.

À 14 h précises, Julie patiente, assise sur le muret en face de la maison d'Olivier. La température a de nouveau grimpé après quelques journées assez fraîches. Elle n'a pas signalé son arrivée malgré la chaleur. Elle attend au soleil, sous sa casquette, qu'il se présente de lui-même. Elle est certaine qu'il sortira la rejoindre sans qu'elle se manifeste. Une complicité particulière unit déjà ces deux-là. Quelques minutes plus tard, la porte s'ouvre et il apparaît. Il s'approche d'elle de son pas nonchalant, ses yeux cachés par des lunettes fumées, ses cheveux dans un style coiffé-décoiffé savamment déstructuré. Il s'assied à côté d'elle, lui tend son paquet de cigarettes. Elle en prend une, lui aussi. Il les allume et ils fument en silence, côte à côte. Puis il se tourne vers elle, relève un peu sa casquette pour voir ses yeux, lui fait un signe de tête et se lève. Julie lui emboîte le pas. Ils marchent toujours sans un mot jusqu'à un petit parc situé non loin de là. À cette heure-ci, les enfants font la sieste, la chaleur reste trop élevée pour sortir. Le calme règne. Ils s'installent sur le banc, Olivier regarde devant lui.

— Je peux pas te faire cadeau à chaque fois.

— Je paierai.

— Ça coûte cher.

— J'ai mon argent de poche. Je dépense rien.

— OK. Tu en veux de suite ?

— Oui.

— Tu sais rouler ?

— T'inquiète.

Il sort un petit sachet et le lui remet.

— Production maison. Cadeau pour cette fois. Mais la prochaine fois, tu passes à la caisse.

Julie esquisse un sourire bref. Elle se hâte de cacher son précieux trésor dans la poche arrière de son short. Olivier regarde ses fines jambes

---

[6] Chaussures de tennis de la marque Adidas, sorties en 1964. Face à leur succès, elles sont toujours produites.

dorées. Elle est vraiment belle de la tête aux pieds. Il lui propose une autre cigarette qu'elle accepte. Ils échangent quelques mots entrecoupés de silences sur leur vie de lycéens. Julie aime bien Olivier. Il semble la comprendre sans qu'elle ait besoin d'expliquer quoi que ce soit. Il est aussi peu loquace que Valérie est bruyante. Et pourtant, il l'attire.

Après une demi-heure passée sur le banc, il lui prend la main et ils se lèvent. Ils marchent ainsi, main dans la main, jusqu'à la maison d'Olivier, sans que Julie cherche à la retirer. Il dépose un léger baiser sur sa joue.

— À bientôt, Julie.

Cette dernière hoche la tête. Elle aime la façon dont il prononce son prénom, avec des inflexions graves. Sa voix a mué, il n'a rien à voir avec les garçons de sa classe. Elle rentre chez elle, rassurée. Elle détient une arme supplémentaire dans son arsenal pour éteindre ses angoisses. La lecture pour s'évader, le footing pour évacuer, le cutter pour se soulager, du shit pour planer et se désinhiber. Sans réaliser qu'en une année, le nombre croissant de ses armes est aussi devenu plus toxique.

# 27

Durant les grandes vacances, Julie s'adonne régulièrement au sport et se rend à la bibliothèque pour emprunter des livres. Elle écrit aussi parfois, mettant en pratique tout ce qu'elle a appris dans l'atelier dispensé au lycée.

Mi-juillet, elle part une semaine avec Josy et Daniel, à Sérignan, dans un mobil-home, comme tous les ans depuis qu'elle a emménagé chez eux. Un séjour sans surprise, mais reposant, dans un petit camping familial, un peu dans les terres, baigné d'embruns marins. Ils y ont leurs habitudes. Ils retrouvent des compagnons d'été pour des apéros où l'adolescente boit un fond de muscat en compagnie des adultes. Avec des olives vertes. Elle adore ça. Les amis des Maury la complimentent sur son physique ; en une année elle a encore grandi et embelli. À présent, elle dépasse Jo.

En journée, elle bronze sur la plage, nage, lit, court, se promène. Elle a emporté son petit sachet magique au cas où. Mais elle n'a pas entamé sa réserve, car elle possède uniquement de quoi rouler quatre joints. Elle n'a pas pu se ravitailler auprès d'Olivier avant de quitter Brive. Il était lui-même parti en vacances. Il a obtenu son permis de conduire et ses parents lui ont offert une voiture. Sitôt après avoir passé le baccalauréat, il a mis les voiles vers la grande bleue avec des copains. Jusqu'à une date indéterminée, l'a informée la mère d'Olivier quand elle est retournée chez lui. Par conséquent, elle garde son trésor pour des jours plus sombres ou pour d'autres où elle voudra se sociabiliser. En revanche, elle consomme des cigarettes quotidiennement. Josy et Daniel désapprouvent, mais ne le lui ont pas interdit formellement. Elle ne s'en prive pas, même si elle évite de fumer devant eux.

Au soir du 14 juillet, elle accompagne les Maury pour les traditionnels repas, bal et feu d'artifice. Elle observe les jeunes s'amuser, rire, chanter, danser. Depuis le temps qu'elle vient ici, elle aurait pu intégrer une bande si elle savait comment lier des amitiés de vacances. Elle repense à sa seule expérience de fête, avec Valérie et Olivier, et elle ressent un léger manque.

Au moment où éclate le premier feu d'artifice, Julie est plongée dans le souvenir de cette soirée. Elle se laisse surprendre, crie, sursaute. Le ciel scintille en bleu, blanc, rouge. Bleu. Rouge. Sa vue se brouille. Les explosions l'agressent. Au milieu de la foule et dans la nuit, ni Josy ni Daniel ne relèvent son malaise. Ça recommence. Cette impression qu'elle va mourir. Qu'on va la tuer ! Ou qu'elle devient folle. Les couleurs sont tatouées sous ses paupières. Elle halète et, une fois de plus, suffoque dans la moiteur de la nuit marine. Tous ces corps serrés contre elle la révulsent et accroissent sa crise de panique. Elle entend des claquements et ce ne sont pas les feux d'artifice. Ce sont les coups de feu d'une arme. Elle regarde autour d'elle, tout le monde a le nez levé vers le ciel. Elle semble la seule à distinguer les tirs. Elle voit du sang. Ce n'est plus rouge devant ses yeux, c'est du sang, d'un grenat épais, presque sirupeux. Du sang frais et chaud qui s'écoule lentement d'une cavité humaine. Une odeur de poudre s'impose à elle, comme dans les stands de tir à la carabine des fêtes foraines. Mais elle n'évolue pas dans un jeu.

Elle a l'impression d'éclater en mille morceaux, à l'instar des fusées dans le ciel. Elle est fragmentée, émiettée entre le réel et ces informations insensées que lui envoie son esprit par à-coups. C'est plus fort qu'elle, elle se met à crier en comprimant sa tête.

— Arrête, arrête, arrête !

Elle ordonne à son cerveau, mais il ne l'écoute pas. Elle pourrait s'arracher les cheveux, briser son crâne et en extirper toutes ses pensées ineptes. Jo, devant elle, ne l'entend pas. La voix de la jeune fille est étouffée par les « Ah » et les « Oh » d'extase, les applaudissements, les crépitations des fusées, la musique de l'orchestre qui continue d'envoyer du son dans les baffles posés autour de l'estrade. Ses mains moites de transpiration lui paraissent gluantes, collées par du sang chaud. Elle les frotte contre son tee-shirt pour se défaire de cette sensation désagréable. Elle a l'impression de choir dans un puits vertigineux et sombre où se mêlent des odeurs de poudre, de sang et de viande faisandée. Un puits dont elle ne peut s'extraire, où elle est séquestrée. Et personne ne remarque sa chute. Elle se recroqueville, comme pour interrompre ce plongeon imaginaire. Des mains inconnues la relèvent, elle se débat puis s'échappe, bousculant les uns et les autres. La vue brouillée, un tambour frappant ses tempes, elle avance à l'aveugle. Une fois sortie de la foule, elle s'arrête contre un pin, haletante. Elle se tient à l'arbre et reprend sa respiration. Sa poitrine se soulève amplement. Lorsque le sentiment d'oppression s'est apaisé, elle se précipite au mobil-home et fouille dans sa valise à la recherche du sachet. Elle l'attrape de ses mains tremblantes, mais elle réalise qu'elle n'a pas de papier à rouler. Elle le balance sur son lit et retourne dans la modeste cuisine. Un couteau fera l'affaire à défaut de cutter, elle n'a pas pensé à le prendre. Puis elle voit les bouteilles d'apéritif posées sur la table. Guidée par ses pulsions, elle saisit celle du muscat qu'elle a l'habitude de boire et avale une bonne rasade, à même le goulot. Pour ne pas éveiller les soupçons en entamant trop le stock, elle s'attaque ensuite au pastis pur, au porto et au whisky. Elle les trouve infects, mais les bienfaits de l'alcool coulent lentement dans son corps, jusqu'à ses pieds, la ramollissant peu à peu. Le vacarme dans sa tête a cessé. Elle n'a pas envie de rester cloîtrée dans ce petit espace étouffant et s'installe dehors sous l'auvent. Elle entend les bruits de la fête au loin. Encore une fête qui n'est pas pour elle. Sa vigilance diminue, elle somnole sur le transat, caressée par les reflets de la lune.

— Ma poupée, tu es là ! s'exclame Josy tout essoufflée.

— On t'a cherchée partout. T'aurais pu nous prévenir ! s'agace Daniel.

Daniel ne hausse que rarement le ton. Elle a dû leur flanquer une sacrée trouille. Mais l'esprit embrumé de Julie ne lui permet pas de relever ce détail. Elle lève sur eux des yeux mi-clos.

— Pardon. Je…

Elle se redresse sur le transat.

— Je me sentais pas bien.

Josy s'accroupit à sa hauteur et porte sa main sur le front de la jeune fille.

— Tu n'as pas de fièvre, c'est déjà ça.

À proximité de l'adolescente, des relents d'alcool lui parviennent. Son haleine empeste. Le sourire joyeux de Josy se mue en un sourire triste. Sa petite grandit, son mal-être aussi. Après le cutter, maintenant la boisson. Elle a encore dû faire un de ses cauchemars éveillés. Elle demande à Daniel de l'aider. La soutenant chacun par une épaule, ils la conduisent dans sa minuscule chambre, étouffante de chaleur. Connaissant les angoisses de sa poupée, Jo ouvre le store et la fenêtre pour que les lumières nocturnes brillent dans cette pièce réduite et que l'air circule. Daniel part se coucher, Jo reste assise auprès de sa petite à la veiller un long moment. Elle la scrute dans les lueurs du ciel étoilé comme pour sonder son âme. Quand elle entend son souffle apaisé, elle dépose un baiser sur son front et rejoint Daniel qui dort déjà.

Sa poupée dérive, et elle ne se raccroche à aucune des bouées que les Maury lui proposent. Si elle parle de ses problèmes à l'éducatrice de la DDASS[7] lors d'une de leurs rencontres, elle craint le pire. Ils pourraient placer Julie en foyer jusqu'à sa majorité, ou la ballotter de famille en famille, ce qui la fragiliserait davantage. Elle sait que les enfants séparés de leurs parents développent des troubles massifs de l'attachement, la DDASS l'a mise en garde dès le départ. Quand on démarre dans la vie, cabossée comme Julie, octroyer sa confiance s'avère difficile. Jo ne peut que supposer tout ce qu'elle a enduré, mais il ne fait aucun doute qu'elle a subi des atrocités qui ont des conséquences graves sur sa construction. Lorsqu'elle a débuté dans la profession, une psychologue lui a expliqué que naître dans un milieu maltraitant rend l'enfant confus. Ce dernier se structure de façon désorganisée, dans une grande insécurité. Cela le plonge dans une solitude et une profonde détresse que Josy ne pourra jamais comprendre ni imaginer car elle ne peut pas s'y identifier. La DDASS l'a mise en garde, c'est peine perdue. Ce sont des gamins enragés, qui vont gâcher les bons moments dans la majorité de leurs relations. Ils peuvent être autodestructeurs, voire destructeurs. La seule constante, c'est leur chaos intérieur. Ils n'ont que ça sur quoi s'appuyer, c'est leur repère, un univers connu donc sécurisant. Autant dire que leur équilibre reste précaire malgré tous les efforts des adultes, comme Jo, qui les aident à grandir.

Elle connaît ces difficultés. Elle le sait. Elle y a déjà été confrontée avec la plupart des enfants dont elle a eu la garde temporaire. Elle avait toutefois espéré qu'un lien particulier se créerait entre leur poupée et eux puisqu'il s'agit d'un placement long. Qu'elle deviendrait la maman de

---

[7] DDASS = direction départementale des Affaires sanitaires et sociales

cœur de sa petite, qu'elle panserait ses blessures, que sa fille adoptive saisirait cette chance de grandir dans un foyer stable et aimant. Mais elle réalise qu'elle perd la partie contre les démons issus de la mémoire trouée de Julie, qui l'aspirent dans un gouffre ténébreux.

Les vacances à Sérignan se terminent sans entrain. Les difficultés rencontrées par Julie commencent à rejaillir sur toute la famille. La conviction croissante de Daniel que leur petite a le cœur sec et vit sous respirateur artificiel l'incite à abandonner sa promesse. Il ne rendra pas le sourire à leur protégée. Et cet échec efface peu à peu le sourire perpétuel de sa Jo, qui illumine son visage depuis plus de trente-cinq ans qu'il la connaît. Il n'a pas gagné le sourire de l'une, il est en train de perdre celui de l'autre. Les hyènes destructrices de l'orpheline prennent de plus en plus de place, au point de devenir les maîtresses de leur histoire. Daniel ne sait pas davantage gérer la situation que son épouse. Aussi, plus Julie sombre, plus ils lui donnent de libertés, espérant que répondre positivement à toutes ses demandes l'aide à se relever.

De retour à Brive, Julie contacte Valérie. Son amie lui manque, elle apprécie ce sentiment qu'elle découvre. Elles se retrouvent avec un plaisir partagé, effusions dans un camp, discrétion dans l'autre. La brunette doit bientôt partir en vacances en Espagne avec ses parents rejoindre des proches. Elle sera la seule adolescente aussi elle suggère à sa complice de l'accompagner. À deux, ce sera bien plus amusant, elle est certaine que ses parents accepteront. Julie sonde les Maury qui, après tergiversations, approuvent. Julie n'a pas plus à faire ici, une dizaine de jours sous le soleil espagnol pourrait lui faire du bien. De plus, ils s'enthousiasment à l'idée que Julie crée enfin un lien d'amitié suffisamment fort pour se sentir en confiance avec quelqu'un de son âge.

Le départ est prévu la semaine suivante aussi, tous les jours, Julie passe devant la maison d'Olivier en espérant le rencontrer. Toutefois, le calme règne, les volets sont clos et elle ne croise personne. Toute la famille semble s'être absentée. Elle a de quoi tenir tout l'été, elle n'est pas accro au cannabis, seulement elle avait envie de le voir. Juste comme ça.

Le jour J arrive. Julie charge ses bagages dans le coffre de la voiture des parents de Valérie, le cœur léger. Pour la première fois de sa vie, elle va quitter Brive sans les Maury, elle part en vacances sans eux, à l'étranger et, comble de tout, elle s'y rend avec une amie. C'est un moment unique. Les parents de Valérie ont l'air sympathiques et modernes, très différents des Maury. Le père, Jacques, dirige une banque et la mère, Francine, exerce comme comptable pour une grosse société immobilière. Elle porte une robe ajustée et des sandales à talons compensés, elle est maquillée discrètement et sa coupe trahit des rendez-vous réguliers chez le coiffeur. Jacques a opté pour un look de baroudeur en vacances, barbe non rasée, bermuda multi-poches. Julie aimerait avoir ce style de parents, dont l'apparence colle avec leur âge. Leur cadre et leur mode de vie ne se comparent pas au sien.

Les premiers instants, elle est mal à l'aise, percevant le décalage entre elle et ces gens qu'elle n'a fait que croiser jusqu'à ce jour. Mais, face à leur gentillesse, elle se déride peu à peu. Valérie bavarde, Julie sourit. Pénétrant par les fenêtres ouvertes, le vent chaud fouette ses cheveux contre son visage. La circulation est dense, il leur faudra six heures pour gagner leur port d'attache, la marina d'Ampuriabrava. Valérie lui décrit avec enthousiasme la villa où ils se sont déjà rendus par le passé. Une belle villa blanche au toit de tuiles rouges, avec piscine, plantée au bord des canaux, encadrée par des palmiers, des bougainvilliers, des bambous et des oliviers. Leurs amis possèdent leur propre bateau. Valérie lui raconte les balades merveilleuses au milieu des canaux, l'animation de la station balnéaire, la nourriture exceptionnelle. La chaleur, les plages, le soleil. Julie s'attend à passer des vacances singulières, différentes de celles de Sérignan, en bungalow réduit, sans surprise.

Sur place, elle constate que la description de son amie était en deçà de la réalité. Elle est éblouie par le contraste de ces couleurs si vives sous le soleil rayonnant. Le drapeau catalan flotte dans les airs, les odeurs d'épices et de friture chatouillent ses narines, les rues grouillent de monde. Quant à la villa, elle est splendide. Julie se dit qu'elle a atterri dans un décor de film alors que Jacques manœuvre pour se garer. Michel et Monique les accueillent avec exaltation. Ils se réjouissent de ces vacances tous ensemble. À leur suite, une fille d'environ dix ans et un garçon plus jeune les rejoignent dans l'allée, en maillot de bain. Julie plisse les yeux, elle les regarde comme des extraterrestres. Jacques et Michel se saluent à coup de grandes accolades et de bises sonores. Monique et Francine se serrent dans les bras en une douce étreinte sans fin. Valérie taquine les deux enfants, chatouille le garçon. Puis chaque couple embrasse les enfants des autres comme s'ils étaient une partie de leur chair. Les Maury aussi ont des amis, mais ils entretiennent avec eux des relations plus placides. Ces familles ont l'air si heureuses à l'idée de partager ces congés. Un peu comme une grande réunion amicale faite de moments enchantés. Elle ne sait pas si elle réussira à trouver ses marques, mais elle fera de son mieux pour profiter de ces prochaines journées. Puis Valérie la présente, égale à elle-même, avec frénésie. Les inconnus l'accueillent chaleureusement, lui souhaitant la bienvenue et l'exhortant à se sentir ici chez elle.

Contrairement aux Maury, Michel et Monique se moquent bien de conserver la fraîcheur de la maison. Corréziens d'origine, ils vivent à Paris pour exercer leur travail dans la finance. Ainsi, quand ils vont en Espagne, c'est pour transpirer ! Julie constate que tout est grand ouvert, que l'air circule dans les grandes pièces blanchies à la chaux, ce qui les rend lumineuses. Au moins, elle n'aura pas à lutter contre l'angoisse d'un intérieur sombre et froid, elle est soulagée. Monique les installe dans une chambre de taille moyenne, décorée simplement, mais avec goût. Un lit deux places trône au milieu, face à un immense miroir au cadre cuivré. Le carrelage est blanc, tout comme les murs chaulés. Deux tapis orangés, un jeté de lit et des coussins assortis rehaussent la clarté des lieux. Une photo encadrée d'un panorama aérien de la ville est accrochée près de la fenêtre.

Julie pose sa valise sur le lit et commence à la défaire pour ranger ses affaires dans la penderie.

— Laisse tomber ça. C'est l'heure de l'apéro !

— Mais il est presque 15 h !

— C'est ça la vie à l'espagnole. Tu verras, tu vas a-do-rer ! Allez, viens, dit-elle en l'entraînant dans le jardin.

Elles rejoignent les adultes, installés autour d'une table, à discuter. Le soleil cogne sous la tonnelle, Julie transpire plus qu'à l'accoutumée. Aussi, elle ne se fait pas prier quand Valérie lui propose de plonger dans la piscine. Elles avalent un verre de coca puis retournent dans la chambre revêtir un maillot de bain. Valérie saute sans préavis dans l'eau, éclaboussant Michel, à quelques pas de là, qui allume le barbecue. Il rit, attrape un seau, le remplit d'eau et lui déverse sur la tête. Les enfants, Christelle et Stéphane, s'en mêlent. Tout le monde joue à s'éclabousser dans la piscine. Valérie enjoint à son amie de venir la défendre. Julie se laisse porter par l'enthousiasme ambiant et asperge ses hôtes en riant. Michel quitte ses tongs et saute dans la piscine, revêtu de son short de ville, dans un plongeon sonore. Jacques ricane, assis, un verre d'apéritif à la main. Il avale une rasade et décide à son tour de rejoindre les autres, se débarrassant avec hâte de son tee-shirt et de ses chaussures. Francine et Monique les regardent avec amour. Ces hommes ! De grands enfants dès qu'ils s'éloignent de leur travail !

Quand ils ressortent, rafraîchis, hilares et détendus, Julie se dit que ça doit être ça la vraie vie. Elle n'a jamais ri avec autant d'insouciance avant ce jour, entourée d'adultes qui jouent comme s'ils avaient dix ans. Les filles s'installent sur des transats au soleil. Francine leur apporte casquettes et lunettes noires, déposant un baiser au passage sur le front de Valérie. Julie les regarde avec envie. Elle se dit qu'une vraie vie de famille, ça doit aussi être ça. Elle est amputée de tous ces petits bonheurs quotidiens, ce qui explique très certainement sa tristesse et ses angoisses. Elle ne ressent pas de jalousie vis-à-vis de son amie, mais la mélancolie la gagne. Elle clôt ses yeux et se laisse porter par les caresses du soleil. Quand elle les rouvre, les hommes s'affairent autour du barbecue, Francine dispose le couvert et elle aperçoit Monique qui mélange une grosse salade dans la cuisine. Christelle et Stéphane barbotent toujours.

Le cliché d'une existence inédite et heureuse qu'elle vit en vrai.

— Tu vas cramer, je vais te mettre de la crème, propose Valérie.

Julie a un instant d'hésitation, puis elle accepte. Valérie promène énergiquement ses mains dans son dos, veillant à étaler le lait solaire sur chaque parcelle de sa peau. Julie constate avec plaisir que ce toucher ne la gêne pas. Quand elle est en confiance, elle peut se laisser aller, comme lorsqu'Olivier a enlevé les brins d'herbe dans ses cheveux ou lui a pris la main. De petites victoires pour l'adolescente qui rejette toute forme de contacts physiques. Puis, à son tour, elle propose d'enduire de crème les zones que son amie ne peut pas atteindre seule. C'est la première fois qu'elle touche un corps autre que le sien, à l'exception de quelques câlins furtifs avec Jo et Daniel.

Le reste de la journée se déroule sur la même tonalité. Il est 16 h lorsque le déjeuner est prêt, l'heure du goûter en France, songe Julie. Après le repas, les adultes partent faire la sieste, les filles préfèrent s'installer à nouveau dans les transats. Quand tout le monde est réveillé, Michel propose une promenade en bateau dans les canaux. Julie manque d'assurance car elle n'est jamais montée sur une embarcation. Puis, sous l'émerveillement, elle se détend et savoure cette découverte. Le bateau glisse lentement sur les eaux, berçant ses passagers de son roulis et de ses clapotis. Ils naviguent dans les dédales des détroits, bordés de villas blanches. Certaines, aux formes arrondies et en hauteur, rivalisent de parures, avec leur toit circulaire surmonté de génoises, leurs blocs de schistes rouges incrustés dans les façades de chaux, leurs balustrades encerclant les pièces de l'étage, leurs arcades abritant des terrasses. D'autres, rectangulaires, au toit plat, aux grandes ouvertures, plus épurées, apportent une touche de *design* contemporain. Les jardins sont bien entretenus, le vert des gazons est éblouissant sous le rayonnement du soleil. Partout, des palmiers s'élèvent, des bougainvilliers s'étalent, des lauriers-roses fleurissent. Des barques et des bateaux sont amarrés de part et d'autre. Julie, émerveillée, est transportée dans un univers nouveau. Des effluves de jasmin rivalisent avec celles du monoï dont Valérie s'est enduite. Les bavardages ne l'atteignent pas, elle observe avec application tout ce qui l'entoure pour graver les ressentis et les images dans sa mémoire, pour ne pas oublier.

Ils s'arrêtent dans la marina au milieu des voiliers. Michel a visiblement ses habitudes dans ce petit monde nautique où il salue les autochtones et les plaisanciers. Jacques aide Julie à descendre. Spontanément, la jeune fille accepte la main tendue, imitant les autres devant elle. Puis ils s'éloignent du port pour rejoindre le centre-ville. Ils déambulent dans la ferveur des rues enserrées à l'intérieur de la ville. La chaleur se fait étouffante sans la brise marine et dans cet essaim d'humains. Jacques et Michel marchent côte à côte en bavardant. Francine et Monique s'arrêtent régulièrement pour admirer une robe ou un sac à main. Christelle n'a de cesse de réclamer un nouveau vêtement à sa mère. Et Valérie s'enthousiasme de tout ce qu'elle voit, ne manquant pas de partager cet engouement avec Julie qui commence à être contaminée. Or, cette dernière a suffisamment d'argent de poche pour les dix jours, mais pas de quoi dévaliser toutes les boutiques. Le fumet du gras des beignets s'impose au milieu de cette fourmilière. Ils croisent plusieurs bandes de jeunes qui parlent français dans ce tumulte surpeuplé. Ils se calent à la terrasse d'un bar, boivent deux apéritifs, puis achètent une paëlla à emporter avant de rentrer à la villa. Julie se délecte tout autant de ce retour, admirant cette fois les paysages dans la lueur ambrée du soir.

Ils dînent dans le jardin, entourés de bâtons de citronnelle pour chasser les moustiques, à la lumière du soleil couchant et de guirlandes multicolores installées tout autour de la tonnelle. Après un dernier bain, ils regagnent leurs chambres respectives. Julie s'endort bienheureuse, fenêtre ouverte, bercée par le bruit de l'arrosage automatique.

# 28

Les vacances espagnoles se déroulent à merveille entre loisirs nautiques, siestes, baignades dans la piscine, découverte de la ville et de ses environs, randonnées dans l'arrière-pays. Julie a collecté quelques coquillages exceptionnels sur la plage en souvenir de moments uniques et pleins de joie. Elle a assisté à une course de taureaux. Elle a dégusté une fideuà, exportée jusqu'au nord du pays, se laissant emporter par l'odeur de fumet de poisson, de fruits de mer et de laurier. Elle a découvert les œuvres de Dali[8] lors d'une visite à Figueras où elle a succombé aux charmes de ses tableaux surréalistes. Elle a erré avec beaucoup de plaisir dans les dédales dédiés à la vie de l'artiste. Elle s'est sentie immensément petite dans la galerie de verre et de pierres. L'excentricité du peintre a enchanté Valérie, là où Julie a vu une âme tourmentée.

Elle s'est pleinement imprégnée de la culture ibérique et a ouvert sa carapace à des inconnus sans trop de réticence. Certainement grâce à la présence de Valérie qui a le don de tout transformer en opportunité. Quelques jours avant leur départ, la sœur de Monique, son époux et leurs deux fils ont débarqué de Paris en début d'après-midi, pile à l'heure de l'apéritif. Ils cohabiteront tous ensemble. La villa est grande, toutefois ils devront se serrer un peu.

Les neveux de Monique sont âgés de seize et dix-huit ans, aussi Valérie se ravit de ces nouvelles têtes. Frédéric et son aîné Christophe partagent cet enthousiasme. Julie, à son habitude, reste sur la réserve. Elle avait trouvé ses marques dans cette famille d'amis, cette arrivée bouscule ses repères. Christophe montre rapidement un intérêt marqué pour la jolie blonde à la peau dorée par de longues séances de bronzage. Après le déjeuner, chacun vaque à ses occupations.

---

[8] Salvator Dali est un artiste peintre, sculpteur, graveur, scénariste et écrivain catalan de nationalité espagnole. Il est né en 1904 et décédé en 1989. Un théâtre-musée, situé à Figueras, est consacré à son œuvre. Il a été inauguré en 1974.

— Alors Julie, ces vacances, ça se passe bien ? demande-t-il en s'allongeant dans le transat voisin du sien.

L'adolescente répond sans entrain, continuant de se badigeonner de crème.

— Oui.

— Tu veux que je t'aide ? propose-t-il en désignant le flacon de lait solaire.

— Non. Je me débrouille.

— OK, j'insiste pas !

Il fait glisser ses lunettes de soleil sur ses yeux et somnole un moment. Elle l'observe du coin de l'œil. Il a quelque chose d'Olivier, cette allure désinvolte, un côté un peu mauvais garçon, la coiffure savamment étudiée, mais qui n'en a pas l'air. Et des lèvres épaisses. Elle est hypnotisée par cette bouche qui semble emplie de promesses. Elle éprouve une attirance physique, une réelle envie. Une première fois supplémentaire sur la liste de ces vacances déjà riches en découvertes. L'été, la saison des amours éphémères... L'odeur de monoï exaltante, celle des phéromones imperceptibles, la chaleur enivrante, la paresse alanguie, le soleil troublant. Julie est auréolée d'un désir inconnu, qui lui colle à la peau tel un sortilège planant dans l'air. Christophe n'est pas encore un homme, mais il n'a plus un corps d'adolescent non plus. Il dégage sérénité et confiance en lui. Elle décide de se laisser guider par ses ressentis. Elle ne se renfermera pas dans sa coquille, elle profitera de ces vacances jusqu'au bout. Christophe ne fait que passer dans sa vie, il ne tracera aucune blessure. Elle peut bien se laisser amadouer sans risquer de s'attacher. Jouer un peu. Apprivoiser l'art de la séduction sans être écorchée. Quand il se relève sur son transat et lui propose une cigarette, Julie accepte volontiers, se redressant elle aussi. Ils fument en discutant, et Julie gagne en aisance.

— Alors les amoureux, on papote, s'amuse Valérie qui sort de la piscine.

— Oui, répond Christophe dans un sourire.

Julie, mal à l'aise, préfère ignorer ces propos.

— Assieds-toi avec nous. Je te fais une place.

— Non, j'ai promis à maman de l'accompagner à sa séance shopping après la sieste. Vous venez ?

Julie n'a quasiment plus d'argent et Christophe souhaite profiter du jardin après de longues heures passées en voiture. Ils déclinent sa proposition.

— Je vais me préparer. À plus !

Valérie dépose une bise sur la joue de son amie avant de s'éclipser. Le jeune homme reprend le cours de la conversation, non sans avoir relevé les réserves de la blondinette. Ils discutent de la vie de lycéen, de la faculté que Christophe fréquentera à la rentrée. Il lui raconte les concerts auxquels il a assisté, les soirées déjantées chez certains de ses camarades, sa passion pour le foot. Il va chercher des bières dans le frigo, en propose une à Julie qui accepte. Ils boivent à même le goulot, se désaltérant de l'amertume maltée. Ils passent ainsi près de deux heures à parler, à fumer, à trinquer, à alterner baignade et bronzage, parfois interrompus par les allées et venues des uns et des autres dans le jardin et la piscine. Julie se laisse apprivoiser et relance même le dialogue peu à peu.

Quand il promène son index le long de la cuisse de la jeune fille toujours allongée sur le transat voisin, celle-ci ne réagit pas. Une vague de frissons l'envahit. Christophe interprète l'absence de réponse comme un assentiment et continue de caresser doucement la peau dorée. Julie tourne la tête vers lui et sourit, l'encourageant dans son initiative. En toute innocence, elle vient de sceller un accord tacite.

La soirée se déroule dans la convivialité qui caractérise ces vacances. La tribu s'étant agrandie, l'alcool et la bonne chère ont gagné davantage de terrain. Aussi l'apéritif et le repas du soir n'en finissent pas. Christophe s'est installé en face de Julie et frôle son mollet de son pied, remontant parfois jusqu'à sa cuisse. La jeune fille tente d'ignorer ses assauts pour ne pas attirer les attentions vers elle. Toutefois elle ne peut s'empêcher de sourire, détournant la tête vers un point imaginaire pour tromper Valérie sur ce qui l'amuse. Le brouhaha domine autour de la grande table où chacun grignote des tapas, boit ce qui lui tombe sous la main. Les enfants et les adolescents vont et viennent entre la tonnelle et la piscine. Aussi personne ne remarque que Christophe a suivi discrètement Julie qui s'est éclipsée dans la maison. Elle s'est rendue aux toilettes et le jeune homme l'attend derrière la porte. Quand elle sort, il la plaque contre le mur. Il la domine de deux têtes et a relevé ses bras qu'il maintient aux poignets. Il sourit et couve la jeune fille de ses yeux pétillants d'envie. Mais il n'entreprendra pas davantage. Ils se défient du regard, puis Julie se hisse sur ses pieds nus et l'embrasse, grisée par le désir et les bières dont elle a abusé. Christophe promène ses mains sur le corps quasi dénudé de sa partenaire qui semble apprécier. Elle ne le repousse pas, son cœur cavale, aussi vite que lorsqu'elle court. Les palpitations attisent son envie de découverte. Elle ressent chaleur, bien-être. Elle est enveloppée dans une bulle tentatrice. Elle continue de savourer les tendres caresses. Il se montre doux, pourtant une sensation contradictoire s'empare d'elle. Du désir et du dégoût. Une image obscène passe furtivement. Elle cligne des yeux, secoue la tête. Elle n'a pas le temps de décoder la vision éphémère, mais le charme est rompu. Elle repousse Christophe abruptement. Sans un mot d'explication, elle file vers l'extérieur. Le reste de la soirée, elle affiche une mine boudeuse que personne ne remarque. Christophe évite ses regards, rit avec les autres, l'ignore comme si elle n'était qu'une ombre à table, se rapproche de Valérie, ce qui blesse la jeune fille. Un peu avant que tout le monde ne se sépare pour le coucher, Julie s'isole avec Christophe.

— Ce n'est pas ta faute. C'est moi.

— OK.

Christophe n'a pas envie de gâcher ses vacances pour une amourette d'été, aussi il lui tourne le dos. Julie lui prend la main.

— Attends !

— Quoi ?

— Si tu veux, demain matin on peut faire un footing ensemble.

— OK.

Julie prend l'initiative d'un baiser. Il cède, lui caresse les cheveux. Cette blondinette est trop craquante pour qu'on puisse lui résister. Puis il lui murmure à l'oreille dans un souffle chaud :

— Fais de beaux rêves.

Elle sourit, rassurée.

La maisonnée s'éveille vers dix heures, chacun à son rythme. Julie n'a quasiment pas fermé l'œil de la nuit et elle était prête dès huit heures du matin, chaussures et tenue de sport enfilées. Elle n'a pas été perturbée par des cauchemars, mais elle était assaillie de doutes sur son ambivalence vis-à-vis de Christophe. Cette attitude reflète son état général habituel. Cette sensation d'être écartelée quasi continuellement. D'être tout à la fois présente et absente. D'être soi et quelqu'un d'autre. De vouloir sans pouvoir. De réagir à l'instinct animal plutôt qu'avec réflexion. De désirer et de rejeter. D'espérer et de repousser. Elle a accepté quelques mains tendues ces derniers jours, goûté à l'insouciance, abattu certaines murailles pour vivre pleinement ces vacances. C'est déjà un pas énorme pour elle. Mais c'est une goutte d'eau dans l'océan de ses tiraillements, de ses contradictions, de ses fantômes, de ses angoisses sourdes, tapies et inconscientes. Elle a tenté de rassembler ses souvenirs pour décrypter l'image qui s'est imposée à son esprit tandis que Christophe l'embrassait, mais rien ne lui est revenu. Elle se souvient juste de la sensation de dégoût soudaine qui l'a saisie alors que, quelques secondes auparavant, elle n'éprouvait que désir et attirance. Un dégoût dressant une cloison de béton entre elle et ce désir naissant. Rien, dans les gestes du jeune homme, ne peut expliquer l'écœurement qui s'est emparé d'elle. Il était respectueux et n'a fait que répondre au baiser qu'elle lui a offert.

Elle s'est assise dans la pelouse, écoutant les roucoulements des oiseaux. De temps à autre, quelques clapotis dans les canaux et les moteurs de rares bateaux viennent rompre cette quiétude. Le calme du matin contraste avec la frénésie qui anime l'après-midi et le soir. Ils se sont rendus en ville à plusieurs reprises, et c'est toujours la même ambiance festive qui habite les touristes, encore plus nombreux à la nuit tombée. Une faune peu recommandable côtoie des portefeuilles fortunés.

Profitant de ce moment de solitude, elle attend à l'ombre d'un palmier que Christophe sorte de sa tanière. Il se présente en dernier. Les adultes prennent le petit déjeuner, Valérie s'installe pour une séance de bronzage en compagnie de Frédéric. Christelle et Stéphane sont déjà à l'œuvre dans la piscine. Il boit un jus d'orange à la hâte et la rejoint. Il ne l'embrasse pas par discrétion. Ils démarrent lentement sur les trottoirs du quartier résidentiel en échangeant des banalités. Julie n'a pas couru depuis plusieurs jours et sa cheville n'est pas guérie de son entorse. Elle s'est mise à fumer très régulièrement depuis un mois et, même si son rythme cardiaque n'est pas encore altéré par cette addiction, son souffle est légèrement plus court que d'habitude. Cette séance de footing démarre avec des difficultés inhabituelles. Mais, galvanisée par la présence de Christophe et son goût pour le défi, elle n'en laisse rien paraître. Elle accélère pour calquer son tempo sur celui du footballeur qui a allongé la foulée. Ils courent jusqu'au port où Christophe s'arrête. L'adolescente, à quelques pas derrière lui, stoppe quand elle arrive à son niveau. Ils s'assoient sur un banc des quais, observant le va-et-vient des mouettes et des goélands qui pistent les bateaux de pêcheurs. Elle voudrait s'excuser pour sa virevolte de la veille. Elle voudrait lui expliquer, se justifier. Mais elle-même ignore pourquoi elle a agi comme ça. Le soleil, haut dans le ciel, cogne sur leurs corps ruisselants de transpiration. Christophe s'éponge le visage avec son large tee-shirt. Julie quitte sa casquette pour s'essuyer le front. Le jeune homme en profite pour déposer un baiser salé sur ses lèvres. Elle le lui rend. Le charme qui avait opéré la veille se manifeste à nouveau. Puis ils se lèvent et vont acheter une bouteille d'eau qu'ils partagent. Ils marchent un moment sur les quais avant de redémarrer leur course vers la villa. Nul besoin d'explications. Christophe n'en demande pas et Julie n'en a pas. Leur flirt reprend là où il avait été interrompu.

En fin de journée, la tribu décide d'aller fêter cette dernière soirée tous ensemble au restaurant. Julie se prépare simplement et emporte avec elle son trésor chanvré. Les adolescents sont autorisés à boire un apéritif alcoolisé. Christophe, quant à lui, est logé à la même enseigne que les adultes et lève le coude avec autant d'ardeur. Ensuite, Frédéric, Valérie et Julie se rendent dans un bar branché sous la houlette du jeune majeur. Christophe et Julie ne se cachent pas aux regards de Valérie et Frédéric. Le quatuor se laisse pleinement aller à la fête, boit, danse, chante. Puis Julie propose à Christophe de sortir rouler un joint. À l'extérieur, ils s'embrassent langoureusement entre deux bouffées, au milieu des passants, des touristes et des junkies. Elle commence à planer sérieusement, entre cannabis et téquila. Christophe se montre plus pressant, elle ne s'y oppose pas. Quand ils ont fini de fumer, ils rejoignent Frédéric et Valérie qui ont continué de descendre la bouteille de téquila. Après quelques danses d'un corps-à-corps brûlant, Christophe suggère à Julie de terminer son trésor. Ils retournent dehors et fument un autre joint que Christophe charge davantage. La jeune fille a les yeux rougeoyants, les pupilles dilatées. Le jeune homme est tout aussi défoncé qu'elle. Assis sur le trottoir, ils rient, tiennent des propos dénués de sens. Elle est autre. Elle est bien. Il se lève et la tire par la main jusque dans une ruelle isolée et sombre. Ils s'enfoncent dans une porte cochère et il soulève le tee-shirt de l'adolescente. Cette dernière ne réalise pas pleinement ce qu'il se passe. Elle se laisse faire, à demi consciente. Puis il dégrafe son short, et le baisse. Elle continue de rire, lui aussi. Il enlève son pantalon, la surélève et la pénètre sans préavis, embrassant son cou. Julie gémit, son esprit s'échappe. Elle aperçoit d'en haut une jeune fille blonde en train de faire l'amour avec un jeune homme brun. Ils ne semblent pas présents à ce qu'ils font. Cela ne dure que quelques minutes, ils se rhabillent, s'embrassent et regagnent le bar où Julie s'effondre sur une banquette, trop nauséeuse et trop défoncée pour tenir encore debout.

Le lendemain, elle se réveille avec la gueule de bois comme lors de sa première soirée. Elle a un vague souvenir de ce qu'il s'est passé. Sans certitude, hormis des sensations inhabituelles dans le bas-ventre. Des sensations qui pourtant ne lui semblent pas complètement inconnues. Ni tout à fait familières. Elle ne peut qu'imaginer où les baisers et les caresses de Christophe l'ont conduite. Ils n'aborderont pas ce sujet, ne se promettront pas davantage de se revoir. Ils n'en ont pas le temps. Jacques et Francine chargent les valises dans le coffre de la voiture en fin de matinée. Tout le monde s'embrasse avant de se séparer. Julie évite soigneusement les joues de Christophe tout autant qu'il la fuie. Elle prend place à l'arrière du véhicule, pose son front sur la vitre et regarde peu à peu Ampuriabrava s'éloigner d'elle. Des vacances sucrées et amères.

Des premières fois en quantité, dont certaines deviendront la normalité d'une vie gaspillée sous l'emprise d'une mémoire trouée.

# 29

De retour à Brive, Julie reprend contact avec Olivier. Très vite, une idylle naît entre les deux jeunes gens. Olivier a échoué au baccalauréat, aussi ils se retrouvent ensemble au lycée pour une année supplémentaire. Ils se fréquentent en dehors des cours et le jeune homme se charge d'offrir du cannabis à Julie. Elle n'en est pas dépendante, mais elle en consomme régulièrement. Quand arrive l'hiver, ses démons se réveillent sous la forme de cauchemars et d'élancements dans le bras gauche. Alors, elle force davantage sur l'utilisation du hasch. Elle sort fréquemment avec Olivier et ses amis, participe à des soirées où des drogues plus dures circulent. Le nez d'Olivier vagabonde avec exaltation dans les rails de poudre au goût de bonheur illusoire. Julie n'a jamais cédé à la tentation. Elle se noie dans d'autres subterfuges. Elle élabore une multitude de stratégies d'évitement pour échapper à sa mémoire traumatique, terrain miné d'où surgissent des flash-backs qui la plongent dans une véritable détresse psychique. Le footing, la cigarette, le cannabis, le cutter sont ses remèdes. La lecture et les résultats scolaires ont de moins en moins d'importance dans sa vie.

Valérie remarque qu'elle navigue entre deux *elle*. Un qui est *trop* et l'autre *pas assez*. Elle passe du renfermement à la volubilité. De la mélancolie au rire immodéré. Elle couche avec Olivier sans l'aimer, sans croire à un avenir quelconque entre eux et sans se protéger. Valérie s'inquiète sincèrement pour Julie. La future psychiatre, qui dévore déjà tous les ouvrages professionnels qui lui tombent sous la main, devine des blessures enterrées. Quelques fois, elle a tenté de sonder Julie sur son enfance, mais son amie ne sait rien de sa vie d'avant chez les Maury. Des bribes, des sensations, une douce maman, des tartes aux pommes. Elle n'a pas réussi à collecter davantage d'informations. Elle l'a toutefois convaincue de se rendre au planning familial où un médecin lui a prescrit la pilule. Une grossesse à son âge, avec Olivier pour père, serait une catastrophe.

Josy et Daniel sont tout aussi démunis. Les mois passent et les tensions se multiplient sous leur toit. Les repas se déroulent en silence, Julie reste le nez plongé dans son assiette, quand elle ne dîne pas tout bonnement seule, enfermée dans sa chambre. Le sourire de Jo s'efface, le cœur de Daniel se fendille. Les tourments de leur petite devenue grande ont ouvert une plaie à vif. Ils n'ont pas réussi à avoir un enfant bien à eux. Ils n'ont pas réussi à rendre une orpheline heureuse.

L'année de première s'est écoulée, les vacances à Sérignan se passent sans enthousiasme, l'été file lentement. Olivier est affairé à son installation à Limoges. Leur histoire s'arrête là. Julie a toutefois un carnet d'adresses bien rempli pour se procurer du cannabis ou même davantage si elle le souhaite.

Elle entre en terminale, elle atteindra sa majorité dans quelques mois, alors elle se résout à se concentrer sur son avenir. Sans baccalauréat, pas d'études supérieures. Elle veut quitter Brive. Au plus tôt. Elle s'inscrira à Lyon, en droit. Ce n'est pas son académie, mais rien ne remettra sa décision en question. Elle veut fuir la Corrèze, s'éloigner de tous ces gens, repartir de zéro.

En juin, elle décroche son diplôme du premier coup. Elle a entrepris toutes les démarches pour intégrer la faculté de droit à Lyon, obtenir une chambre universitaire et trouver un job dans un restaurant jusqu'à la fin des vacances et pour les week-ends.

En août, quelques semaines avant la rentrée, elle rassemble toutes ses affaires. Elle éprouve un pincement au cœur quand elle réalise qu'elle ne reviendra plus dormir dans ce lit qui a abrité plus de la moitié de ses nuits. Elle laisse les posters sur les murs, les livres sur son bureau. Les vestiges d'une vie passée où elle n'a pas su s'épanouir. Elle embrasse des yeux une dernière fois ce petit nid ouaté et ferme doucement la porte avant de descendre les escaliers, ses maigres bagages sur le dos et à la main. Dans la cuisine, Jo est effondrée, étouffée de larmes. Elle serre de toutes ses forces celle qu'elle a tant aimée, celle qu'elle aurait adoré enfanter et porter vers le bonheur. Les supplications sont inutiles, les mots sont vains, seuls les pleurs bruyants de Josy occupent toute la place. Julie part et emporte avec elle dix ans d'espérances, de rêves. La mère adoptive ne peut s'empêcher d'espérer, et pourtant, au fond d'elle, quelque chose lui dit que c'est bel et bien un adieu et non un au revoir. Elle ne peut se résigner à accompagner sa poupée à la gare. C'est donc seule avec Daniel sur les quais, que Julie quitte Brive. L'homme la serre maladroitement de ses grosses paluches. Il lui tapote l'épaule, essuie furtivement une larme qui dévale sa joue sans bruit. Les yeux azur le regardent avec une profondeur qu'il ne leur a jamais connue. Un mélange de regrets et de tristesse. Ils semblent dire « pardon » pour tout ce qu'elle a été incapable de leur donner. Daniel ravale son chagrin, jugeant la situation trop pénible, il ne s'attarde pas. Sans attendre que le train de Julie soit entré en gare, il lui fait une dernière bise et lui tourne le dos. Julie regarde les épaules voûtées s'éloigner d'elle. Elle ne le reverra plus jamais, elle en a décidé ainsi, même si elle ne le leur a pas dit. Quand elle s'installe dans la rame bondée, elle ne peut s'empêcher de sangloter en silence. Elle n'a pas su se remplir de leur amour, elle n'a pas su le leur rendre, elle n'a pas su s'attacher comme ils l'auraient voulu. Elle n'est pas arrivée à construire de relations profondes avec les autres, excepté avec Valérie. Mais cette dernière intègre la faculté de médecine de Limoges. Elles ne se reverront que de loin en loin. Peut-être.

Elle regarde les paysages défiler à toute allure, entre campagnes et cités. Rien ne la rassurait, dans sa vie d'avant, ni la maison chaleureuse des Maury ni les Maury eux-mêmes, malgré leur abnégation et leur dévouement. Elle haïssait cet environnement qui n'était pas le sien et qu'elle a eu besoin de fuir pour tenter d'exister ailleurs. Même si elle vit toujours par à-coups. Rien ne glisse, rien ne coule, tout bute. À l'approche de cette aventure désirée, Julie louvoie toujours entre espoirs, incertitudes, peurs. Plus que jamais elle reste sur ses gardes, car elle doit apprivoiser ce nouveau chez-elle, une chambre minuscule aux cloisons en papier mâché, dans une cité universitaire, bruyante, grouillante. Cette fois, elle habite bel et bien seule, avec le buvard de sa tristesse et de ses angoisses, unique compagnon fidèle. Elle dépose ses bagages et s'assoit sur le lit, plombée.

Les jours qui suivent, elle prend ses marques dans cet univers étudiant, porte d'entrée vers l'autonomie de l'âge adulte. Elle s'en sort plutôt bien.

Ici, immergée dans la masse, anonyme, elle n'a pas besoin de se sociabiliser. Et quand c'est trop, quand elle n'arrive plus à faire face, quand les fantômes surgissent sans préavis, il lui reste les interdits où se noyer. À la faculté, elle découvre une autre forme de conduite à risques : le sexe. Les cuisses accueillantes, le gosier pentu, l'esprit embrumé, elle cumule les partenaires, un seul ou plusieurs à la fois, les intervertit, les échange, les largue, les retrouve. Saoule, droguée, ou à jeun, elle oscille entre hyper et hypo-excitation. Entre *trop* et *pas assez* comme lui dirait Valérie. Elle s'engage parfois dans des voies dangereuses, se soumettant à la violence d'un amant forcené. Dans ces moments de perdition, sa tête se dissocie de ses actes sans qu'elle en ait conscience. Au réveil, elle est incapable de dire si elle a désiré ce qu'il s'est passé ou si elle n'a été qu'un pantin, une putain de catin dont on a manipulé les fils à l'envi. Elle n'érige aucune barrière, se soumet à tout et s'abîme dans les dangers qui l'effleurent. L'excitation qu'elle ressent dans ces situations est telle que même les lacérations, l'alcool et les drogues ne lui procurent pas autant de soulagement. Le sentiment de mort imminente, qu'elle fuit pourtant ardemment lorsque des flash-backs surviennent, provoque une exaltation qu'elle stimule dans ces scénarios de mise en danger volontaire. À la merci de tous les fantasmes de dégénérés croisés par hasard, elle adore ça. Ça fait mal, c'est violent, c'est abject. Néanmoins, leur brutalité bestiale rassasie ses pulsions animales. Cette maltraitance la ramène en terrain inconsciemment connu. Se soumettre à ces prédateurs apparaît comme une réponse innée, ancrée dans ses gènes.

Quand elle retrouve sa chambre d'étudiante, il ne lui reste que le sentiment de perversité, de honte et de débauche. Elle se récure à grands coups de gant de crin et d'insultes. Elle ajoute de la douleur à la douleur. Mais le désamour indélébile ne s'évacue pas par la bonde. Pas plus que le marécage émotionnel dans lequel elle trempe. Cette boue gluante lui colle à la peau. Elle continue de prendre la pilule, mais ne se soucie pas du spectre du SIDA et n'utilise jamais de préservatif. À deux reprises, elle fait prélever quelques gouttes de sang dans un centre de dépistage gratuit. Les jours d'attente éveillent des doutes, des angoisses et enfin, de la résignation. Et si elle était malade ? Ayant plus le goût de la mort que celui de la vie, elle abdique. Peu importe les résultats. Elle n'a rien à sauver, rien à protéger, surtout pas sa propre peau. C'est un jeu. Un jeu dangereux. Mais extrêmement jouissif. Qui lui procure bien plus de frissons qu'une relation stable et affectueuse. Parce qu'elle ne parvient pas s'attacher aux gens. Elle glisse comme une savonnette entre les mains de ceux qui deviennent trop bienveillants ou envahissants. L'amour l'encombre.

Elle sombre, maigrit, court, étudie, picole, fume, travaille, décline. Ignorante de ce qu'elle a enduré, elle ne comprend pas sa rage, ses terreurs. Elle les tait et réagit avec ses excès, ses dépendances, sa suractivité, sa distance. Elle devient la victime de ses démons et endure une double peine. Celle de son enfance mutilée. Celle d'une jeune femme qui s'autodétruit. Elle se punit de crimes qu'elle n'a pas commis. Elle remplit le vide de ses souvenirs par une hyperactivité permanente. Elle fuit les réminiscences qui la frappent en pleine figure, par des conduites à risques. Elle a l'impression d'être rongée par une maladie auto-immune qui grignote des bouts d'elle, jour après jour. Des métastases éparpillées dans ses viscères, ses os, ses muscles, qui la bouffent sournoisement. Et quand la douleur de survivre avec une mémoire trouée devient insupportable, elle cumule tous les remèdes qu'elle a à sa portée pour s'anesthésier. Son esprit peut alors se dissocier de son corps afin de limiter l'impact désastreux des solutions pour lesquelles elle a opté.

Elle entre en quatrième année de droit, réussissant de justesse chaque session de partiels. Sa concentration diminue au fur et à mesure que sa consommation de cannabis et d'alcool augmente. Mais un élément inédit intervient en cet été 1997. À l'occasion d'un séminaire, Valérie a rencontré un étudiant en médecine de Lyon dont elle est follement éprise et aimée en retour. Elle a fait des pieds et des mains pour se rapprocher d'Alexis et emménage avec lui. Grâce à leur nouvelle proximité, elle renoue avec son amie Julie et remarque la dégradation de son état. Elle essaie de l'aider à dépasser sa dépendance aux conduites à risques en lui faisant prendre conscience qu'elle gâche sa vie. Mais rien ne peut évoluer si Julie n'a pas l'envie de s'en sortir. Et la convaincre qu'elle ruine toutes ses chances d'obtenir son diplôme, de gagner une réelle autonomie, se révèle un parcours du combattant qui dure près de six mois. Valérie fait son maximum pour déculpabiliser son amie, l'amène à s'interroger sur les raisons de ses comportements. Que lui apportent ces subterfuges ? Julie entend, mais n'écoute pas. Elle continue de se détruire jusqu'à ce qu'elle touche fond, lors d'une énième soirée de débauche. Elle se réveille dans une ruelle de Lyon, entre plusieurs containers de poubelles, seule, à moitié dénudée, la peau marquée de coups, la lèvre tuméfiée. Depuis combien de temps est-elle là ? Et comment a-t-elle atterri ici, dans cet état ? Le corps douloureux, elle peine à se lever et à s'orienter. Elle met près de deux semaines à pouvoir marcher sans boîter et à retrouver un visage cicatrisé. Elle comprend alors qu'elle n'a plus de prise sur ses actes. Un électrochoc qui la fait réagir. Elle accepte enfin la main que lui tend son amie.

Cette dernière met en pratique tout ce qu'elle a appris pour l'aider à se relever. Elle l'encourage à trouver d'autres sources de jouissance. Elles reprennent le sport ensemble, elle l'entraîne à la bibliothèque, refuge de l'ancienne petite Julie, elle l'accompagne dans ses crises de manque. Elles cuisinent afin qu'elle retrouve le goût de manger. Julie récupère quelques kilos. Valérie l'incite à se regarder dans le miroir, à apprécier le reflet de la belle jeune femme qu'il lui renvoie. Elle l'invite lorsqu'elle partage des soirées avec un petit groupe d'étudiants. Julie côtoie alors un univers différent, fait de discussions, d'amitiés sincères, de plaisirs simples, de relations stables, de joie de vivre sans alcool à outrance, ni drogue. Peu à peu, elle s'imprègne de cet état d'esprit. Elle réalise qu'un autre chemin est possible. Elle retrouve l'ambiance des vacances espagnoles, où, pendant quelques jours, elle a vécu dans la gaieté et l'insouciance jusqu'à l'arrivée de Christophe. Elle s'approprie en surface le monde de Valérie qui pourrait être le sien. De plus, la future psychiatre n'a de cesse de la complimenter, de la valoriser et de la remercier pour tout ce qu'elle lui apporte. Elle la présente toujours comme sa meilleure amie d'enfance, l'unique, l'essentielle. Elle ne voit que le beau dans ce que Julie dégage et, peu à peu, cette dernière accepte qu'on puisse l'aimer. Comme Jo, Daniel et sûrement Denise l'ont aimée. Elle peut être importante pour certaines personnes. Elle commence à devenir importante pour elle-même.

Un an plus tard, Valérie a gagné son pari. Julie commence à fuir la boue. Elle ne se laisse plus sombrer dans le sexe, l'alcool ni le cannabis. Elle se limite à des footings sans fin et à la cigarette. Elle plongera une nouvelle fois à la fin de l'été 1998 lorsqu'elle recevra la lettre de Jo évoquant son passé. Un morceau de puzzle qui surgit à l'improviste, faisant référence à son père. Son père ? Mais elle n'a pas de père. Un monstre ? Elle n'a pas les autres morceaux du puzzle pour pouvoir comprendre les allégations de Josy. Elle a juste la sensation de marcher sur un fil comme un funambule. Mais sans filet. Avec un gouffre infini en dessous. Elle veut dépasser cette sensation, et elle réalise que, depuis qu'elle a arrêté de consommer du cannabis, elle a aussi moins d'hallucinations. Replonger serait une mauvaise idée. Alors, après cette nuit de dépravation dont elle n'a aucun souvenir, elle se promet de ne plus recommencer. Le remède est pire que le mal.

# 30

Julie a réussi son DESS de droit. Avec Valérie, elles décident de partager quelques jours de vacances en duo à La Grande-Motte pour célébrer cet heureux évènement. La jeune femme va intégrer le monde du travail. C'est un univers nouveau rempli de nouvelles perspectives qui s'offre à elle, se réjouit la brune, qui, elle, doit poursuivre de longues études avant d'ouvrir son cabinet médical. Elles ont loué un mobil-home dans un camping trop bruyant et trop agité pour Julie qui ne se vautre plus dans des fêtes orgiaques. Elle s'est jetée à corps perdu dans les études cette dernière année et, en travailleuse acharnée, elle a réussi haut la main ce passage. Finis les petits boulots pour assurer sa subsistance, fini le réduit de la cité universitaire, finis les amphithéâtres de la faculté parfois bondés. Julie n'a pas de projet particulier. Elle cherchera un logement et un emploi à son retour de vacances. Elle traverse la vie sans ambition spécifique. Elle tient sur un fil d'équilibriste uniquement grâce au sport à haute dose, à la cigarette et à la lecture qui lui permet de s'évader. Elle tâtonne au quotidien, en alerte. Elle n'a le goût de rien en particulier et rien ne lui donne goût à la vie. Elle est là sans être là. Elle ondule avec ce qui l'entoure, mais ailleurs. Un voile serré, une sorte de brume épaisse et continue est érigée entre le monde et elle. Et cette sensation ne déroge pas à la règle même sous le soleil, en bonne compagnie, diplôme en poche.

Dès leur arrivée, elles se rendent au marché local où les fruits et légumes de saison s'exhibent sur tous les stands. Julie, qui ne mange plus du tout de viande, apprécie cet éventaire de couleurs, de variétés végétales. Elles remplissent leurs paniers, retournent au camping, préparent des sandwiches, enfilent leur maillot et passent la journée à la plage. Allongée après un bain de mer, Julie regarde Valérie qui monologue, d'un air absent. Elle se concentre sur le moment présent. Les cris des enfants qui courent dans les vagues. Valérie qui a mille choses à relater. Le sable qui picote ses talons. Sa peau qui chauffe sous les rayons d'un ciel sans nuage. Les aboiements des vendeurs de glaces pour attirer le chaland. Le temps est suspendu dans une bulle de douceur.

Le deuxième soir de leur séjour, elles dînent dans un des restaurants de la ville. Leurs revenus modestes les obligent à limiter les activités payantes. Toutefois, elle se doivent de fêter dignement le diplôme de Julie. Elles optent pour un restaurant situé sur le port qui annonce « Poissons et crustacés frais » afin que Valérie puisse se régaler de fruits de mer. Elles s'installent en terrasse pour profiter de la chaleur vespérale portée par la brise marine et pour contrer la claustrophobie de Julie. Au dessert, Valérie se pâme avec son emphase habituelle.

— Goûte cette tarte, c'est une perfection culinaire ! dit-elle, agitant sa cuillère en signe d'émerveillement, se mordant la lèvre inférieure, yeux fermés.

— Je n'aime pas la tarte aux pommes.

— Non, mais ça, c'est pas une tarte aux pommes, c'est *la* tarte aux pommes. Une pâte incroyablement beurrée, de la cannelle, une note acidulée en arrière-bouche.

— Remets-toi Maïté[9], plaisante Julie, habituée au sens de l'exagération de son amie.

Cependant, devant ses mimiques de délices, Julie sent l'eau lui monter à la bouche. Ses papilles salivent, les saveurs en question glissent sur son palais. Elle n'a pas encore dégusté la tarte et pourtant, elle en imagine le goût exact. Soudain, des images lui viennent. Une blondinette au carré mal taillé qui rit sur une balançoire faite d'une planche de bois et de simples cordes. Son cœur accélère la cadence. Elle pense se reconnaître. Maman apparaît, indistincte, floue, mais sa douceur est perceptible et elle rit aussi. Elles paraissent si heureuses toutes les deux. Julie n'a pas de souvenir de sa mère, c'est la première fois qu'elle visualise quelque chose à son sujet et c'est associé à la saveur d'une tarte aux pommes. Une vague d'émotions positives la submerge, comme une enveloppe réconfortante et chaleureuse. Elle plonge la cuillère dans l'assiette de son amie, mange un morceau en fermant les yeux et se délecte de toutes ces saveurs

_____

[9] Maïté est une restauratrice française qui a animé des émissions culinaires iconiques dans les années 80 et 90.

enfantines. Les images deviennent plus nettes, les formes de Denise lui apparaissent, girondes, cachées sous un tablier à petites fleurs. La blancheur de Narcisse. Les jeux de marelle qu'elle dessinait à la craie sur le béton de la cour de la ferme. Elle et maman en train de récolter des fruits sur le pommier de la maison. Le panier en osier à leurs pieds où elles déposaient leur cueillette. Elle plisse très fort ses paupières pour faire remonter davantage d'images, mais plus rien. Un rideau noir a été tiré sur les flash-backs d'une enfance insouciante. Quelques réminiscences de bonheur éphémère volées à une mémoire trouée. Pour une fois qu'elle éprouvait une sensation agréable liée à sa prime jeunesse…

Julie a envie de jeter sa serviette sur la table et de s'enfuir, impuissante. Pourquoi ne se rappelle-t-elle rien de ses jeunes années là où les autres peuvent raconter leurs cadeaux de Noël, leurs bougies d'anniversaire, les histoires du soir ? Valérie, qui devine les turbulences intérieures de son amie, lui saisit la main par-dessus la nappe en papier.

— Ça va ?

— Je ne sais pas. J'ai eu comme des visions de mon enfance. Je crois que je me suis vue et que j'ai vu ma mère.

— C'est génial ! Qu'as-tu vu ?

— Pas grand-chose justement. Mais je suis certaine que ça a un rapport avec la tarte aux pommes.

— Commandes-en une, on ne sait jamais.

— Tu as raison.

Julie hèle le serveur et demande à son tour ce dessert qu'elle pensait n'avoir jamais aimé. Quand il dépose l'assiette devant elle, elle la regarde avec beaucoup d'espoir. Et si une portion constituée de farine, de beurre, de cannelle et de pommes Reinette colmatait les cavités qui perforent son cerveau ? Elle la déguste consciencieusement. Aucune autre image ne lui revient, mais elle sait que ce mélange de saveurs est associé à des moments heureux. Depuis qu'elle a été confiée à la garde des Maury, c'est la première fois qu'elle éprouve une telle vague de douceur enfantine. Elle veut la recette, absolument. Peut-être qu'en cuisinant ce gâteau encore et encore elle se rappellera davantage sa maman ? Valérie lui a expliqué que des éléments anodins pouvaient faire resurgir toutes sortes de souvenirs incongrus, sans qu'elle y voie forcément un lien. Mais là, elle en est certaine. Ce délice gustatif est celui que concoctait Denise. Elle en a déjà mangé. Souvent. Ces sapidités intenses sont ancrées en elle, associées à son patrimoine culinaire. Elle ne détestait pas la tarte aux pommes comme elle le croyait jusqu'à présent. Elle appréciait uniquement la tarte de jouvence, celle qui l'avait bercée de l'allégresse maternelle. Elle demande à voir le cuisinier. La fin du service est proche, elle le suppose disponible. Elle doit lui arracher la recette, coûte que coûte.

Un homme assez jeune apparaît, d'un châtain virant légèrement sur le roux, de taille moyenne et cachant des yeux marron-vert derrière des lunettes rondes. Il n'est ni beau ni laid, il affiche un sourire radieux, découvrant des dents du bonheur, et dégage une forme de sérénité apaisante. Julie, qui imaginait que les cuisines de restaurant n'abritaient que des travailleurs stressés, cernés, au ventre rebondi, est surprise en le voyant. Obtenir les ingrédients de cet héritage retrouvé devrait s'avérer simple. Il l'invite pour dîner le lendemain en échange de ce secret culinaire. Elle accepte. Quand il repart, Valérie la taquine :

— Julie la séductrice, aucun mâle ne te résiste.

Julie hausse les épaules en signe d'indifférence.

— Homme plutôt commun et légèrement plus petit que toi. Mais d'apparence gentille et avec du charme. Une pioche intéressante.

— On s'en fiche, je ne vais pas l'épouser, je veux juste la recette. Tu peux pas comprendre, mais j'ai l'impression d'avoir retrouvé un bout de moi.

— Ma Julie, si, grâce à une tarte aux pommes, tu pouvais récupérer tous les souvenirs de ton enfance et cesser de te torturer, j'en serais la première ravie. Alors, fonce, mais ne fonde pas tous tes espoirs dessus pour autant.

Après une journée passée à la plage, Julie se prépare pour son tête-à-tête avec Franck. Elle réalise qu'elle n'a eu que peu de rendez-vous galants malgré son succès auprès des hommes. Jusqu'à présent elle s'offrait à l'issue d'une soirée, d'une rencontre fortuite, et ils s'adonnaient à des corps-à-corps rustres, parfois obscènes, à deux, à plusieurs, sans cocher la case séduction. Ce jeu dénué de sensations fortes ne la touchait pas. Julie avait besoin d'excès en tous genres pour sentir son cœur battre et son corps vibrer. Elle se désintéressait de la subtilité d'une cour engagée sur plusieurs jours, plusieurs semaines. Elle imagine que Franck lui demandera une rétribution en nature contre la recette. Ce n'est pas un problème. Elle a déjà vendu son corps en échange de drogue, de relations masochistes pour apaiser une hyperexcitation montante, ou juste parce qu'on le lui imposait et qu'elle était trop défoncée pour résister. Elle ne s'est jamais formalisée de son rapport trouble à la sexualité dans les années passées. C'était un moyen comme un autre d'obtenir quelque chose ou de se soulager de ses démons. Alors, même si elle s'est rangée depuis plusieurs mois, la recette de la tarte en vaut la peine. Si Franck veut une nuit à deux, il l'aura.

Elle se présente un peu en retard à leur rendez-vous. Il l'attend. Il lui adresse un large sourire quand elle entre dans son champ de vision. Elle étire ses lèvres autant que possible en réponse. Il pose une main sur son épaule, approche sa joue de la sienne et interroge :

— Je peux ?

Elle hoche la tête en signe d'assentiment. C'est bien la première fois que quelqu'un lui demande la permission de lui faire la bise !

— Je suis heureux que tu aies accepté mon invitation.

— Je suis heureuse que tu aies accepté de me donner la recette de ta pâtisserie.

Il sort un papier de sa poche et le tend à Julie.

— Tiens.

Elle le regarde, ébahie. Quoi ? Comme ça ? Si facilement ? Elle lui sourit sincèrement cette fois.

— Merci Franck.

— Avec plaisir. J'ai cru comprendre que c'était important pour toi.

— Oui.

— J'aurais juste une faveur à te demander en échange.

*Nous-y voilà*, songe la jeune femme. Elle éteint son sourire et le regarde froidement.

— Si tu le souhaites bien sûr, je ne veux pas t'obliger à quoi que ce soit. Simplement, j'aurais aimé savoir pourquoi c'était si important pour toi. Mais pas de souci. C'est peut-être trop personnel, s'excuse Franck qui a perçu le changement d'attitude.

Julie le sonde de ses iris bleutés. Pas de sexe en échange ? Mais l'envie de comprendre pourquoi cette recette lui tient à cœur. Un homme étonnant.

— On pourrait en parler, mais c'est en effet très personnel. Alors je ne préfère pas puisqu'on ne se connaît pas.

— Pas de souci. Excuse-moi d'avoir été indiscret.

Ils marchent en direction des restaurants, Franck ayant réservé à une adresse qu'il estime incontournable. Elle le domine de quelques centimètres, mais cela ne semble pas le mettre mal à l'aise. Ils progressent parmi les touristes à la recherche d'une table, scrutant les menus affichés en devanture. Franck mène la conversation pour se faire pardonner du malaise qu'il a causé chez son interlocutrice. Ils quittent les quais animés et rejoignent une ruelle plus calme. Ils arrivent dans un restaurant assez chic, légèrement en retrait. Des nappes blanches en percale et des chaises noires en velours donnent le ton, des bacs de bambous les protègent de la vue des passants en terrasse. Des bougies sont disposées sur les tables, des lumières tamisées apportent une ambiance feutrée, différente du tumulte des snacks que Julie a l'habitude de fréquenter les rares fois où elle mange à l'extérieur. Un serveur tire son siège afin qu'elle puisse s'installer. Peu familiarisée à tant de prévenance, elle se sent déroutée.

Franck commande un vin sucré en apéritif pour tous les deux et l'engage à choisir tout ce qui lui plaît sans se soucier du prix. Ils parlent à bâtons rompus, elle apprend qu'il a deux ans de moins qu'elle, qu'il travaille régulièrement l'été au bord de la mer et l'hiver en montagne, mais qu'il aspire à prendre du grade, à exercer pour des tables plus renommées, qu'il en a le potentiel. Cuisiner, ce n'est pas un métier de raison, ou à défaut de mieux. Non, c'est sa passion. Il est doué. Il a été élevé dans un milieu d'intellectuels, une mère enseignante dans le supérieur, un père ingénieur agronome, les vacances culturelles, les sorties au théâtre, les dîners dans les restaurants gourmets où il a développé son intérêt pour la cuisine, son appétence pour le bon et le beau gastronomique. Alors il a fait son choix. Un choix que ses parents ont toujours respecté. Ses capacités lui auraient largement permis d'entreprendre des études, mais ce n'était pas son objectif. Lui, ce qu'il voulait, c'était régaler les estomacs, provoquer des émotions, comme il a su le faire avec sa tarte aux pommes. Il ambitionne de raviver la madeleine de Proust de chacun de ses convives, de susciter le désir, le goût pour les bonnes choses, d'aguerrir les palais, de lutter contre la malbouffe. Un métier de bouche et de mains, concret, réel, qui nourrit aussi son cerveau par la créativité, l'inventivité, les mélanges, les harmonies. Oui, la cuisine représente tout ça pour lui, et davantage encore.

Il ne se départ pas de son sourire, dessiné sur des lèvres charnues, découvrant ses dents du bonheur, et ses yeux pétillent derrière ses lunettes à l'arrondi surdimensionné. Il fixe Julie sans ciller. Elle le trouve original, différent, unique. Il ne ressemble en rien aux hommes qu'elle a connus. Il n'est pas particulièrement beau, mais il dégage un aplomb et une joie qui le rendent charmant. Le jeune homme, quant à lui, est subjugué, elle l'a saisi. Mais il ne la regarde pas comme une proie. Il la regarde avec admiration, ébloui. Il lui pose des questions sur son parcours, ses amis. Il comprend rapidement que la jolie blonde est plus secrète et moins loquace que lui, mais il ne s'en formalise pas. Il a deviné la femme de caractère qui se cache derrière ces courbes graciles. Il a été foudroyé à la seconde où il l'a vue. Il ne sait pas s'il peut espérer avoir une femme comme elle à ses côtés, mais il le souhaite ardemment. Alors il se calera sur son tempo, il la laissera mener la danse.

À la fin du repas, il la raccompagne en voiture jusqu'au camping où elle loge. Jusqu'au bout Julie aura attendu le faux pas, le geste déplacé, la contrainte. Mais il n'y en a pas eu. Franck s'est montré galant et bienveillant tout au long de leur tête-à-tête. Aussi, quand il l'informe qu'il adorerait la revoir, elle accepte. Elle ne veut pas que Valérie se sente délaissée, elle lui propose de les rejoindre toutes les deux à la plage le lendemain après-midi durant sa pause. Ils se quittent avec une bise qui satisfait Julie.

Quand elle arrive au bungalow, Valérie l'assaille de questions auxquelles elle répond succinctement. Mais Julie n'a qu'une hâte, se retrouver seule et découvrir les ingrédients magiques couchés sur le petit bout de papier qu'elle a rangé précieusement dans la poche intérieure de son sac à main. Lorsque Valérie va se coucher, Julie déplie la banquette du salon et s'allonge. Elle a choisi cet espace un peu moins réduit que la chambrette pour passer ses nuits. En gardant les fenêtres ouvertes, elle n'étouffe pas. Depuis le temps, elle a appris à développer des stratégies qui fonctionnent. Elle saisit la recette et la lit plusieurs fois. Elle tente de raviver l'image du visage de Denise, ses formes, ses mains, ses gestes. Denise pelant les pommes. Denise pétrissant beurre et farine. Denise étalant la pâte. Mais elle ne distingue qu'une silhouette quelconque préparant une tarte dans une cuisine banale. Denise n'émerge pas à la surface de sa mémoire, pas plus que les contours de la ferme. Mais elle ne perd pas espoir. Elle relira la recette encore et encore, la confectionnera aussi et la dégustera autant que nécessaire. Elle replie la feuille en quatre et la range dans son sac à main. Elle s'endort troublée, entre confiance et dépit, avec une sensation étrange. Elle a peut-être eu une enfance bienheureuse, pendant quelques mois, quelques années, alors pourquoi cette impression de baigner en permanence dans un trou noir abyssal, impénétrable ?

# 31

Durant cette semaine de vacances, Franck apprivoise Julie, jour après jour. Fou d'amour à l'issue de ces quelques moments partagés entre deux services au restaurant, il lui propose de la rejoindre à Lyon pour qu'elle lui fasse découvrir la ville à la fin de sa saison à La Grande-Motte.

Fin septembre, il retrouve Julie qui s'est installée dans un petit appartement. Elle a décroché un contrat dans un cabinet d'avocats et démarre sa période d'essai. Il vient passer quatre jours auprès d'elle et il a loué une chambre d'hôtel pour ne pas la brusquer. Ils se rejoignent le jeudi soir, lorsque Julie a fini son travail. Il a réservé dans un bouchon, typique de la région où elle n'a jamais mangé malgré ces cinq années écoulées dans cette ville. Elle apprécie la visite de Franck. Elle découvre la satisfaction nouvelle de plaire à quelqu'un qui se démène pour la conquérir. Elle le considère différemment de cet été. Il a dit vouloir la revoir et il l'a fait, il s'est déplacé. Il est venu jusqu'à elle. Et il n'a même pas demandé à être hébergé chez elle. Il garde une distance courtoise tout en créant une intimité addictive. Il ne la presse pas de questions, respecte ses silences, la dévore des yeux quand ils se taisent. Il n'attend pas d'elle ce qu'elle est habituée à offrir aux hommes. Il veut plus. Il ne l'a pas dit, mais elle l'a compris. Ses actes parlent pour lui. Et c'est effrayant. Jusqu'à quel point est-elle capable de se donner ?

Lorsqu'ils sont attablés, Franck lui tend une boîte cartonnée, semblable à celles qui abritent des pâtisseries. Julie le regarde avec étonnement, sans oser la toucher.

— Pour moi ?

— Oui, vas-y ouvre !

Julie soulève le couvercle et découvre une tarte aux pommes. Elle lève des yeux ébahis vers Franck, avec un sourire.

— Ce n'est pas l'arme de séduction la plus pertinente, j'en ai conscience. Et ça peut paraître idiot d'offrir un gâteau à quelqu'un qu'on invite au restaurant. Mais avec ça, j'étais sûr de te faire plaisir.

Julie le remercie dans un murmure. La simple vue de cette tarte la bouleverse, éveillant dans son palais ces saveurs si spécifiques à son enfance. Cette attention la touche plus que n'importe quelle autre.

— Tu as essayé la recette que je t'ai donnée ?

— Oui, mais elle n'avait pas le même goût.

— La cuisine, c'est comme l'amour, Julie. Une alchimie d'ingrédients qu'il faut accorder avec minutie pour obtenir un résultat inoubliable.

— Donc ce n'est pas pour moi, conclut-elle avec empressement.

— Avec de la persévérance et de la précision, tout est possible. La patience est l'art de la réussite, dit-il avec un clin d'œil, lourd de sous-entendus. J'espère que tu apprécieras cette version, elle est identique à celle de cet été.

— Je l'espère aussi.

La jeune femme jette un dernier coup d'œil à ce cercle de pommes parsemées de cannelle avant de refermer la boîte. Elle dîne légèrement, gardant de la place pour la pâtisserie, qu'elle dégustera dès qu'elle sera de retour chez elle.

Il la raccompagne à son domicile à la fin du repas. Ils marchent, éclairés par les lumières de Lyon qui brille de mille feux. La rue est calme, seuls les bruits de leur pas résonnent. Julie, en tenue de bureau, juchée sur ses escarpins, domine Franck. Elle serre dans ses mains la boîte en carton, comme si elle détenait un trésor. Il dépose sa veste sur les épaules de sa belle lorsqu'il la voit frissonner. L'été s'éclipse sur la pointe des pieds, la fraîcheur nocturne s'installe délicatement, et la juriste n'a pas eu le temps de se changer avant leur dîner. Quand ils arrivent devant l'immeuble de Julie, elle fait glisser la veste d'une main.

— Garde-la, tu me la rendras demain.

— D'accord, merci.

— Tu auras le temps pour un déjeuner ?

— Je travaille beaucoup, alors ce sera repas sur le pouce.

— Pas de souci, je m'en occupe. Je t'attendrai en bas de l'immeuble de ton bureau à partir de midi trente. Quand tu seras disponible, rejoins-moi.

— Si tu veux.

Il fait un pas vers elle, lui caresse doucement la joue de sa paume chaude. Il la contemple de ses prunelles brillantes sous les lampadaires. Il ne peut se détacher de son joli minois. Quand ils sont ensemble, tout l'indiffère, il n'y a qu'elle. Il approche ses lèvres charnues de la bouche de Julie et y dépose un baiser si délicat et éphémère qu'elle n'est pas certaine qu'il ait existé. Il recule, puis il promène lentement son regard sur les traits fins de son visage, avant de plonger à nouveau dans les iris azur qui le fixent, entre désir et peur.

— Julie, je t'attendrai autant que nécessaire. Demain. Et les jours suivants.

Elle lui sourit. Il part sans espérer plus, sans demander ni exiger. Elle contemple la silhouette qui s'éloigne en direction de l'hôtel où il a loué une chambre, à quelques pas de là. Son ventre gémit déjà du manque de lui alors qu'il ne lui a offert que des étincelles d'amour.

Quand il tourne à l'angle de la rue, elle pousse la porte de son immeuble et se précipite chez elle. Ses escarpins volent dans l'entrée et elle se jette sur le canapé-lit, laissant glisser la veste de Franck sur le matelas en mousse. Elle remonte sa jupe sur ses cuisses et recroqueville ses jambes sous elle. Elle ouvre la boîte en carton et mord dans la tarte à pleines dents, l'espoir brusquant chacun de ses gestes. Elle déguste chaque bouchée avec un plaisir rare. Elle sait à cet instant que ce sera lui. Ces saveurs n'ont fait resurgir aucun doux souvenir cette fois, mais elles ont le goût du bonheur. Sans réfléchir, Julie enfile une paire de baskets, sort de chez elle et dévale les escaliers dans l'autre sens. Elle court jusqu'à l'hôtel, ralentie par sa jupe crayon qui limite ses mouvements. « Chambre 242 », il l'a placé de façon anodine dans la conversation. Comme s'il avait deviné que la femme impulsive qui habitait ce corps pouvait débarquer sans qu'il l'ait invitée.

Devant l'hôtel, Julie hésite quelques secondes. Si elle met un pied dans cet établissement, il ne s'agira pas d'une relation sans lendemain. Elle le sait déjà. Franck est doux, patient, attentionné et attentif, loyal, sincère, passionné. Sain. Franck n'est pas Christophe, ni Olivier, ni tous ceux qui ont croisé sa vie. Franck se soucie d'elle. Franck la désire, elle et aucune autre. Elle n'est pas interchangeable. Il lui donne la valeur qu'elle mérite. Franck la veut tout entière, avec ses ombres, ses sombres humeurs, sa

185

nostalgie, ses fantômes, ses silences. Franck et ses tartes aux pommes. Franck et ses sous-entendus *Quand tu seras disponible, rejoins-moi* ; *Je t'attendrai autant que nécessaire* ; *Chambre 242*. Franck, avec ses deux ans et ses deux centimètres de moins qu'elle. Franck et sa force, sa douce assurance. Franck et l'espoir qu'il éveille en elle.

Elle entre et, sans se soucier du réceptionniste, traverse le hall jusqu'à l'ascenseur. Son cœur cogne à tout rompre. Ses mains, moites malgré la fraîcheur, appuient sur le bouton de commande. Elle ne craint pas qu'il la repousse. Elle craint l'après, toutes les conséquences de sa décision de le retrouver. Tiraillée entre les nouvelles sensations qu'il éveille en elle et sa difficulté à s'attacher. Elle ne voudrait pas faire souffrir Franck, il ne le mérite pas. Et il pourrait être déçu lorsqu'il découvrira qui elle est vraiment. Se lasser de son instabilité, de ses excès, de sa froideur. La montée des deux étages qui les séparent durent une éternité. Elle sort de l'ascenseur et suit les flèches indiquant la bonne direction. Quand elle arrive devant le panonceau 242, elle frappe discrètement, décidée. La porte s'ouvre sans qu'elle ne l'ait entendu approcher, ses pas étaient étouffés par la moquette. Il est là, face à elle, seulement vêtu d'un bas de pyjama. Il la regarde sans surprise, il l'attendait. Elle l'a déjà vu torse nu à la plage, mais, dans l'intimité de cette chambre sombre, elle n'a plus de doute sur le désir qu'elle éprouve pour lui. Un désir sincère, avec une immense contrepartie : la promesse de lendemains. C'est plus qu'elle n'a jamais offert. Il lui tend une main, elle la saisit. Il la tire vers elle et referme la porte de son pied. Leurs visages ne sont plus qu'à quelques centimètres. Franck dépose son front contre celui de la jeune femme et murmure.

— Je ne veux pas d'une histoire d'un soir.

— Je sais.

Il la guide vers le lit moelleux, l'allonge et se place au-dessus d'elle. Il la regarde longuement, caressant ses cheveux, ses lèvres, ses paupières, l'arête de son nez. Elle le laisse œuvrer. Puis il déboutonne son chemisier et dépose de légers baisers sur son buste. Il finit de la déshabiller et ôte l'unique vêtement qu'il portait. Il l'embrasse à pleine bouche, mordant ses lèvres, sa joue, son cou. Un premier baiser empli de tout l'amour qu'il ressent déjà avant de se soumettre entièrement à elle. Julie fait l'amour pour la première fois de sa vie avec délicatesse, avec appétit. Au petit matin, elle se réveille dans les bras d'un homme qu'elle a choisi et désiré. D'habitude, elle s'éclipse à la fin du corps-à-corps. Ou bien, si elle est trop défoncée, ils sommeillent côte à côte, mais sans intention de se donner de la tendresse. Franck la regarde. Il lui sourit dès qu'elle ouvre les yeux. Elle n'a ni bien ni mal dormi. Dans la chaleur de ses bras, dans le cocon de cette chambre d'hôtel, elle a trouvé quelques moments d'apaisement nocturnes, entrecoupés d'éveils tourmentés.

— Bien dormi ?

— Ça va. Je dois filer.

— Attends ! dit-il en la retenant par un bras alors qu'elle pense déjà à s'échapper.

Elle se retourne vers lui.

— Oui ?

— Viens contre moi.

Julie reste immobile, au bord du lit.

— Ne pars pas comme ça. S'il te plaît. Julie, je…, hésite Franck, cherchant les mots justes. Ce n'est pas un jeu pour moi. Je tiens à toi. Beaucoup. Plus que ça encore, mais j'ai peur de te dire tout ce que je ressens. J'ai peur de te faire peur. Je ne te contraindrai pas, mais s'il te plaît, ne fuis pas comme si tu regrettais déjà ce qui s'est passé.

Il soutient le regard de la jeune femme qui semble le sonder.

— Je ne regrette pas. C'est juste que je ne suis pas habituée.

— Tu crois que tu pourrais t'habituer ?

— Je vais essayer. Je sais que tu es différent.

— Différent de quoi ?

— De ce que j'ai pu connaître.

— Tu veux m'en parler ?

— Non. Faut que j'aille travailler.

— Pas de souci. On se voit pour déjeuner ?

— Vers midi trente, comme convenu. Rassemble tes affaires, tu passeras le week-end chez moi.

Franck affiche un large sourire.

— Avec plaisir, si c'est ce que tu veux vraiment ?

— Oui, j'ai envie de partager du temps avec toi. Mais tu dois me promettre une chose.

— Tout ce que tu voudras.

— Je n'aime pas parler d'hier et je n'aime pas réfléchir à demain. Alors, ne me harcèle pas de questions sur le passé et ne me demande pas de construire des projets.

— Promis ! répond le cuisinier enthousiaste.

Il s'approche de Julie et l'embrasse fougueusement. La belle blonde se laisse aller sous la passion de cet homme conciliant. De baisers en caresses, avant qu'elle ne parte travailler, ils refont l'amour avec tout autant d'envie et de douceur que la veille.

Le soir même, Franck s'installe chez elle. Les quatre jours se transforment en une semaine, puis en un mois. Fin octobre, il doit partir à Courchevel pour la saison d'hiver où il a ses habitudes dans un restaurant qui monte. Il propose à Julie de le suivre. Il n'imagine plus vivre sans elle. La jeune femme, que rien ne retient à Lyon accepte. Elle s'est accoutumée à la présence bienveillante de cet homme qui ne l'envahit pas et respecte qui elle est. La vie de couple avec lui est plus simple que ce qu'elle avait envisagé et sa présence a quelque chose de rassurant. Elle rompt sa période d'essai dans le cabinet d'avocats et donne son préavis pour rendre l'appartement. En moins d'une semaine, elle plie bagage et suit Franck dans cette nouvelle vie en espérant que s'éloigner de Lyon, où elle n'a pas vécu de bons moments, permettra de lever le voile étouffant qui l'oppresse. Elle quitte la ville sans même prévenir Valérie, comme elle avait quitté Brive cinq ans plus tôt. En tournant radicalement la page.

# 32

**Domicile, jour 4** — Julie entend le réveil de Franck sonner. Elle n'a quasiment pas fermé l'œil de la nuit. Depuis l'accident, elle est passée du blanc total à une déflagration de souvenirs. Une infernale machine à remonter le temps a démarré et vampirise toute sa personne. L'amnésie qui avait constitué un refuge pendant trente-six ans symbolisait aussi une condamnation, une torture. Elle réalise que la déchéance dans laquelle elle a plongé à plusieurs reprises n'était qu'une réponse à une douleur muette, inconsciente. Et maintenant qu'elle le sait, le savoir est pire que l'ignorance. Ces images ont resurgi d'un coup, comme une détonation. Sa tête est prête à exploser. Elle est terrassée par ce qu'elle a vécu, par ce qu'elle a fait. Elle comprend que tout n'est pas encore clair, que des zones d'ombre subsistent. Mais elle a retrouvé sa maman. Elle la voit distinctement. Morte. Baignant dans le sang rouge sur le sol de la ferme. Elle se voit transporter son corps. Creuser sa tombe. Elle a collaboré avec le meurtrier. Une sidération soumise à une mémoire réappropriée.

Julie ne quitte pas la chambre de toute cette journée maussade. À travers les grandes baies vitrées, elle observe le jardin qui semble mort lui aussi sous l'emprise de l'hiver. De temps à autre, elle va sur la terrasse pour fumer une cigarette. Parfois, elle se rend aux toilettes pour vomir quand les images deviennent trop violentes. La tête de veau. Les yeux exorbités. La langue qui pendouille. Entre les deux, elle s'allonge, recherchant une protection sous la couette douillette. En vain. Son inconscient avait cadenassé ces horreurs à triple tour quelque part dans les tréfonds de sa mémoire. Mais il ne les avait pas enterrées pour toujours. Quand tout a resurgi, tout a explosé à l'intérieur d'elle. Elle s'est sentie se disloquer en mille morceaux. Elle est passée de l'état de survie au néant. Plus rien n'existe, ni elle, ni les autres. Sa vie est devenue une illusion. Des mensonges. Rien que des mensonges depuis trente-six ans. Un simulacre de vie ordinaire. Et à présent, elle se trouve dans un océan glacé d'où sa tête peine à émerger. Juste assez pour aspirer quelques bulles d'oxygène. Mais sans succès. Elle suffoque.

Sa mémoire trouée distille des morceaux de puzzles, certains très clairs, d'autres plus flous. Depuis quatre jours son cerveau balance des informations désordonnées. Un parfum floral, une senteur de rose. Puis une odeur d'urine. Un coup de feu. Son oie très blanche. Du noir, beaucoup de noir, des pièces plongées dans la pénombre. Et puis des rires, des tartes aux pommes. Le rouge du sang et le bleu des hématomes. Et lui ? Son visage à lui ? Il ne revient pas. Mais elle entend sa voix. Son ton surtout, cassant, strict, violent. Son excitation. Sa joie d'avoir trouvé le moyen de retenir Denise pour toujours. Une fois de plus, Julie a la sensation de sombrer dans la folie, mais cette fois, elle comprend pourquoi : son père a tué sa mère et elle l'a aidée.

Elle voudrait remettre de l'ordre dans toutes ces informations pour expliquer ce qu'il s'est passé mais elle le redoute tout autant. Quelles horreurs reste-t-il à déterrer ? Elle a vécu en ayant l'impression de ne pas être elle, de ne pas exister vraiment. Maintenant qu'elle a découvert une partie de son histoire, elle appréhende d'en apprendre davantage.

Elle entend frapper tout doucement à la porte.

— Maman ? l'interpelle Mély.

Julie ne répond pas. Elle n'a pas le courage de voir qui que ce soit.

— Je dépose un plateau-repas dans le couloir. Au cas où tu aurais faim.

Elle jette un œil au radioréveil : 13 h 30. Le temps qui passe n'a plus de sens. Elle entend les pas s'éloigner, puis revenir.

— Je t'aime maman.

« Je t'aime » n'a plus de sens. Plus rien n'a de sens. Une chanson ressurgit.

*« Plus rien n'a de sens, plus rien ne va*
*Tout est chaos*
*À côté*
*Tous mes idéaux, des mots Abîmés*
*Je cherche une âme, qui*
*Pourra m'aider*
*Je suis*
*D'une génération*

*Désenchantée* »

Elle comprend mieux pourquoi l'adolescente perturbée qu'elle était adorait autant cette chanson. Plus rien n'a de sens, sauf son mal-être qui se précise enfin. Cette asphyxie lancinante, ce voile permanent, ces fantômes envahissants. Ils prennent forme, s'habillent d'explications. Cette aliénation dans laquelle elle sombrait avec la peur de sa différence, d'être internée, d'être placée sous camisole chimique, cette aliénation était fausse. Elle n'était pas folle. Juste traumatisée. Profondément traumatisée. Au point de s'en prendre à elle-même. Parce que les douleurs qu'elles s'infligeaient ne représentaient rien en comparaison de la douleur psychique dans laquelle elle plongeait parfois.

Plus tard dans l'après-midi, Mély vient frapper une nouvelle fois. Julie ne répond pas, elle ne veut voir personne. Pas même ses enfants. Elle ne peut pas l'expliquer, mais c'est aussi simple que ça : plus rien n'existe. Excepté l'horreur des morceaux du puzzle. Elle est projetée trente-six ans en arrière. Elle habite le corps et l'âme de la petite Julie. Elle a huit ans. Elle est possédée par la violence d'une scène de crime. Elle se soumet à son bourreau parce qu'elle n'a pas d'autre solution. Elle se frappe la tête dans l'oreiller, s'insulte « Salope ! », « Garce ! », s'invective « Creuse ! Creuse je te dis ! ». Elle perçoit l'excitation de son père et la prend pour sienne. Elle ressent la douleur de ses petits muscles qui piochent cette terre boueuse, qui forcent pour accomplir cette tâche. Elle veut enterrer maman. C'est une bonne idée. Papa l'a dit. Elle se hâte, se soumet. Puis une autre scène. Du sang chaud lui gicle en pleine figure. Des plumes d'oie d'une blancheur maculée volent autour d'elle. Narcisse ! Son amie ! Mais Narcisse est morte et ça la réjouit. Narcisse est méchante. Narcisse les attaque. Sa mémoire traumatique la replonge dans son passé où tout ce qu'elle a vu, entendu, fait et ressenti, fusionne. Elle est incapable de différencier ce qui émane d'elle et ce qui émane de Roger. Ils ne font qu'un. Elle est un monstre. Ils sont des monstres. Tous les deux.

Une crise d'angoisse la saisit comme lorsqu'elle s'est découverte dans le miroir. Elle se met à pleurer intensément et peine à respirer. Elle ne peut maîtriser les secousses de son corps. Elle est effrayée par la puissance de ses sanglots, elle qui ne pleure jamais. Mais la douleur psychique est trop violente, elle ne peut pas la vaincre. Elle a déposé les armes et s'abandonne à toute la brutalité de ses ressentis, pendant près d'une demi-heure. Tout s'amalgame et tout s'emmêle. Comment savoir ce qui est vrai et ce qui est faux ? Et si son cerveau inventait ? En rajoutait ? En oubliait ? Quand elle se calme enfin, la nuit est tombée. Elle est submergée par la peur en ces lieux familiers et chaleureux. Elle prend conscience de son environnement. Elle est adulte, en sécurité dans une belle maison. Elle sort du lit pour ouvrir la baie malgré le froid extérieur. Elle s'accroche à la rambarde de la terrasse et s'arrime à elle comme à une bouée. Pourra-t-elle vivre demain comme ça ? Et après-demain ? Elle est en tee-shirt et en culotte, mais elle ne perçoit pas le froid de la fin de journée, indifférente à ses ressentis corporels liés au présent.

Elle revient dans la chambre, s'allonge et réussit à somnoler un peu, exténuée par tout ce qu'elle traverse depuis quatre jours. À son réveil, elle voudrait sortir, chausser ses baskets et courir à l'air libre pour respirer à pleins poumons, mais elle n'en a pas l'énergie et son corps est broyé. Aux douleurs physiques de l'accident de voiture s'ajoutent celles du passé. Elle n'est plus que l'ombre d'elle-même, cernée, livide, épuisée, tremblante. Elle regarde son poignet gauche. Elle caresse les lacérations. Elle a mal pour la petite fille qui a enduré pareilles horreurs. Elle a mal pour l'adolescente perturbée qu'elle était. Elle a mal pour la femme qu'elle est devenue, qui peine à aimer. Ces stigmates tangibles, palpables, ne sont que le reflet de tourments invisibles et ignorés durant toutes ces années. Comment continuer à vivre à présent qu'elle a conscience de l'ignominie qui a brisé son existence d'enfant ?

Certains cauchemars aussi prennent sens. Cette petite fille sans visage qui marche dans une traînée rouge. Les bruits des détonations qui la réveillaient en sursaut et en sueur de façon récurrente. Et cette petite fille séquestrée dans une chambre obscure qu'elle voit dans son sommeil, est-ce elle aussi ?

Quand Franck revient de Brive, il lui parle doucement, lui caresse le front, lui réaffirme son amour. Il continuera d'être là pour elle, elle le sait. Toutefois, elle ne sait pas si elle, elle le peut. Il se prépare et part pour sa journée de travail. Elle reste à nouveau seule. Seule comme elle l'a toujours été dans son cœur.

# 33

La semaine suivante, Franck a réussi à négocier ce repos tant espéré. Il veut épauler Julie durant cette période difficile. Il a travaillé d'arrache-pied au restaurant toute la journée du dimanche afin de préparer au mieux son absence. Il a très peu vu son épouse ces dernières heures. Mais nul besoin d'être devin pour capter la détresse dans laquelle elle se noie. Elle n'est plus que l'ombre d'elle-même. Habituellement active, à présent elle erre entre le lit et la terrasse de la chambre sans s'habiller. Elle mange encore moins que d'habitude d'après ce que lui ont dit les jumeaux. Et la cartouche de cigarettes achetée le jour de l'accident de voiture est déjà vide. Il ne lui a pas parlé de sa visite chez les Maury ni de l'article de presse. Quand ils se sont rencontrés, elle a exigé qu'il ne se montre pas intrusif s'il souhaitait la conquérir. Il a respecté cette demande qui s'est transformée en habitude. Aujourd'hui il veut comprendre tout autant qu'elle. Mais il ignore comment aborder le sujet. Julie n'est pas du genre à se confier sur ses états d'âme. Il sait que cela ne viendra pas d'elle. Il a besoin d'être épaulé dans sa démarche. Aussi, dès le lundi matin, il fait le forcing pour décrocher un rendez-vous avec le docteur Lemoine. Franck est discipliné. Quand il s'agit de se montrer convaincant pour obtenir quelque chose *a priori* inaccessible, c'est Julie qui s'y colle car il capitule facilement devant un « non ». Mais pas cette fois. Alors que la secrétaire de l'hôpital lui propose un rendez-vous dans dix jours, il exploite toute la force de persuasion dont il réussit à faire preuve quand il n'a pas d'autre alternative, comme lorsqu'il a séduit Julie. Il veut une rencontre aujourd'hui même. Question de vie ou de mort. Après quelques minutes de négociations ardues avec la secrétaire, il décroche un entretien avant le déjeuner.

Il passe la matinée auprès de Julie, cherchant à combler ses besoins, mais il n'arrive pas à la ramener au présent. Elle reste couchée et ne se lève que pour fumer. Alors il descend dans la cuisine et confectionne une tarte aux pommes. Il ne sait que faire d'autre pour lui prouver son amour et la réconforter. Mais même ça, elle n'en veut pas.

Quand l'heure du rendez-vous approche, il lui explique qu'il doit partir pour rencontrer le psychiatre de l'hôpital. Parce qu'il s'inquiète pour elle. Parce qu'il voudrait l'aider. Et qu'il a lui-même besoin d'aide pour y parvenir. Ses mots ne portent pas et indiffèrent Julie. L'appréhension fébrile de son époux ne l'atteint pas. Son amour et son soutien non plus. Tout n'est qu'obscurité et destruction dans son cœur. Un magma d'images, de senteurs, de sensations obsédantes d'un passé cruel prédomine. Elles l'essorent à tout moment, de jour comme de nuit. S'imbriquent et se défont. Brutalisant la jeune femme. Ces flash-backs la replongent à chaque fois dans l'horreur du meurtre de sa mère et la déconnectent de la réalité. Il lui est difficile de les accepter, impossible de les digérer. Après avoir passé trois jours à l'hôpital dans un mutisme complet, figée dans son corps, Julie est à présent ballottée par-à-coups dans les dédales de ses souvenirs. À chaque fois que sa mémoire trouée balance une information, le ressenti physique devient prégnant, déclenchant une crise d'angoisse, des pleurs, une sensation d'étouffement qui paraît la mener jusqu'à la mort. Elle aimerait tout savoir mais appréhende de découvrir pire que ce qu'elle a déjà appris. Mais elle comprend que les informations sont lacunaires. Et elle comprend aussi qu'elle ne décide de rien. Elle ne peut ni provoquer ni empêcher les réminiscences. Elle ne peut pas davantage maîtriser la cavalcade des souvenirs qui martèlent sa tête. Elle est à leur entière merci. Elle ne peut les effacer. Et elle ne sait ce qui est le pire. Devoir vivre sans savoir ou vivre tout en sachant ? Elle a été transférée de la prison de l'ignorance au cachot des résurgences. Franck veut l'aider et s'en donne les moyens, mais elle, le veut-elle vraiment ?

Son époux quitte la maison, inquiet à l'idée de la laisser seule. Les jumeaux sont à l'école. Ils étaient à ses côtés ce week-end pendant qu'il travaillait, même si elle est restée enfermée dans sa chambre. Mais ce rendez-vous est primordial. Il en espère beaucoup. Il tourne un moment avant de repérer une place dans le parking bondé. Il presse le pas pour arriver à l'heure. Lorsqu'il se présente à l'accueil, la secrétaire lui demande de patienter en salle d'attente où se trouvent déjà plusieurs personnes. Il se lève régulièrement de sa chaise, fait quelques allées et venues dans le couloir. L'ambiance oppressante des hôpitaux accroît son inquiétude quant à ce que pourrait faire Julie en son absence. Quand il se rassoit, il tambourine nerveusement du pied sur le sol, sort son téléphone de sa poche, le consulte tout en regardant l'affichette qui proscrit l'utilisation des portables. Il le range. Le ressort quelques minutes plus tard pour le ranger à nouveau. Il saisit un magazine froissé et datant de plus d'un an sur la table basse, le feuillette sans le lire, incapable de dire de quoi il parle puis le repose aussi rapidement. Bientôt une heure qu'il patiente. Quand arrive son tour, il ne masque pas son soulagement. Il suit le médecin jusque dans son bureau où il s'assoit sans attendre d'y être invité.

— Monsieur Clénan, vous vouliez me voir pour une raison urgente, c'est ça ?

— Oui

— Je vous écoute.

Franck lui résume ce qu'il a découvert lors de la visite chez les Maury et lui donne la coupure de presse qu'il a emportée. Il lui fait part de sa grande inquiétude au sujet de l'état mental de Julie. Le psychiatre l'écoute attentivement, enfoncé dans son fauteuil, bras croisés, en levant parfois son regard au plafond comme pour intégrer les propos de Franck qu'il commente avec des « Hum, hum », « Je vois ».

— Je vous ai tout dit, maintenant j'ai besoin de comprendre ce qu'elle vit, de savoir ce que je dois faire pour l'aider.

— Bien, dit le médecin en avançant son buste vers le bureau. Votre épouse est en état de stress post-traumatique comme nous l'avions envisagé lors de son hospitalisation. On en est certains maintenant vu ce que vous m'avez rapporté. Elle a vécu un traumatisme complexe dans son enfance et elle s'en souvient, sans doute partiellement, suite à son accident de la route. Le choc a réveillé la mémoire d'un autre choc vécu trente-six ans plus tôt. À un jour près. C'est fascinant, ajoute le psychiatre plus pour lui-même qu'à l'intention de Franck.

— Vous voulez dire que, pendant toutes ces années, Julie ignorait tout de ce qui s'était passé ? Elle ne mentait pas quand elle disait que sa mère était morte d'un cancer et qu'elle n'avait jamais eu de père ?

— Très probablement.

— Expliquez-moi : comment on peut oublier avoir vécu des évènements comme celui-ci ?

— Le souvenir est inaccessible à cause d'une dissociation qui s'est opérée au moment du traumatisme, parce que le cerveau de la victime a mis en route des mécanismes neurobiologiques de sauvegarde. La sidération du …

— Excusez-moi, l'interrompt Franck, je ne comprends rien à votre jargon.

— Pour l'expliquer simplement, le cerveau disjoncte au moment du traumatisme, pour préserver la victime de la terreur et du stress extrême provoqué par les violences. La personne est alors déconnectée de ses émotions et de sa mémoire. Elle est anesthésiée et vit l'évènement à distance, comme si ce n'était pas elle. Par conséquent, elle ne réagit pas de façon adaptée, par exemple en cherchant à fuir ou à se protéger. Elle n'intègre pas non plus l'expérience consciemment, comme faisant partie de son vécu. Vous me suivez ?

Franck opine. Le médecin reprend.

— L'amnésie peut être partielle ou totale et durer des mois, voire des années comme dans le cas de votre épouse. Plus la victime est jeune, plus les violences sont importantes et répétées, plus il y a de risques qu'elle se dissocie et n'enregistre pas les drames vécus. La remontée brutale des souvenirs a généralement lieu quand la victime n'est plus exposée à son agresseur ou quand elle vit un changement radical, un bouleversement émotionnel, qui provoque un choc. Entretemps, il y a souvent eu des éléments sensoriels qui sont revenus en mémoire. Ce qu'on appelle les flash-backs et qui peuvent être liés à une odeur, une image, un bruit, une chanson, un film, sans que la personne puisse toutefois rattacher ces ressentis à une expérience personnelle. Ces ressentis rallument la sensation de danger. La victime met alors en place des stratégies d'auto-traitement, généralement destructrices, comme les automutilations, la drogue, les situations de violence, la dissociation, afin de s'anesthésier.

— Parfois, Julie a des comportements étranges, elle ressent des choses, mais sans pouvoir les lier à des souvenirs concrets. J'imagine que c'est ça les flash-backs ?

— Très probablement. Il faudrait qu'elle me l'explique pour que je puisse vous le confirmer.

— Elle a du mal à s'attacher aux gens, elle a des douleurs répétées, des cauchemars. Elle remet toujours tout en question, veut changer sans arrêt de travail, de ville. Elle ne se pose jamais, elle court beaucoup, fume beaucoup, travaille beaucoup, achète des quantités de vêtements, de maquillage. C'est comme si elle avait peur de s'arrêter, même un moment. Vous croyez que c'est lié à ce traumatisme ?

— Oui, sans aucun doute. La personne traumatisée a énormément de mal à se sentir en sécurité, elle est en permanence en état d'hyper vigilance, redoutant le pire, mais sans savoir pourquoi. Sa vie est un enfer et, pour contrer ce sentiment de peur permanente, la victime développe tout un tas de stratégies de contrôle, de conduite d'évitement, pour ne pas réveiller la mémoire traumatique. Et puis les traumas de l'enfance créent des troubles psychologiques et émotionnels très handicapants, notamment dans les relations aux autres, dans la gestion des émotions. Vivre avec une amnésie traumatique, c'est continuer à organiser sa vie comme si le traumatisme était toujours là, tout en ignorant qu'on l'a vécu. Chaque nouvelle rencontre, tout nouvel évènement est contaminé par le passé, à l'insu de la victime. Donc, imaginez les séquelles pour votre épouse, même si vous ignorez beaucoup d'éléments.

— Je comprends. Julie laisse toujours cette sensation qu'elle est différente de nous, qu'elle appartient à un autre monde, qu'elle est froide. À présent, je comprends mieux son fonctionnement.

— Vous parliez de ses excès, avez-vous connaissance de conduites à risque ?

— Pas que je sache, mais comme vous m'avez appris qu'elle s'automutilait, il y a sans doute bien des choses que j'ignore. Pourquoi ?

— Dans la plupart des cas, on relève des problèmes de comportement, de concentration, de sommeil, d'abus de substances et de dépression. Il y a aussi une tolérance plus élevée à la violence, à la douleur, qui met la victime en situation de danger plus fréquemment qu'une personne non traumatisée, en utilisant les mécanismes de dissociation. Quand l'amnésie est levée et que la victime se souvient de tout ce qui s'est passé de manière subite, le risque de suicide augmente.

— Vous voulez dire que Julie pourrait se suicider ?

— C'est une éventualité qu'on ne peut pas négliger. Elle est en train de vivre des moments d'une extrême violence psychique. Elle a vécu des faits graves, le meurtre de sa mère, les abus sexuels sans doute répétés. Elle se retrouve actuellement dans un état de détresse identique à celui qu'elle a connu à l'époque des faits, suite à la levée de l'amnésie.

— Mais je ne veux pas la perdre ! s'exclame Franck, ouvrant de grands yeux apeurés derrière ses lunettes. Aidez-moi à l'aider, je vous en prie.

— A-t-elle déjà fait des tentatives de suicide par le passé ?

— Pas à ma connaissance.

— Dépression ?

— Non plus.

— Depuis votre retour à domicile, a-t-elle évoqué l'envie de mourir ?

— Pas devant moi en tout cas.

— Bien. Quoi qu'il en soit, il lui faut des soins. Il est essentiel de la rassurer et de la sécuriser en cette période de remontée de souvenirs.

— J'ai pris une semaine de congés pour être auprès d'elle.

— C'est parfait Monsieur Clénan. Mais insuffisant. Et sachez que vous ne pourrez pas la sauver si elle-même ne désire pas s'en sortir. Je sais que ce que je vous dis est extrêmement dur, mais je préfère que vous soyez lucide sur la situation à venir.

— Mais elle peut guérir ? implore Franck.

— Pas exactement, affirme le médecin. On ne parle pas d'une blessure physique, mais d'une blessure psychique. On peut traiter la mémoire traumatique pour apprendre à vivre avec. Ça peut prendre du temps, ce qui implique des perturbations plus ou moins importantes dans son comportement, ou la dépression par exemple, avant de pouvoir intégrer le traumatisme et le transformer en un évènement de vie compris et accepté. Plus sa capacité de résilience sera élevée, plus l'accompagnement sera adapté, meilleures seront les probabilités de traiter le traumatisme. Dans son malheur, votre épouse a une chance. C'est qu'on commence à comprendre un peu mieux tous ces mécanismes de trauma et d'amnésie. Tous les professionnels n'y sont pas correctement formés, mais il en existe. Avec un bon accompagnement et votre soutien, ses chances de surmonter cette période existent, mais la route sera longue et il faudra accepter que des moments difficiles jalonnent ce chemin.

— D'accord, ça me rassure d'envisager que c'est possible, et j'ai besoin d'y croire. Je suis prêt à affronter les difficultés qui se présenteront. Est-ce que vous croyez que rencontrer sa famille d'accueil pourrait l'aider ?

— Oui et non. Encore une fois, seule madame Clénan a la réponse. Les rencontrer peut être salvateur ou au contraire destructeur. Tout dépend de ce qu'ils ont à lui apporter et de ce qu'elle est prête à recevoir. À ce jour, avez-vous connaissance des souvenirs qui ont refait surface ?

— Non, je n'en ai pas discuté avec elle. Je ne sais pas comment aborder le sujet.

Las, Franck retire ses lunettes pour se frotter les yeux quelques secondes avant de les remettre en place sur son nez. Il regarde derrière le store aux lames abîmées puis fixe à nouveau le médecin, en un SOS muet.

— Je suis perdu Docteur.

— Je sais que vous espériez des réponses concrètes, mais je n'en ai pas à vous donner. Chaque histoire diverge, chaque patient est différent. Mais une chose est indéniable. Votre épouse a besoin de soins. Ne la laissez pas affronter seule ses traumatismes. Si elle montre des tendances suicidaires, une hospitalisation peut s'envisager pour la protéger.

— J'espère ne pas en arriver là. Qu'est-ce que je peux mettre en place ?

— Il faut qu'elle consulte un psychiatre, éventuellement un psychologue. De préférence quelqu'un formé en psychotraumatologie. Et c'est le professionnel qui décidera de la prise en charge adaptée.

— Il va lui donner des médicaments ?

— Un psychologue ne peut pas prescrire de médicaments. Ce n'est pas un médecin. Les médicaments sont nécessaires pour soigner l'état dépressif, les insomnies le cas échéant, mais ne sont pas utiles pour traiter la mémoire traumatique, donc là aussi, c'est au cas par cas.

— D'accord, merci pour ces explications.

— Souhaitez-vous que nous fixions un rendez-vous avec votre épouse ou préférez-vous consulter quelqu'un d'autre ?

— Je vous rappellerai. Il faut d'abord que je parle avec Julie pour la convaincre de vous rencontrer.

— Bien sûr, mais ne traînez pas. Vu ce que vous m'avez raconté, votre femme est actuellement en état de détresse intense, il faut agir. Vite. Que ce soit avec moi ou un autre professionnel. Et ne vous négligez pas. Vous allez vous aussi être confronté à l'horreur du vécu de votre épouse et vous allez être très sollicité sur le plan émotionnel. Ça a d'ailleurs déjà commencé avec ce que vous a appris la famille d'accueil. Vous ne pourrez pas tout porter seul à bout de bras. Demandez aussi l'aide d'un psy pour vous accompagner et vous soutenir dans ce que vous traversez actuellement. Et préservez vos enfants au mieux. Connaître les souffrances endurées par leur mère peut être destructeur pour eux aussi.

— Merci pour le conseil.

Les deux hommes se lèvent, le médecin fait le tour du bureau et s'approche de Franck, en lui tendant la main.

— Courage, Monsieur Clénan. Et n'hésitez pas en cas de besoin.

— Merci. Merci beaucoup Docteur, dit Franck, en lui serrant chaleureusement la main.

# 34

Franck sort anéanti de cette discussion. Avec les jours, la sidération et le déni se sont mués en une rage sourde. Et les propos du médecin n'ont fait qu'accroître cette émotion. Il voudrait tout envoyer valser. Il laisse échapper un juron d'impuissance et frappe un panneau de signalisation du poing. Il n'a pas envie de chuchoter sa colère. Une infirmière qui termine son service s'approche de lui, sous l'indifférence des autres passants. Elle, elle a l'habitude. La douleur, le sentiment de désarroi, l'emportement, c'est son quotidien. Il vient sans doute d'apprendre la maladie incurable d'un proche. Ou la sienne.

— Monsieur, vous avez besoin d'aide ?

— Non. Désolé, ça va aller. Merci, s'excuse-t-il en s'éloignant.

L'homme serein et optimiste qui le caractérise se dissout sous le poids de la colère et de l'incompréhension. Pourquoi elle ? Pourquoi eux ? Il se frotte les yeux sous ses lunettes, puis apaise sa respiration en soufflant bruyamment et en marchant lentement jusqu'à sa voiture. Il souhaiterait réduire en pièces celui qui a brisé le destin de son épouse adorée. Quelle ordure cet homme ! Josy avait bien raison quand elle faisait référence à un monstre dans son dernier courrier. Il s'en veut de n'avoir jamais rien soupçonné. Il en veut à Julie qui ne s'est jamais confiée sur ses douleurs, ses cauchemars. Si elle avait partagé avec lui l'étendue de sa souffrance, il aurait pu deviner que quelque chose ne tournait pas rond. Il envoie un coup de pied dans le pneu de sa voiture avant de grimper dedans. Il ne se reconnaît plus. Ses capacités à se contrôler semblent s'être évaporées. Cette histoire les détruit tous. Franck enrage à la pensée de cet homme, de ce père tortionnaire, de ce bourreau qui a brisé la vie de sa femme, et qui peut, par boomerang, dévaster celle de ses enfants. Il voudrait le broyer à son tour, mais il ne connaît rien de lui, excepté son nom et son prénom grâce à la coupure de journal. Il mérite de payer. Dix ans de prison, ce n'est pas assez. Il faudra qu'il songe à se renseigner sur les moyens mis à sa disposition pour qu'il soit reconnu coupable de ce qu'il a fait à Julie. Il a été jugé uniquement pour le meurtre de son épouse.

Avec bien trop de clémence de la part de cette justice qui n'en porte que le nom. Julie n'a pas été reconnue comme victime dans cette histoire. Alors qu'elle en paye le prix fort depuis trente-six ans. C'est inacceptable. Et elle qui a fait des études de droit… Ce n'est sans doute pas un hasard, même si elle n'a pas choisi d'être avocate et de défendre ceux qui en ont besoin.

Sur le chemin du retour, il pense aux propos glaçants du médecin. Connaissant les risques, il ne peut plus reculer. Il va tenter d'ouvrir la porte des fantômes de Julie, avec ce qu'il sait et ce dont elle se souvient. Personne ne sait exactement ce qu'elle a vécu. Mais il refuse de laisser l'amour de sa vie dériver. Il luttera avec elle et fera tout ce qui sera en son pouvoir pour la ramener à la surface pour lui insuffler peu à peu le goût de la vie. Si Julie venait à disparaître, il ne s'en relèverait pas. Il n'a pas d'autre alternative que de lui retirer le respirateur artificiel auquel Daniel a fait référence et de lui apprendre à respirer avec ses poumons. Puisqu'il est confronté aujourd'hui à une situation qu'il n'aurait jamais envisagée comme possible il y a une semaine encore, alors il va la prendre à bras le corps. Pour elle, pour eux.

Parvenu à leur domicile, il descend de la voiture et se rend directement à l'étage. Le début d'après-midi est entamé, mais il n'a pas faim. Il doit parler à Julie. Il ouvre la porte de la chambre le cœur battant. Dans quel état va-t-il la trouver ? Elle est assise sur le lit, balançant son corps d'avant en arrière, agrippant sa tête entre ses mains, en proie à une nouvelle scène de violence. La baie vitrée est ouverte et, malgré le chauffage, il fait froid dans la pièce. Il s'empresse de la fermer et rejoint son épouse sur le bord du lit. Il la presse doucement contre lui, en prenant garde de ne pas réveiller les douleurs liées à l'accident de la route, sans un mot. Elle ne se débat pas. Lorsqu'elle cesse ses mouvements, elle serre à son tour Franck à la taille et s'effondre en sanglots. La faiblesse qu'affiche Julie angoisse Franck. Julie la forte, une tromperie. Saura-t-il l'épauler comme il se doit ? Il caresse ses cheveux, la cajole, lui dit combien il l'aime. Il réaffirme son soutien dans un murmure. Quand elle se calme, il engage la conversation, presque dans un chuchotement, comme pour ne pas la brusquer.

— J'ai rencontré le docteur Lemoine. Tu sais, le psychiatre que tu as croisé à l'hôpital il y a quelques jours.

Julie hoche la tête.

— Je lui ai expliqué ce qui se passe. J'ai appris ce que tu as vécu mon amour.

La voix de Franck se brise. Des larmes brouillent sa vue. Il ne doit pas flancher. Mais comment raconter toute cette horreur en restant de marbre ? Julie le regarde en silence, les yeux remplis d'effroi.

— J'ai aidé mon père à tuer ma mère, ajoute-t-elle, paniquée.

— Ne dis pas ça, s'il te plaît, ne dis pas ça. Tu avais huit ans, tu étais sous son emprise. J'ai rencontré ta famille d'accueil, les Maury, ils m'ont dit qu'il abusait de toi.

— Il me violait ?

— Oui. Non. Enfin, je… je ne sais pas mon amour.

L'annonce de Franck lui fait l'effet d'un coup de poing en pleine figure. Comme si elle n'avait pas eu assez d'images écœurantes, de nouvelles réminiscences surgissent. Elle distingue enfin le visage de son tortionnaire. Calé sur elle. Elle est nue, couchée à même le parquet. Ses coups de reins. Ses cheveux bruns et sa moustache. Sa gorge d'enfant qu'il maintient fermement au sol, entravant sa respiration. Ses menaces. Son râle puant. Puis le visage de Christophe se superpose à celui de Roger. La rue sombre. L'odeur de téquila. Vlan ! Une autre vision, celle de la petite fille enfermée dans une pièce ténébreuse. C'est elle et son carré mal taillé. Les douleurs dans son bas-ventre. Sa petite main qui dessine des croix sur un calendrier. La solitude dans cette chambre obscure aux relents d'urine. Julie se débat et frappe Franck sans réaliser que c'est son époux qui essuie ses coups. Elle hurle, elle veut sortir de ce cauchemar. Franck prononce son prénom, mais elle ne l'entend pas. Des images obscènes la saisissent. Elle fait l'amour avec quatre hommes en même temps alors qu'elle a vingt ans. Ils l'insultent, ils la frappent, elle se soumet, turpide, impassible. Elle est ivre, droguée et obéit à leurs ordres de débauchés. Puis le visage de la petite Julie prend la place de celui de la jeune femme qu'elle était. Elle n'a jamais voulu ça. Non. Elle ne le souhaitait pas, même si elle ne s'y opposait pas. Elle n'a jamais désiré toutes ces relations dégueulasses, vicieuses, malsaines. C'était la fillette, docile, assujettie, qui se pliait aux exigences de ces mâles pervers. La douleur sillonne son estomac, le laboure jusqu'à faire remonter le fiel. Elle vomit sur Franck, sans avoir le temps de courir aux toilettes. Ses soubresauts la ramènent à la réalité du moment présent.

— Pardonne-moi mon amour. J'ignorais que tu ne savais pas.

Julie le dévisage, hagarde, des hoquets entravant sa respiration. Franck l'approche de son épaule.

— Je suis tellement désolé. Je n'ai pas les mots pour t'aider, pour te dire à quel point je souffre pour toi. Mais on va y arriver. Est-ce que tu le veux ?

Julie relève sa tête de l'épaule de son époux. Elle le fixe en silence avant de se lever. Puis elle se rend dans la salle de bain attenante et ouvre les robinets de la douche à fond. Elle enlève ses quelques vêtements et reste de longues minutes sous le jet, sans se soucier de son bras plâtré, pour se débarrasser de toute cette infection. Ce cauchemar ne finira donc jamais. Qu'a-t-elle encore à découvrir ? Ainsi son père la violait. Comme sans doute bien d'autres après, car elle a rarement consenti à une relation. Elle repense à ses rapports troubles avec la sexualité. Elle n'a jamais aimé faire l'amour, excepté le premier mois avec Franck. Depuis elle se force, ou le repousse, ou *a contrario* il n'arrive pas à la rassasier. Elle alterne hyper et hypo-excitation. Mais ils n'en ont jamais parlé. Franck avait peu d'expérience dans le domaine quand il se sont connus, peut-être pensait-il que toutes les femmes étaient comme ça ? Et même si Julie n'a jamais abordé ce sujet avec qui que ce soit, elle sent bien que son fonctionnement n'est pas conforme à la norme. Tout comme sa difficulté à aimer. Y compris ses propres enfants.

Qu'avait-elle fait de si horrible pour mériter d'être ainsi punie par Roger ? Et Denise, la douce Denise, pourquoi l'avait-il tuée ?

Depuis quelques jours, elle se souvient de sa maman attentionnée, aimante. Elle se revoit rire avec elle et cuisiner ces fameuses tartes aux pommes que Franck reproduit à l'identique. Elle ne distingue pas nettement son visage, mais elle en devine les contours, tout comme elle a retrouvé son odeur et la mélodie de sa voix chantante. Elle sait que sa maman l'aimait profondément et se souciait d'elle. Un rai de lumière dans la terreur de ces années noires réapparues. Une maigre compensation, mais une compensation quand même. Savoir que l'on a été désirée et choyée par au moins l'un de ses deux parents. Julie ferme le robinet et sort de la douche. Elle s'essuie rapidement et enfile à demi un peignoir. Franck a changé ses vêtements, les draps du lit et aéré la pièce. Il vient vers elle, attache le peignoir autour de sa taille, l'ajuste sur ses épaules et lui enlève une mèche collée sur son front.

— Pardonne-moi, je m'en veux terriblement.

— Je m'en serais souvenu un jour.

Franck attrape sa main et la tire vers le fauteuil crapaud disposé à l'angle de la vaste chambre. Il l'assoit et s'accroupit face à elle.

— Mon amour. On a besoin d'aide. Je t'aime, ma vie ne serait rien sans toi et j'ai envie qu'on s'en sorte tous les quatre. Le docteur Lemoine m'a expliqué l'état de détresse dans lequel tu dois être en ce moment. Tu es en train de revivre tout ce que tu as vécu à cette époque. Il m'a précisé comment ta mémoire avait tout bloqué.

— Il m'a obligée à lui dire au revoir, l'interrompt Julie.

— Pardon ?

— Mon... mon père. Enfin... lui. Il a tué ma mère et il m'a obligée à lui dire au revoir. Et j'ai creusé sa tombe. Avec lui.

Franck tourne la tête de droite à gauche en signe d'incompréhension. Il serre plus fort les mains de son épouse. Il est écœuré par la teneur de ses propos, mais également surpris. Julie ne se confie jamais. Il l'interprète comme un signe encourageant, comme la volonté de se débarrasser de cette épouvante.

— Quelle horreur ! Je ne sais pas quel père digne de ce nom peut infliger ça à son enfant.

— Je sais pas ce que j'ai fait pour qu'il m'en veuille à ce point.

— Rien, tu n'as strictement rien fait de mal. Tu m'entends ? Tu n'es pas coupable et tu n'as pas à t'en vouloir. Tu es une victime mon amour, une victime.

Julie ne répond pas. Franck reprend.

— Il faut que tu rencontres le médecin. Il faut qu'il t'explique tout ça, qu'il t'aide à comprendre ce que tu traverses et tu verras que tu n'es coupable de rien du tout. Je vais prendre rendez-vous avec lui.

Franck réalise le degré de violence de ces évènements traumatisants. Il ne peut pas laisser le choix à Julie d'être suivie ou pas. Il compose aussitôt le numéro du médecin et demande une rencontre dans les plus brefs délais. La secrétaire, qui a reçu des consignes sur le caractère urgent de la situation, leur propose une consultation pour le lendemain en fin d'après-midi. Franck est soulagé, il informe Julie de la bonne nouvelle. Cette dernière reste indifférente, noyée dans sa souffrance.

# 35

Franck a laissé Julie se reposer dans la chambre. Il s'affaire en cuisine où il mitonne de bons petits plats pour tenter de régaler son épouse. Des topinambours, des panais, des carottes, des crosnes, des têtes de chou romanesco, une poêlée de légumes qu'elle aime, agrémentée d'oignon, d'ail et de persil. Le cuisinier s'est adapté au régime végétarien de sa femme et a appris à créer pour composer de quoi la combler, même *a minima*. Et pour ce soir, il préparera des hamburgers et des frites maison, menu spécial ados. Il devra annoncer aux jumeaux la période éprouvante que traverse leur mère. Hugo ne paraît pas trop soucieux. Mély pose davantage de questions. Franck a simplement dit la vérité : il n'est pas en mesure d'expliquer ses difficultés actuellement. Leur menu favori les aidera peut-être à avaler la pilule. Leur histoire de famille est brisée en plein vol. Il pense au futur, à leur capacité ou incapacité à affronter cela. Il a entendu parfois des histoires de féminicides, d'enfants abusés, et autres violences familiales renvoyées par la télévision en bruit de fond. Mais ça ne le concernait pas. Ces horreurs appartenaient à des sphères étrangères, loin de son existence, lui, qui avait été élevé dans une famille aimante. Avec Julie, il avait continué ce schéma même si le parent poule du couple, c'était lui. Lui qui pansait les bobos, recueillait les confidences, aidait aux devoirs. Il n'a jamais tenu rigueur à Julie de sa froideur vis-à-vis de leurs enfants. Mais il a conscience que son manque d'affection a pu les blesser. Mély partageait parfois sa peine de ne pas avoir une maman aussi douce que celles de certaines de ses copines. Peut-être que leurs enfants souffraient davantage de l'attitude distante de leur mère qu'il ne l'avait envisagé ?

Il allume un feu de cheminée dans le vaste salon ouvert sur la cuisine puis il retourne dans la chambre. Il propose à Julie, toujours alitée, de descendre pour manger en tête à tête avec lui. Elle accepte sans bruit. Malgré l'heure déjà avancée, ils n'ont guère faim, l'estomac noué par l'angoisse et la douleur. Julie s'installe sur le tabouret de l'îlot central, face à Franck, son bras plâtré déposé sur le bar. Avec leurs emplois du temps surchargés, il réalise qu'ils n'ont pas partagé un déjeuner à deux à la maison depuis des mois... des années même. Il aura fallu un drame pour arrêter leur course effrénée et les remettre face à face. Julie picore, mais cela suffit à ravir le cuisinier puisqu'elle mange toujours peu. La musique en bruit de fond occupe l'espace. Franck ne sait plus ce qu'il doit dire ou taire. Il ne tient pas non plus à discuter de la pluie et du beau temps comme si de rien n'était. Julie promène sa fourchette dans la jardinière de légumes d'hiver. Elle est plongée dans ses pensées. Elle semble si pâle sous le soleil hivernal qui baigne leur maison. Franck se lève et s'approche de son épouse. Il la serre tendrement contre lui. Il ne supporte pas de la regarder souffrir en silence.

— Je t'aime et je veux tout endurer avec toi. Je veux que tu t'autorises à tout me dire, quelles que soient les horreurs que tu aies à partager.

Julie lâche sa fourchette et colle sa tête contre le buste de son époux. Franck, peu habitué aux élans de sa femme, apprécie qu'elle ose se laisser aller. Suite aux propos du psychiatre, il n'a qu'une peur : qu'elle se cadenasse, choisisse de tout affronter seule dans sa carapace, et y succombe.

— C'est si difficile.

— Je ne peux que l'imaginer, mais avec ce que je sais déjà, je suppose que tu as vécu des choses dégueulasses. On va traverser des moments pénibles, mais on en verra le bout. Ne doute jamais de moi, de mon amour.

— Je n'en ai jamais douté. Je ne sais pas si ce sera suffisant.

— Est-ce que tu as envie de parler de ce dont tu te souviens ?

Julie se détache de son mari avant de répondre.

— Non. J'ai envie de prendre l'air.

— Je t'accompagne ?

— Oui. J'ai peur de rester seule.

Son époux n'en revient pas. Jamais elle n'avait jamais exprimé la moindre peur. Julie la fonceuse. Julie l'enfant brisée, qui a appris à tout surmonter sans soutien. Julie qui semble desserrer ses chaînes.

— Allons-y.

Sans avoir goûté au dessert ni débarrassé la table, il se rend à l'étage pour chercher un survêtement pour sa femme qui est toujours vêtue d'un simple peignoir. Il l'aide à s'habiller dans la cuisine, puis ils gagnent le hall d'entrée. Ils enfilent des baskets, récupèrent leurs vestes accrochées au porte-manteau et sortent. Julie allume une cigarette. Franck empoigne la main de son épouse dans la sienne, assuré, solide, droit. Ils avancent doucement dans l'allée, les hématomes ralentissant Julie dans sa marche. Le ciel est dégagé, comme très souvent dans le Sud de la France, et ce, quelle que soit la saison. Ils s'orientent vers les étangs au bord desquels Julie aime aller courir. L'eau l'apaise. La nature en sommeil apporte de la sérénité. Tout est calme. Tout vit au ralenti. Elle expire la fumée longuement.

— Ça va ?

Elle hausse les épaules. Elle s'est refermée, Franck n'insiste pas. Ils prolongent leur balade pendant plus d'une heure. Le vent se lève, battant les roseaux qui s'élèvent sur le chemin. Ils marchent en silence, seul le bruit du briquet crépite entre eux de temps à autre. Quand ils regagnent leur domicile, Julie retourne aussitôt dans leur chambre. Franck rajoute une bûche dans la cheminée, puis range et nettoie la cuisine. Il a décidé de faire des recherches sur internet suite à tout ce que lui a appris le docteur Lemoine, pour mieux comprendre le mécanisme de l'amnésie traumatique. À peine est-il installé dans le bureau, dont la baie vitrée donne sur l'allée, que la porte d'entrée claque.

— Hello dad ! lance Hugo qui a aperçu son père devant l'ordinateur depuis l'extérieur.

Franck se lève et les rejoint dans le hall. Mély l'embrasse et demande, anxieuse :

— Maman est là ?

— Elle se repose, répond-il en désignant l'étage de son menton.

— Comment elle va ?

— Elle va bien ma Mélette, ne t'inquiète pas.

— Tu es sûr ? Parce que je n'ai jamais vu maman ne pas travailler, ne pas bouger et rester enfermée dans sa chambre.

Hugo écoute la conversation de loin, il s'est rué sur les placards à la recherche de biscuits.

209

— On en parlera après.

— Pourquoi pas maintenant ? insiste l'adolescente.

— Tu goûtes, tu fais tes devoirs et ce soir je vous explique tout en dînant, d'accord ?

— Je peux aller la voir ?

— Bien sûr que tu peux !

Mély se précipite vers la chambre parentale. Elle frappe discrètement et entre sans attendre de réponse. Sa mère est assise dans le fauteuil crapaud, en train de lire. La jeune fille se dirige vers elle et dépose un baiser sur sa joue.

— Tu vas bien ?

— Oui.

— Qu'est-ce qui se passe, maman ?

— Papa vous expliquera.

Mély fixe sa mère avec une profonde tristesse. Elle voudrait retrouver sa maman, même imparfaite, même absente, mais débordante d'énergie. Elle voudrait lui confier sa peur, sa peine, mais elle n'a jamais appris à partager ça avec sa maman. Alors elle reste dans le camp du matériel.

— Tu as besoin de quelque chose ?

Hugo entre à ce moment-là. Il embrasse sa mère et s'inquiète de sa santé. Julie tente de les rassurer : elle est fatiguée suite à l'accident, elle souhaite se reposer. Les adolescents quittent la chambre et Julie replonge aussitôt dans son passé. Elle se concentre pour se rappeler Denise. Pas de la tête de veau. Mais la douce maman qui la couvait de son regard, de ses sucreries, de ses chansons. Elle se souvient de mieux en mieux d'elle. Au milieu de toute la merde puante de ses réminiscences, l'image de cette femme dévouée, affectueuse, lui revient de plus en plus nette chaque jour. Elle se dit qu'elle n'a pas été capable de faire aussi bien. Elle est une mère tout juste présente physiquement, et une mère complètement absente pour ce qui est du soutien, de la tendresse, des égards. C'est une handicapée de l'amour et elle n'est pas certaine que ça puisse se soigner. Surtout avec toutes les horreurs qu'elle découvre à chaque remontée du passé. Elle qui n'a jamais su se projeter a encore plus de mal à penser à demain. Dans leur chambre, ses enfants font leurs devoirs, sous la supervision d'un père attentif. Elle a épousé un homme formidable, elle le sait. Pourtant, même à lui, elle n'a pas donné l'amour qu'il méritait.

L'heure du dîner arrive, Franck rejoint Julie. Elle n'a pas faim, elle souhaite rester seule. Mély et Hugo ont l'habitude des plateaux TV. Leur père travaille aux heures des repas. Leur mère part tôt et rentre tard. Ils sont heureux de manger avec leur père qui leur a concocté leur menu préféré. Tandis qu'ils disposent le couvert sur la table basse, Franck descend les escaliers. Il leur demande d'éteindre la télévision et de s'installer dans la cuisine. Les adolescents obéissent sans rechigner. Ils attendent une annonce de Franck, l'heure n'est pas aux revendications. Chacun se sert un hamburger et une belle part de frites maison.

— Top, valide Hugo, la bouche pleine.

— Fiston quitte tes *Air Pods*, je dois vous parler. Et donnez-moi vos téléphones s'il vous plaît.

Ils tendent simultanément à leur père leurs portables déposés à côté de leur assiette. Franck les prend et va les poser dans le bureau pour ne pas être dérangé par des vibrations intempestives. Puis il revient, s'installe sur le tabouret, mal à l'aise. Trouver les mots justes pour expliquer l'horreur dont a été victime leur mère n'est pas décrite dans le guide du parfait parent. Il regarde la lune scintillante à travers la baie vitrée, et enfin fixe ses enfants. Il expire un bon coup et commence :

— J'ai quelque chose à vous dire. Quelque chose de difficile.

Mély repose instantanément son hamburger dans son assiette. Hugo cesse de mastiquer. Le temps se fige, ils sont suspendus aux lèvres de leur père.

— Maman traverse une période éprouvante.

Franck hésite, frotte ses mains, sa bouche. Dans le ciel, les étoiles et la lune semblent elles aussi avoir arrêté de respirer.

— Voilà, suite à l'accident de voiture, elle s'est souvenue de choses qui se sont passées dans son enfance. Des choses… difficiles. Qu'elle avait oubliées !

Les larmes montent déjà aux yeux de la sensible Mély qui déglutit bruyamment. Elle redoute la suite.

— Son père a tué sa mère quand elle avait huit ans. C'est pour ça qu'elle a grandi dans une famille d'accueil, termine-t-il dans un souffle.

Mély explose en sanglots, descend de son tabouret et se jette dans les bras de Franck. Hugo reste inerte. Il fixe son assiette. Il attrape une frite et la promène dans le ketchup, distraitement. Il n'ose plus regarder son père qui a les yeux embués ni sa sœur qui pleure à chaudes larmes. *Mon grand-père était un meurtrier* est la pensée qui tourne en boucle dans sa tête. Franck laisse à chacun le temps de reprendre ses esprits, il caresse les cheveux de sa fille, l'embrasse. Seul le ronron de la hotte aspirante accompagne le chagrin de Mély.

— J'ai rencontré un psychiatre ce matin, il m'a expliqué qu'en ce moment maman revivait les choses comme si elle avait à nouveau huit ans. Aussi c'est très difficile pour elle, il faudra l'aider.

— Mais elle va guérir ?

— Oui, ma Mélette. On va la soutenir et elle va guérir.

Il préfère leur épargner les viols qu'elle a subis, la séquestration pendant quatre jours aux côtés de sa mère morte et surtout le risque de suicide. Sans qu'il s'y attende, Hugo jette violemment son assiette à terre et court s'enfermer dans sa chambre. Franck est surpris par la réaction de son fils qui paraît toujours si détaché de tout. Il regarde Mély pour demander implicitement son accord. Elle cligne des yeux ruisselants. Il dépose un dernier baiser sur son front et rejoint son garçon. Il frappe doucement à la porte.

— C'est moi. Je peux entrer ?

Il perçoit des sanglots étouffés dans un oreiller alors il pénètre dans la chambre sans attendre d'autorisation. Les volets sont fermés, la pagaille règne dans tous les coins, une lampe de chevet est allumée. Hugo est allongé en travers de son lit. Franck s'assoit sur le bord et pose une main sur l'épaule de son fils qui est déjà presque un jeune homme physiquement, mais encore un enfant au-dedans.

— Je sais que c'est dur à accepter.

Hugo lève vers lui des yeux mouillés pleins de rage.

— Pourquoi il a fait ça ? C'est dégueulasse !

Et il replonge la tête dans son oreiller. Franck tente de trouver les mots pour expliquer ce geste et pour le rassurer, mais il n'en a pas. Il reste un long moment silencieux, à accompagner la douleur de son fils, en lui caressant le dos. Quand l'adolescent semble s'apaiser, Franck lui propose de revenir dans la cuisine finir son repas. Mais la soirée est gâchée, leur dîner préféré échouera dans la poubelle. Il redescend et trouve Mély sur le canapé, enveloppée dans une couverture au plus près de la cheminée, qui zappe d'une chaîne à l'autre. Franck s'assoit à côté d'elle et la jeune fille pose sa tête sur ses genoux.

— Tu crois que c'est pour ça qu'elle ne nous aime pas maman ?

— Mais elle vous aime ! Pourquoi tu dis ça ?

— Tu vois bien, toi tu es un papa poule, tu t'occupes de tout, même si tu travailles beaucoup. Maman, elle n'a jamais le temps. Elle nous fait jamais de câlins. On a toujours l'impression de la déranger. Elle nous parle presque pas.

— Elle a été marquée par ce qu'elle a vécu, même si elle ne s'en souvenait pas. Peut-être que tu as la sensation qu'elle ne vous aime pas, mais c'est faux. Elle vous aime à sa façon. Quand vous êtes nés, elle a eu le plus beau sourire que je lui aie jamais vu.

— C'est vrai ? demande-t-elle en levant des yeux pleins d'espoir vers son père.

— Oui, ma Mélette, c'est vrai.

— Pourquoi il a fait ça son père ?

— Je ne sais pas.

— Et comment elle s'en est souvenu ?

Franck lui explique avec des mots simples, et en triant les informations, ce qu'il a appris auprès du docteur Lemoine le matin-même. Mély écoute attentivement, le regard fixé sur la lumière bleutée et animée du grand écran. Elle découvre une nouvelle maman, avec un vécu sordide. Une histoire lointaine qui pourtant lui appartient aussi. Ce sont ses racines et elle n'imaginait pas son arbre généalogique putréfié, sanguinaire. Quelques larmes dévalent sur ses joues quand elle visualise sa mère-petite fille affrontant un tel drame. Quand Franck a terminé ses explications, ils restent immobiles, bercés par les crépitements du feu et les spots publicitaires. Puis il conseille à Mély d'aller se reposer. Elle l'embrasse, récupère les deux téléphones et regagne l'étage. Elle entre dans la chambre de son frère et se couche dans son lit sans lui demander la permission. Les deux enfants dormiront blottis l'un contre l'autre pour se rassurer, sans être allés souhaiter une bonne nuit à leur mère. Ils n'ont pas le courage d'affronter les iris azurés teintés d'une tristesse dont ils connaissent à présent l'origine.

De son côté, Julie a vécu le drame à distance, interprétant les bruits de la maison, naviguant entre la terrasse pour fumer et le fauteuil pour lire. Dans l'immédiat, elle se sent à l'abri dans cette chambre et aime y passer le plus de temps possible, loin des regards de compassion ou de pitié.

Franck ramasse les reliefs du repas dispersés sur le sol, nettoie la cuisine pour la troisième fois de la journée. C'est son repaire, ça ne le dérange pas. Il ferme les volets du rez-de-chaussée, éteint le feu de cheminée et la télévision, tapote les coussins du canapé pour leur redonner leur forme originelle et rejoint son épouse. Il dépose un verre d'eau sur la table de chevet de Julie, un petit rituel du coucher qui existe entre eux depuis de longues années. Quand elle se réveille la nuit, en nage, tourmentée, elle aime se désaltérer.

Elle est blottie sous les draps, la lampe de chevet éclairant son visage perdu dans le vague. Il se douche puis se glisse à son tour sous la couette et se colle à son dos. Il sait qu'elle ne dort pas, même si elle ne lui a pas adressé la parole.

— J'ai expliqué la situation aux enfants.

— D'accord.

Il regarde le plafond, déroulant le scénario de ces derniers temps. Un coup de tonnerre dans le ciel limpide. Il y a une semaine encore, il se couchait avec le sentiment d'une journée bien remplie. Il respire fort, écoute le souffle plus calme de Julie qui semble relativement apaisée en cet instant. Jusqu'à que ce que ses cauchemars l'agitent à nouveau. Au début, ils revenaient de façon cyclique. À présent, ils ne la quittent plus.

— Bonne nuit, mon amour.

Franck se penche par-dessus sa femme pour éteindre la lumière. Il l'embrasse dans le cou et tente de trouver le sommeil.

# 36

Julie s'est habillée pour son rendez-vous avec le docteur Lemoine, mais elle n'a pas eu le désir de se maquiller. L'hôpital est sa première sortie depuis une semaine. Elle ne sait pas ce qu'elle doit espérer de cette entrevue. Si le médecin a la solution pour la libérer de ses fantômes, elle est prête à se plier à toutes les exigences. Les jumeaux ne sont pas encore revenus du lycée, Franck a confectionné des fondants au chocolat individuels que les ados affectionnent particulièrement pour leur goûter. Franck ferme la porte derrière eux et aide sa femme pour monter dans la voiture. Chaque jour qui passe, elle accepte un peu plus l'assistance physique et morale de son époux. Ce sont des détails qu'il ne manque pas de noter. Peu à peu, la tendance s'inverse dans leur couple, il devient le dominant. Julie exprime ses peurs et ses angoisses, avec pudeur et parcimonie, par ses actes silencieux. Car tous les mots restent à inventer : les mots pour la rassurer, ceux pour la consoler, les mots d'amour, de soutien sans pitié, et aussi les mots qui verbaliseraient cette souffrance enfouie et niée. Des mots pour émerger du néant, qui attesteraient que tout ce cauchemar a bel et bien existé mais qu'il peut être surmonté. Des mots nouveaux dans la bouche de son épouse torturée. Alors il observe son appel à l'aide implicite, muet, en espérant qu'un jour les mots et les sourires occuperont tout l'espace d'une vie apaisée dont les fantômes muselés se seront estompés.

— Ça va aller, l'encourage-t-il avec toute la conviction dont il est capable.

Julie s'installe, attache sa ceinture, ouvre la fenêtre et allume sa dix-huitième cigarette depuis son lever avant même que Franck ait démarré. Ils empruntent cette route qu'ils connaissent bien. D'abord entourée d'étangs où les flamants roses prennent une pose fixe, apaisante, suspendue. Leur plumage devient plus profond à la lueur du ciel qui se teinte d'orange rosé, sous les reflets adoucis de la fin de la journée. Puis la quatre-voies, où le véhicule file à plus vive allure, ébloui par les phares des autres, avant de frôler la ville pour rejoindre l'hôpital. Le trajet se fait en silence, sans musique de fond. Franck garde sa main posée sur le genou de Julie, comme il aime à le faire quand il conduit, libéré des contraintes du changement de vitesse grâce à la boîte automatique. Entre deux cigarettes, Julie se ronge les ongles. Un nouveau tic développé dernièrement.

Dans la salle d'attente, Franck est tout aussi stressé que son épouse. Il tente de lui sourire, de lui murmurer des encouragements. Mais le cœur n'y est pas. Et si le médecin n'arrivait pas à sauver l'amour de sa vie ? Une porte claque dans le couloir qui longe la salle d'attente vitrée. Julie sursaute en poussant un petit cri. Franck lit l'effroi dans ses yeux et s'efforce de deviner toutes les situations d'angoisse auxquelles elle a été confrontée au cours de son existence. Elle est en permanence sur le qui-vive. Il augmente la pression sur la main fine et glacée serrée dans la sienne. La plupart des patients ne lèvent pas le nez de leur téléphone quand Julie crie, à l'exception d'une femme qui leur sourit avec compassion. La pièce surchauffée sent la transpiration, et la lumière électrique des néons ajoute à la tension. Franck aide Julie à enlever son manteau puis va lui acheter une bouteille d'eau au distributeur le plus proche. Conscient de sa claustrophobie, il craint qu'une crise d'angoisse ne la saisisse en ces lieux étouffants. Quand il revient, le docteur Lemoine est dans la salle d'attente, les informant que c'est leur tour.

— Tu veux que je vienne ou tu préfères être seule ?

— Viens.

Franck ramasse le manteau de son épouse déposé sur une chaise et les suit. Il commence à bien connaître ce bureau étriqué, noyé sous les piles de papiers. Il laisse Julie s'installer en premier et lui donne la bouteille d'eau.

Le psychiatre se présente à nouveau à sa patiente qui en a un vague souvenir, car elle a vu défiler beaucoup de personnel hospitalier durant son bref séjour. Il lui demande ce qui l'a amenée ici. Julie explique sa mémoire trouée qui se colmate peu à peu sous l'effet d'images violentes depuis son accident de voiture. Les retours dans son passé suite à une odeur, une parole. Le médecin lui pose des questions sur ses ressentis. Elle exprime la sensation de se perdre, de ne plus savoir qui elle est. Le Docteur Lemoine suppose que les mots sont difficiles à trouver pour la jeune femme, qui relate péniblement ces derniers jours. Il décide ne pas la presser davantage. Il lui explique ce qu'elle est en train de vivre, la confusion que cela peut créer dans son esprit qui gère les évènements de son enfance. Il reprend les termes utilisés la veille avec son époux, s'assurant régulièrement qu'elle comprenne ses propos. Elle hoche lentement la tête pour acquiescer. Il la réconforte et la déculpabilise autant qu'il le peut. Julie le fixe en se rongeant les ongles. Franck a posé sa main sur son bras plâtré. Son regard oscille entre le médecin et sa conjointe. Même si Julie ne formule aucune question, le psychiatre balaye toutes celles qu'elle pourrait soulever.

Lorsqu'un début de relation de confiance s'est instauré, il aborde son état psychique actuel. Il la sonde sur ses idées noires, son désir d'échapper à cette situation, sans l'interroger directement sur une possible envie de mourir. Julie n'exprime pas d'idées suicidaires ni de sentiment d'inutilité, en revanche elle expose du désarroi, de l'incompréhension et le besoin de se débarrasser de ses traumatismes, de ne plus se sentir sur la sellette en permanence. Le médecin rebondit sur ces propos encourageants qui révèlent une volonté d'être aidée.

Il lui détaille le travail psychothérapeutique qu'ils peuvent entreprendre ensemble pour réparer les connexions neurologiques qui ont subi des atteintes. Il lui explique que la thérapie sera centrée sur les violences et leurs conséquences psychotraumatiques pour faire le lien entre ce qu'elle a enduré et les symptômes qu'elle présente dans sa vie courante. Ils exploreront les agressions auxquelles elle a à nouveau accès depuis qu'elle a retrouvé la mémoire. Ils verbaliseront chaque situation, chaque comportement, chaque émotion, en examinant ses réactions et celles de son père. Il s'agit de remettre son monde à l'endroit. D'éliminer l'emprise de son père persécuteur. Le médecin la rassure, il sera là, il lui offrira la protection psychique nécessaire afin que, petit à petit, ce passé devienne mieux compréhensible et donc intégrable. Il sera son tuteur, son démineur, elle s'appuiera sur lui pour avancer sur un terrain qui se sécurisera peu à peu, où elle n'aura plus le sentiment qu'une bombe peut exploser à chacun de ses pas. Avec le temps, Julie pourra devenir autonome dans ce travail. Elle pourra détecter toute seule les situations-problèmes en faisant des liens entre l'impression de danger imminent attachée à une odeur, un bruit, une image, un mot et son vécu. Ainsi quand sa mémoire traumatique s'allumera, elle n'aura plus besoin de mettre en place des stratégies d'évitement ou des conduites à risques pour se dissocier et ainsi échapper à la douleur, à la peur. Elle apprendra à adapter sa réponse émotionnelle, à apaiser sa détresse, car tout cela fera sens pour elle. En parallèle, il proposera divers outils comme l'hypnose, l'EMDR[10], l'écriture ou même les groupes de parole afin que la jeune femme sorte de son isolement.

Elle n'était qu'une enfant quand elle a vécu ce drame. Elle n'a pas intégré ses expériences dans un récit de vie clair et complet, même si elle les a subies. À présent, il s'agit de recoller tous les fragments pour reconstruire l'événement traumatique et aboutir à un sentiment de cohérence et d'unité. L'objectif du médecin est de remettre les choses à leur place dans leur contexte, pour la débarrasser de sa culpabilité, de son incompréhension, de son aliénation à sa mémoire traumatique. Il souhaite lui rendre sa dignité, lui permettre de vivre et non de survivre afin qu'elle fasse enfin connaissance avec la vraie Julie, celle qu'elle aurait dû être et qu'elle va devenir. Le chemin sera long, car les traumas sont anciens et complexes, mais ensemble, et avec le soutien de son entourage aimant, ils y parviendront.

Ces propos remplis d'espoir soulagent Franck qui relâche la pression et reprend sa respiration. Il a écouté chaque mot avec attention. Le médecin n'a pas quitté son épouse du regard. Il a parlé lentement, d'une voix affirmée et rassurante, ponctuant son discours de quelques sourires discrets. À présent, il se tait. Il attend une réaction de Julie, raide dans son fauteuil, qui manipule la bouteille d'eau dans tous les sens. Elle considère le psychiatre comme s'il était transparent, plongée dans une profonde réflexion.

— Julie ? questionne Franck pour la sortir de sa torpeur. Tu es d'accord ?

---

[10] Les initiales EMDR signifient « eye movement desensitization and reprocessing » c'est-à-dire désensibilisation et retraitement pas les mouvements oculaires. Cette technique est particulièrement utilisée dans le cadre de thérapies visant à traiter l'état de stress post-traumatique.

Elle se tourne vers son mari et hoche la tête avant de s'adresser au médecin.

— Combien de temps ?

— C'est-à-dire ?

— Combien de temps pour me débarrasser de tout ça ?

— Il n'y a pas de réponse toute faite, Madame Clénan. Votre envie d'avancer sera aussi déterminante dans le processus. Mais il faudra être patiente. Ce travail d'autonomisation prendra du temps et vous devez vous attendre à vivre d'autres moments difficiles encore. Car vous devez désapprendre les stratégies mises en place pendant toutes ces années puis acquérir un nouveau fonctionnement. Des flash-backs continueront de resurgir, de la colère, des angoisses, de l'incompréhension. N'abandonnez pas et parlez de vos ressentis.

— Ma femme est une battante. Je n'ai aucun doute sur ses capacités à surmonter tout ça. Et je serai là.

Cette fois c'est Julie qui saisit la main de son époux. Elle esquisse un timide sourire, ses yeux voilés de brume plongés dans celles de son mari, le remerciant tacitement. Il a toujours été là. Il sera encore là, d'une loyauté et d'un amour indéfectibles.

— Rappelez-vous ce que je vous ai dit, Monsieur Clénan. Vous risquez vous aussi de traverser des périodes complexes et douloureuses. Ne vous négligez pas.

— Pas de souci, j'ai bien retenu vos explications. Mais Julie passe avant tout.

Franck, qui n'a pas lâché la main de sa femme, se tourne vers elle.

— Je veux la voir sourire et rire pour de vrai. Je veux la sentir libre, libérée, apaisée. Je veux qu'elle puisse dormir la nuit sans cauchemars. Je veux qu'elle prenne le temps de ralentir, de profiter, de lâcher prise et qu'elle trouve ça bon. Je veux que ses jolis yeux bleus, les plus beaux yeux que j'ai jamais vus, se débarrassent de cette tristesse. Je veux qu'elle goûte au bonheur, à tous les bonheurs. Celui des tartes aux pommes et tous les autres qu'elle ne devine même pas.

Un silence s'installe. Les époux, qui semblent renouveler leur engagement dans cette situation douloureuse, échangent leurs vœux par le regard et le toucher. Le médecin n'ose pas rompre cet intense moment de communion. Puis Franck caresse la joue de sa femme et murmure.

— On va y arriver ma Julie, je te le promets, on va y arriver.

— Oui, souffle-t-elle.

Des larmes discrètes roulent sur le visage de Julie, émue par la déclaration de son mari. Malgré toutes les preuves de son engagement qu'il lui a données durant ces vingt dernières années, elle a parfois du mal à admettre qu'il l'aime avec autant de force.

— On peut démarrer quand Docteur ? interroge Franck.

— La psychothérapie peut commencer la semaine prochaine si Madame Clénan le souhaite.

Julie acquiesce. Le médecin préconise aussi des médicaments pour diminuer ses angoisses et pour qu'elle puisse dormir, afin de la sortir de cette grande fatigue physique et psychique. Elle accepte. Il lui renouvelle son arrêt de travail pour un mois. Franck est soulagé de constater que son épouse coopère. Julie la solitaire, Julie la fonceuse accueille favorablement le soutien qui lui est conseillé et prodigué. Il sourit au spécialiste qui rédige sa prescription.

Il tend les papiers à Julie qui s'en empare, légèrement tremblante. Tout a basculé en quelques jours. Des années d'une lutte sourde. Un choc. Et à présent la nécessité d'apprendre à vivre. À quarante-quatre ans. Mettre à terre ses repères, ses convictions, ses défenses, ses protections, ses croyances. S'abandonner aux mains d'experts. Ne plus galoper seule contre le temps, contre le vide. Faire confiance. Elle doit tout remettre en question et tout réapprendre si elle veut s'en sortir. Et à l'issue de ce rendez-vous avec cet homme bienveillant, honnête et lucide, une lueur d'espoir a germé. Elle peut tout reprendre à zéro pour commencer à vivre. Dans quelques mois ou quelques années, car elle a bien compris que ça ne se ferait pas en un claquement de doigts malgré sa personnalité entière et déterminée. Elle va s'impliquer comme elle sait le faire, même si, ces derniers jours, elle était anéantie.

Ils se lèvent et le psychiatre les raccompagne jusqu'au secrétariat, demande à ses assistantes de leur donner un rendez-vous au plus vite. Ils se serrent la main et le médecin s'éclipse. Julie et Franck patientent devant la banque d'accueil. Les secrétaires sont très occupées entre les appels téléphoniques et les dossiers informatiques de cette véritable ruche humaine. Puis l'une d'entre elles consulte l'agenda électronique du docteur Lemoine à la recherche d'un créneau disponible. Il n'existe pas, mais elle élargira les lignes horaires, elle a l'habitude, le médecin surcharge toujours son planning. Ils quittent l'hôpital soulagés. Julie respire l'air frais à pleins poumons. Quand ils arrivent devant la voiture, Franck la serre doucement dans ses bras. Il regarde les yeux pleins d'espoir de son épouse qui brillent sous les lampadaires.

— Je m'en veux, mon amour, de n'avoir rien deviné durant toutes ces années. Je t'ai toujours aimée telle que tu étais, mais aujourd'hui il y a plein de choses que je comprends enfin. Ce que j'ai dit chez le médecin tout à l'heure, je le pensais vraiment. Je veux t'entendre rire pour de vrai mon amour. Je ne connais pas le son de ton rire. Ça me manque.

Front contre front, yeux fermés, ils écoutent les battements affolés qui cavalent dans leur poitrine. L'ascenseur émotionnel tourne à plein régime depuis une semaine. Les évènements s'enchaînent avec frénésie. Et ce rendez-vous rempli de promesses ouvre la voie à un nouveau départ. Il y aura eu un *avant* et un *après* dans leurs vies personnelles et dans leur vie de couple. Sur ce parking, où vrombissent les moteurs et hurlent les sirènes, ils se ressourcent l'un auprès de l'autre. Ils ont besoin de reprendre leur respiration, d'assimiler. Peu importe le lieu, les passants, les bruits. Julie la battante a dit oui à la vie. Elle déploiera l'énergie nécessaire, Franck en est convaincu. Il est fier d'elle. Fier qu'elle accepte l'aide d'autrui, elle qui fait cavalier seul pour tout et tout le temps. Fier qu'elle brise son armure, qu'elle ose dépasser ses habitudes en s'ouvrant, certes avec pudeur, mais avec la franchise qui la caractérise. Fier qu'elle ne cherche pas à masquer ses peurs. À cet instant, il prend une décision.

— Je t'épouserai à nouveau.

Julie recule sa tête et le regarde avec perplexité.

— Tu es ma plus grande fierté, ma plus grande réussite. Je t'ai aimée comme tu étais et je t'aimerai comme tu deviendras. Mais je pense que ce qui se passe là va tout changer pour toi et pour nous. Je vais découvrir une nouvelle Julie. Et je veux l'épouser. Tu voudras ?

— Oui.

Il dépose un baiser sur ses lèvres puis fouille dans ses poches. Le cliquetis de déverrouillage résonne, il ouvre la portière côté passager. Alors qu'elle s'apprête à s'asseoir, Julie arrête son mouvement.

— Franck ? Merci. Je ne pouvais pas espérer meilleur mari.

— Non, mon amour. C'est moi qui ne pouvais pas espérer meilleure épouse.

## 37

La semaine s'est écoulée rapidement, on est déjà vendredi. Franck reprend le travail après le week-end. Il est allé faire quelques courses, laissant Julie effectuer des recherches sur internet à propos de l'amnésie traumatique.

Sur le chemin du retour, Franck monte le son pour écouter les informations. Il vit coupé du monde depuis dix jours. Le présentateur annonce les faits marquants de l'actualité. La veille, l'Organisation mondiale de la santé a déclaré l'épidémie de coronavirus « urgence de santé publique de portée internationale ». Cela signifie que la mobilisation contre ce virus, qui a fait deux cent douze morts en Chine, va devenir planétaire. C'est loin, ça ne le touche pas. Il a un autre combat à mener, ici et maintenant, tangible et vital. Le flot de mauvaises nouvelles continue. En France, le ministère de la Santé a annoncé la veille au soir un sixième cas de coronavirus. Puis le journaliste enchaîne sur le Brexit, les trente-cinq heures. Là non plus il n'est pas concerné ; en restauration, on ne compte pas ses heures. Rien de bien intéressant dans l'actualité du jour, aussi baisse-t-il le volume pour ramener une ambiance plus calme dans le véhicule. Le téléphone sonne, faisant retentir la mélodie dans tout l'habitacle. Il reconnaît l'indicatif de la Corrèze qui s'affiche sur l'écran du tableau de bord. Sa tension monte d'un cran. Un appel des Maury ?

— Bonjour, c'est Daniel Maury. Je suis bien en communication avec Monsieur Clénan ?

— Bonjour, Daniel, oui c'est bien Franck. Comment allez-vous ?

— On fait aller. Et Julie ?

— Elle tient le coup. Elle a démarré les soins hier. Je vous passe les détails de sa prise en charge, mais elle est bien entourée pour l'aider à surmonter cette épreuve.

— C'est une bonne nouvelle.

Après un bref silence, le vieil homme reprend.

— Je vous appelle parce que j'ai pensé à quelque chose.

Daniel marque une pause, à la recherche de ses mots. Franck l'imagine, sa grande carrure voûtée à l'autre bout du fil, en train de se gratter le menton. Sentant l'hésitation de son interlocuteur, il l'encourage.

— Je vous écoute.

— Voilà, je me suis souvenu d'un détail. Je sais pas si ça peut vous aider. Je voudrais pas vous déranger pour rien.

— Pas de souci Daniel, tout peut avoir son importance.

— Valérie.

— Valérie ?

— C'était l'amie de Julie au lycée. Elles étudiaient à Lyon toutes les deux. Valérie faisait médecine donc elles se voyaient moins, mais elles se côtoyaient toujours. Et puis quand Julie a fini ses études, Valérie a perdu sa trace.

Franck rassemble ses pensées pour dessiner les traits du visage de la jeune femme qui accompagnait son épouse en vacances lorsqu'ils se sont connus. Mais les souvenirs sont flous, il serait bien incapable de décrire cette personne qu'il n'a fait qu'entrapercevoir quelques heures il y a plus de vingt ans de ça.

— D'accord. Et ?

— Je me suis rappelé qu'elle était venue nous voir il y a une quinzaine d'années puis à nouveau il y a deux ou trois ans de ça. Elle aurait voulu avoir des nouvelles de Julie qu'elle aimait beaucoup. Elle nous avait laissé ses coordonnées au cas où Julie reviendrait un jour.

La voix de l'homme blessé se brise sur ces derniers mots. Franck perçoit sa peine, aussi il l'encourage en lui communiquant sa joie.

— C'est une très bonne nouvelle Daniel, et vous avez bien fait de m'appeler pour m'en parler. Je la contacterai, elle saura peut-être des choses que nous ignorons.

— C'est ce que je me suis dit. Et puis, si je me trompe pas, il me semble qu'elle est psychiatre ou quelque chose comme ça. Alors, je sais pas moi, mais je me suis dit que, peut-être, pour Julie… une amie psychiatre… Enfin, vous voyez, si elle peut l'aider…

— Oui, ce serait merveilleux. Écoutez, je suis en voiture, mais dès que je rentre, je vous rappelle et vous me donnez son numéro.

— Mince, vous conduisez, je veux pas vous faire avoir un accident.

— Pas de soucis, je suis en Bluetooth, mes deux mains sont bien agrippées au volant, sourit Franck.

— Je n'y entends rien à tout ça, mais si vous dites que c'est pas dangereux, je vous crois.

— Merci Daniel, pour cette précieuse information. Je vous rappelle d'ici dix minutes.

Les deux hommes raccrochent et, sitôt arrivé, Franck le recontacte et note l'inestimable sésame.

Il constate que Julie est toujours enfermée dans le bureau et que, dans sa frénésie de comprendre, elle compulse des dizaines de sites internet. Elle lit des témoignages de victimes de violences dans leur jeunesse, qui ont retrouvé la mémoire au bout de dix, quinze, trente ans. Elle n'en croit pas ses yeux. À chaque nouvelle page ouverte, elle se confronte à la consternation, à l'écœurement, à une douloureuse injustice. Un double prix à payer, une double condamnation à la souffrance. Plus le traumatisme est répété, brutal et vécu dans les jeunes années, plus l'amnésie peut être profonde et durable. Ces récits totalement surréalistes n'en demeurent pas moins bien réels. Elle n'est pas seule. Ni folle. Elle est juste une victime terriblement meurtrie. Et des solutions existent. Rien de radical. Rien de magique. Mais la possibilité de voir le bout du tunnel. D'apprendre à désapprendre des comportements destructeurs. Peut-être qu'elle, Julie, pourrait mieux aimer son mari et ses enfants ? Peut-être qu'elle pourrait enfin se sentir vraiment épouse et mère. Mieux dormir. Mieux manger. Arrêter le café et le tabac à outrance. Et entendre elle aussi le son d'un rire qu'elle ne connaît pas. Le sien. Rencontrer la Julie dont le docteur Lemoine et Franck lui ont parlé.

Puis elle va sur un site marchand de livres et en commande une petite dizaine, traitant d'amnésie traumatique, de psychothérapie comportementaliste, d'EMDR, d'hypnose. Dans sa nécessité de savoir, elle agit avec excès comme à son habitude. Elle a besoin de comprendre, et elle espère que ces ouvrages d'explications, ces histoires qui ne lui appartiennent pas, l'aideront à recoller les bouts d'elle-même. Sa farouche volonté de s'extirper de ce bourbier puant et cruel l'emporte. Réaliser que d'autres aussi ont vécu ça, c'est rassurant. Terriblement impitoyable, mais rassurant. Et puis elle veut se préparer à ce qui l'attend lors de ses rendez-vous médicaux. Maîtriser, encore et toujours. On ne change pas en un clic de souris.

Franck rejoint Julie à son poste de recherche, café en main.
— Tout va bien ?
— Oui. Je m'informe.
— Tu découvres des choses intéressantes ?
— Beaucoup. Il existe énormément de gens qui vivent sans mémoire tout en ignorant qu'ils ont perdu des pans entiers de leur existence. Regarde.
Franck se penche sur l'écran et lit un témoignage. Son estomac se retourne à la vue des mots qui se présentent devant lui.
— Quelle horreur ! Tu es sûre que c'est une bonne idée ?
— Savoir que je suis normale, que je ne suis pas seule et voir le parcours de ceux qui s'en sortent, ça m'aide.
— D'accord, je te laisse encore une heure et ensuite on ira marcher. Tu as besoin de prendre l'air, de décrocher un peu.
— Si tu veux, obtempère Julie avec facilité.
Franck sourit. Julie conciliante. Deux mots qui s'apprivoisent pour sonner juste, bien qu'ils se côtoient depuis très peu de temps.

Il referme doucement la porte du bureau et file à l'extérieur de la maison pour joindre Valérie en toute discrétion. Une fois de plus le cœur du mari dévoué tambourine à tout rompre. Il compose les chiffres avec fébrilité, souffle un grand coup et appuie sur la touche verte. Après quelques sonneries, son appel bascule sur le répondeur. Il écoute cette voix inconnue, qui l'invite d'un ton neutre à laisser un message. Après quelques hésitations, il se lance.
— Bonjour, vous ne me connaissez pas, mais j'aurais aimé vous parler. Je… heu… je m'appelle Franck Clénan. Je suis le mari de Julie, votre amie d'enfance. J'ai eu votre numéro de téléphone par Daniel Maury. Rappelez-moi s'il vous plaît… N'importe quand… merci.
Il raccroche, glisse le portable dans sa poche et décide de s'asseoir à même le sol, sur les lames en teck qui entourent la piscine, close à cette saison par un volet roulant. Il ferme les yeux et tente de mettre ses pensées

sur pause, offrant son visage au doux soleil hivernal, pendant un long moment. Soudain, une vibration le ramène à la réalité. Il sort prestement le téléphone. Valérie. Il décroche, comme essoufflé, sous le coup de l'émoi.

— Allo ?

— Bonjour, je suis Valérie.

— Merci de me rappeler aussi vite. Vous avez écouté mon message ?

— Oui.

Un silence s'installe entre les deux interlocuteurs qui ne se connaissent pas et ne savent pas comment poursuivre l'échange.

— Excusez-moi, je suis émue, reprend Valérie. Pourquoi m'avez-vous contactée ? Pourquoi ce n'est pas Julie qui l'a fait ?

— C'est une longue histoire, vous avez un peu de temps devant vous ?

— Tout le temps qu'il faudra.

Franck contourne la piscine de façon à avoir tout le jardin et la maison dans son champ de vision. Il ne souhaite pas se faire surprendre par Julie.

— Alors voilà…

Il lui relate les évènements un à un depuis l'accident. Valérie l'interrompt parfois pour avoir des précisions. Elle est abasourdie. Elle a toujours su que son amie portait un fardeau invisible, mais bien pesant, pourtant, elle n'avait jamais imaginé de telles atrocités.

— Et encore, nous ne savons pas tout ce qui s'est passé, conclut Franck. Julie n'a que des souvenirs partiels et je ne suis pas certain qu'elle me raconte tout ce qui lui revient. Elle a démarré les soins. Je me disais qu'en parallèle, vous revoir, vous, les Maury, la ferme, pourrait l'aider à se réapproprier sa vie. Et peut-être que vous savez des choses dont elle ne se rappelle pas ?

— Franck, merci pour votre confiance. Je suis atterrée par tout ce que vous me rapportez. Et je vais faire mon maximum pour soutenir Julie. Mais malheureusement, je n'en sais pas plus que vous. J'ai bien relevé à l'époque des comportements auto-agressifs, une personnalité dure, mélancolique, parfois autodestructrice. Julie m'a fascinée dès le premier jour, par son air distant, absent, un peu comme un faon égaré et apeuré, tout en dégageant une grande force. J'ai eu la chance de l'apprivoiser, et j'espère avoir apporté un peu de joie à son adolescence. Mais si j'avais deviné toutes ces atrocités, j'aurais fait bien plus.

— Ne vous flagellez pas, comment deviner ? Moi-même, qui vis à ses côtés depuis plus de vingt ans, je n'ai jamais rien perçu, rien envisagé de tel.

— Vous vous êtes connus où ?

— Lorsqu'elle était en vacances à La Grande-Motte en 1999.

— Oh Franck, vous êtes le fameux cuisinier des tartes aux pommes ! s'exclame Valérie avec beaucoup d'émotion.

— Oui, c'est moi.

— Alors nous nous sommes déjà vus, je me souviens de vous. J'accompagnais Julie durant ces vacances. Nous nous sommes croisés au restaurant puis à la plage. Je suis heureuse de savoir qu'elle a pu construire une vie stable avec vous. Surtout après tout ce que vous venez de me raconter.

— Merci. Je crois que je suis passé à côté de bien des choses puisque je n'ai rien vu, mais je fais au mieux. Je l'aime comme au premier jour.

— C'est essentiel que vous soyez sur ce chemin pour l'accompagner. Je suis psychiatre, je pense que je pourrais vous aider. Croyez-vous qu'elle aimerait me rencontrer ?

— Je vais lui en parler.

— Merci. Franck ?

— Oui ?

— Dites-lui qu'elle me manque. Je suis très entourée, mais Julie, elle est… spéciale. Elle a disparu du jour au lendemain, sans prévenir, ça a été douloureux de la perdre. Elle peut m'appeler quand elle veut, aujourd'hui si elle le souhaite, je ne consulte pas le vendredi après-midi.

— Je lui dirai. Merci à vous. Infiniment.

— Vous me tenez au courant ?

— Au plus vite, c'est promis. À bientôt Valérie.

— À très vite. Bon week-end.

Franck raccroche avec un sourire. Il est confiant. Valérie, c'est un atout supplémentaire pour sortir de toute cette boue.

Il rejoint Julie qui continue sa prospection virtuelle. Elle n'a pas bougé depuis le matin, et n'a rien avalé à part d'innombrables cafés. Le bureau empeste le tabac froid. Julie déroge à la règle de ne pas fumer à l'intérieur, mais Franck n'a pas le cœur à le lui reprocher. Il ferme la fenêtre que son épouse a ouverte pour chasser la fumée.

— Tu es toute gelée. Éteins cet ordi et viens avec moi.

— Où ça ?

— Chez Gino. Je me disais qu'on pourrait aller grignoter un bout sur le port, ça te ferait du bien de sortir un peu. Puis on se promènerait sur les quais.

— Mais on ne fait que ça, entre l'hôpital, le psychiatre, la psychologue.

— Sortir pour le plaisir. Ça fait longtemps. Tu n'en as pas envie ?

— Si, s'oblige Julie, plus pour lui que pour elle.

— Super ! Tu vas te préparer ?

— OK.


Une demi-heure plus tard, ils sont attablés face à face dans leur restaurant italien préféré. Julie commande quelques antipasti, Franck un risotto aux gambas. Il ne sait pas comment aborder le sujet, aussi après quelques tergiversations, il opte pour la méthode directe.

— Tu te souviens de Valérie ?

— Valérie qui ?

— Ton amie, au lycée. Celle avec qui tu étais en vacances lorsque nous nous sommes rencontrés.

— Oui, je m'en souviens.

Franck marque une pause.

— Je lui ai téléphoné ce matin.

Julie lève vers lui un regard perplexe. Il répond à ses interrogations silencieuses. Il a évoqué sa visite chez les Maury quelques jours plus tôt lorsqu'il a informé Julie des viols qu'elle avait subis. Mais il ne la lui avait pas encore racontée en détail. Julie écoute avec attention tout ce qu'il lui relate sans l'interrompre. Il lui rapporte leur conversation et conclut :

— Daniel m'a donné son numéro. Elle est passée les voir à plusieurs reprises pour avoir de tes nouvelles et elle leur a laissé un moyen de la joindre. Au cas où… Et je me suis permis de le faire.

— Pourquoi ?

— Pour t'aider. Elle se rappelle peut-être certains évènements. Et puis parce qu'elle a envie de te revoir. Julie, il y a des gens qui t'aiment dans ce monde. Valérie en fait partie.

Julie est plongée dans une profonde réflexion depuis la fin du déjeuner, alors qu'ils déambulent sur les quais. Elle ne sait pas pourquoi elle a peur, pourquoi elle hésite. Valérie la tornade, qui la bousculait, la soutenait, la houspillait, la rassurait. La seule amie qu'elle ait jamais eue, même si elle ne lui a pas laissé l'opportunité de pénétrer dans son jardin secret. Elle n'a jamais connu ces complicités conspiratrices, qui partagent tout, blotties sous les draps, se devinent dans le silence, se servent d'alibi, se déchirent parfois, éclatent de rire aux mêmes bêtises, et grandissent côte à côte à la vie à la mort. Mais Valérie ressemble sans doute à ce qui s'en approche le plus. Depuis que son époux lui en a parlé, elle hésite, elle ne sait pas si elle doit donner suite.

Franck soliloque sur la douceur du climat, tout en marchant avec sa femme, bras dessus, bras dessous sur le front de mer. Julie écoute distraitement. Elle pourrait dire oui. Surtout que Valérie a atteint son but et est devenue psychiatre, comme elle le souhaitait. En plus de son amitié, elle pourrait lui apporter son expertise médicale. Parfois, Franck s'arrête pour saluer un pêcheur. Julie dit bonjour en un silencieux hochement de tête. Les hommes parlent météo, pêche, recettes.

De retour à la maison, elle accepte la proposition de Franck. Alors, avant qu'elle ne change d'avis ou que les enfants ne reviennent du lycée, il installe confortablement sa femme dans le canapé. Il allume le feu dans la cheminée et dépose un café sur la table basse, accompagné du numéro de Valérie. Puis il chausse ses baskets et se retire, laissant à son épouse le loisir de retrouver son amie en toute intimité.

— J'y vais. Prends le temps dont tu as besoin. Elle a hâte de te revoir, ce sera forcément un bon moment.

Il l'embrasse, puis s'éclipse.

# 38

Julie contemple la danse des flammes dans la cheminée et celle des volutes du café qui jouent dans les rais que le soleil projette sur le parquet, à travers les grandes baies vitrées. Tout est calme, ralenti. Voilà plusieurs jours qu'elle n'a pas travaillé, couru, consommé, même si elle n'a pas réduit le tabac ni l'arabica. Et ce silence, cette quiétude dans cette vaste maison où elle ne se délasse que rarement... Elle, assise sur un canapé à prendre le temps d'observer son environnement. Elle voudrait s'envoler avec autant de légèreté que les spirales de fumée avant de s'évaporer, sans bruit, sans douleur. Toutefois, elle reste bien palpable dans sa prison de chair. Son cœur continue de battre malgré sa détresse. Elle est *elle*, très concrètement, dans cet espace, dans ce corps, avec cet esprit. Un *elle* en pleine mutation, un *elle* enfoui qui émerge et qu'elle doit apprivoiser. Avec son vécu, ses démons et aussi ses alliés, dans ce présent étouffé par un passé occulté.

Elle se penche vers la table du salon et saisit le numéro de téléphone de Valérie. Valérie... à quoi peut-elle bien ressembler aujourd'hui ? Elle a sans doute réussi sa vie. Pas comme elle. Non, elle est injuste. Elle a Franck et ses enfants qui la couvrent d'amour, tout le monde n'en a sûrement pas autant. Elle dispose aussi d'une belle maison et d'une grosse voiture que lui jalousent certains voisins. Même si ce n'est qu'une façade. Valérie bénéficie sans doute aussi de tout cela puisqu'elle l'avait déjà dans sa jeunesse. Ainsi que la joie de vivre, les souvenirs du passé, une vie complète qu'elle peut raconter avec certitude et sans lacune. Et le désir de renouer avec elle, alors qu'elle lui a tourné le dos sans un mot, comme avec les Maury. Néanmoins, personne ne lui en tient rigueur. Franck lui a rapporté leur envie de la revoir, dès qu'elle le souhaiterait. Ces gens l'aiment sans une trace de rancune. Elle n'est pas seule. Elle ne l'était pas non plus à l'époque, et pourtant elle ignorait ces présences affectueuses.

Elle déroule le diaporama de ses jeunes années auprès de cette amie survoltée, pétillante et pleine de peps. Un mélange détonnant de bienveillance et de franchise coup de poing. Valérie et tout ce qui la définit.

Julie compose le numéro. Avant de démarrer son footing, Franck a envoyé un SMS à cette dernière pour la prévenir du probable appel de son épouse et lui communiquer ses coordonnées, afin qu'elle réponde lorsqu'elles s'afficheraient. Il sait que si Valérie ne décroche pas, sa conjointe ne laissera pas de message. Et ne la contactera peut-être plus. Aussi, Valérie qui gardait précieusement son portable avec elle, décroche dès la première sonnerie.

— Valérie, bonjour. C'est Julie Clénan. Enfin, … Julie Vergne.

La jeune femme a du mal à articuler ce nom qu'elle n'avait pas prononcé depuis son mariage. Il s'était effacé avec sa nouvelle identité.

— Julie ! Quel bonheur de t'entendre ! Je suis si heureuse. Je n'espérais plus ce jour ! Comment vas-tu ? Attends, j'ai une idée, est-ce que tu as *WhatsApp*[11] ? enchaîne Valérie, toujours aussi volubile.

— Oui.

— Si tu es d'accord, on se rappelle avec la caméra. Ça me ferait tellement plaisir de te revoir.

— Si tu veux, accepte Julie.

Habituée aux visioconférences dans le cadre de son travail, la jeune cadre n'a pas de problème avec les échanges en mode caméra. À peine a-t-elle raccroché qu'elle réalise qu'il n'est pas question d'une conférence professionnelle, mais d'une conversation on ne peut plus personnelle. Avec une amie perdue de vue depuis des années. Elle n'a pas le temps de tergiverser davantage que le téléphone sonne. Elle se cale confortablement dans le fond du canapé avant de décrocher. Puis les traits de Valérie apparaissent. Elle présente la même allure rayonnante qu'à quinze ou vingt ans, quelques rides en plus. Un sourire troublé se dessine sur son visage. Elle se pince les lèvres, des larmes se mettent à rouler sur ses joues puis elle explose en un sanglot bref sous le poids des émotions. Elle pose ses mains sur sa bouche, puis les avance vers l'écran, pour le traverser, pour toucher son amie d'antan. En face d'elle, Julie aussi se laisse aller. Elles pleurent pendant quelques minutes, en vis à vis, derrière

---

[11] Application mobile multiplateforme qui fournit un système de messagerie instantanée, via les réseaux de téléphonie mobile et via internet.

leur écran, à des centaines de kilomètres l'une de l'autre avant que Valérie ne retrouve l'usage de la parole.

— Julie ! Tu m'as tellement manqué. Je t'ai cherchée partout, mais tu n'étais nulle part. Daniel et Josy n'avaient pas de tes nouvelles, tu n'es pas sur les réseaux sociaux, ton nom est introuvable sur internet.

— Pardon, Valérie. Je n'ai pas d'excuses pour ma conduite.

— Oh que si, tu en as. Franck m'a tout expliqué.

Julie baisse la tête, incapable de soutenir davantage le regard de son amie.

— Je me suis toujours douté que tu avais vécu des évènements terribles, mais je n'imaginais pas que c'était à ce point. Si tu savais combien je suis désolée de ne pas avoir pu t'aider comme tu le méritais. Mais si tu veux, aujourd'hui je peux être là pour toi. Comme amie et comme médecin, je suis psychiatre.

— Tu as réalisé ton rêve, c'est bien ! la félicite Julie avec sincérité, fixant cette fois les yeux noirs sans ciller.

— Et toi, comment vas-tu ? Pour de vrai.

Julie soutient le regard de Valérie avant d'expirer.

— Je ne sais pas, répond-elle avec une sincérité désarmante.

— Je ne t'oblige à rien, mais si tu veux parler je suis là. Avant tout comme amie. Je suis tellement heureuse de t'avoir retrouvée. Merci de m'avoir appelée.

— Merci de m'avoir cherchée.

— Tu as disparu sans bruit, sans laisser de traces. Je n'ai rien compris. On n'a peut-être pas partagé beaucoup d'années, mais je n'ai rien oublié. Tu étais si différente des autres, te perdre m'a fait du mal. Mais non, stop, exige Valérie en levant une main lui enjoignant le silence. Je ne veux ni excuses ni pardon. Tout ça est passé, ce qui compte c'est maintenant.

La psychiatre se tait un moment, souriant à ce magnifique visage qui la ramène des années en arrière.

— Tu n'as pas changé, tu es toujours aussi belle.

— N'exagère rien, je ne suis pas belle. J'ai vieilli et je ressemble à un cadavre en ce moment.

— Si Julie, tu étais incroyablement belle, même si tu ne l'as jamais vu. Alors, raconte-moi tout, qu'est-ce que tu deviens ?

Malgré la distance, l'écran interposé, les années écoulées, l'absence et le silence, le lien tissé à l'adolescence se tricote à nouveau entre ces deux femmes qui se retrouvent. La brune volubile pose mille questions, répond même à celles que la blonde ne formule pas, s'intéresse avec sincérité et affection à sa vie actuelle. Elle a la délicatesse de ne pas parler de leur passé commun brivois. Julie n'y avait pas d'amis, il est donc inutile d'évoquer tous ces gens sans importance. Les minutes s'écoulent jusqu'à devenir une heure.

La porte d'entrée claque, le soleil se fait discret. Franck écoute la conversation depuis la cuisine ouverte sur le vaste salon. Il sourit intérieurement, heureux de voir son épouse discuter avec une vieille connaissance. En quelques jours, le passé de sa femme prend corps. Il est hideux, mais il comporte aussi son lot de personnes aimantes et de confiance, des repères qui ont manqué à Julie alors qu'elle paraissait abandonnée de tous. Il découvre une autre facette de sa tendre moitié et cela le réconforte. Elle seule avait hissé des barrières, rompant avec ses soutiens de l'enfance et de l'adolescence. Aujourd'hui elle leur concède à nouveau une place. Il n'y a pas que de mauvaises nouvelles dans ce récent bouleversement.

Franck rajoute une bûche dans la cheminée, allume quelques lampes puis se cale dans le dos de Julie, le canapé s'interposant entre eux.

— Je me permets de vous interrompre. Valérie ? Enchanté, je suis Franck. Et je crois que je vous reconnais.

— On pourrait se tutoyer, non ? Moi aussi je te reconnais. La Grande-Motte, il y a… bouh, il y a trop longtemps, affirme Valérie dans un rire sonore, balayant les souvenirs de la main.

— Heureux de te savoir à nouveau dans la vie de ma femme.

— Moi aussi. Elle n'a pas changé, si je l'avais croisée dans la rue, je l'aurais reconnue immédiatement. Et vos enfants sont superbes. J'espère que nous aurons l'occasion de nous voir prochainement. Lyon Montpellier, ce n'est pas le bout du monde.

— Bonne idée, on s'organisera ça. Tu es d'accord mon amour ?

— Oui, j'aimerais bien, approuve Julie.

Franck se penche par-dessus le canapé et dépose un baiser sur la joue de sa moitié.

— Je vous laisse discuter entre filles, je vais me doucher. Valérie, au plaisir !

— À très vite Franck. Bonne soirée.

Franck grimpe à l'étage, sourire aux lèvres. Julie a une amie. Un concept banal dont il n'avait pas mesuré l'absence jusqu'à ce jour. Julie avait des relations de surface, mais pas de proches à qui elle téléphonait, avec qui elle allait faire du shopping ou manger au restaurant.

Quand il sort de la douche, il remarque le clignotement du portable, signalant l'arrivée d'un message. Le prénom de Valérie s'affiche.

*« Merci, Franck, de m'avoir permis de renouer avec Julie. Je l'ai trouvée fatiguée et encore plus triste que par le passé. Elle ne m'a pas parlé de ce qu'elle traverse, c'est sans doute compliqué de rétablir un lien après tant d'années. N'hésite pas à m'appeler en cas de besoin et reste vigilant, elle est fragile. Amicalement, Valérie ».*

Sa joie retombe à la lecture de ce texto. En voyant son épouse pelotonnée dans le canapé devant un feu de cheminée, conversant avec une vieille amie, il en avait presque oublié sa détresse. Cette scène inédite a effacé momentanément l'horreur de ces derniers jours.

# 39

Dans les semaines qui suivent, les soins de Julie s'intensifient. Elle apprend jour après jour à dompter sa mémoire traumatique et à affronter ses souvenirs. De plus, elle s'est mise à l'écriture. Elle déverse des flots de maux en mots, de jour, de nuit, à chaque fois que l'impérieuse nécessité de s'alléger pointe en elle. Elle a intégré un groupe de parole où elle rencontre « d'autres Julie ». Pas pour larmoyer. Juste pour réaliser qu'elle ne représente pas une erreur de la nature. Franck a repris le travail et se coupe en quatre pour soutenir les jumeaux et aider son épouse. L'épaule de Valérie, pourtant à distance, est toujours la bienvenue. Il l'a sollicitée pour lui-même à plusieurs reprises quand il se sentait sur le point de flancher. Avec elle, il peut aussi partager ses angoisses au sujet de Mély et Hugo, même si ces derniers parlent peu de la situation.

La psychiatre vient leur rendre visite un week-end, accompagnée de sa famille. Les retrouvailles, riches en émotions, scellent une amitié reconquise. Les jumeaux apprécient de rencontrer enfin une amie de leur mère, surtout Mély, et ils sympathisent avec les enfants de Valérie, bien que plus jeunes. Quant aux deux femmes, elles évoquent le passé, mais surtout le présent et Valérie se montre une alliée de taille. Renouer avec son ancienne camarade donne à Julie le courage d'affronter physiquement Brive. Le spectre du coronavirus commence à planer un peu partout en Europe, aussi Franck arrache-t-il un jour de repos à Gérald en ce mercredi de mars. Même s'il n'imagine pas être confiné pendant des semaines, il envisageait des restrictions de circulation et il préfère agir tant que sa femme est décidée. Retourner sur les terres de son passé ne peut qu'être favorable à la structuration de ses souvenirs.

Le cœur de Julie accélère la cadence au fur et à mesure que Brive approche. Elle reconnaît ces bois de châtaigniers, de sapins, ces grands champs agricoles alternant le vert et le marron, légèrement vallonnés, parcourus par des tracteurs et des vaches. Ces paysages si différents des étangs plats, des roseaux et des oliviers qu'elle arpente au quotidien depuis plusieurs années déjà. Ils touchent presque au but, Julie a l'impression de se jeter dans la gueule du loup. Elle s'attend à un retour de boomerang, elle surveille chaque sensation, sur le qui-vive. Elle craint que sa mémoire ne se réveille à tout instant, avec une violence sans précédent. Tout ici devrait lui rappeler son enfance. Alors qu'elle peine de plus en plus à déglutir et qu'elle sent une vague de chaleur poindre, Franck ose enfin la question qui lui brûle les lèvres depuis qu'il a découvert les lettres.

— Pourquoi tu ne m'as jamais parlé d'eux ?
— De qui ? demande-t-elle, interrompue dans ses pensées.
— Daniel et Jo.
— Je ne sais pas.
— Mais d'eux, tu t'en souvenais ?
— Oui.
— On peut en parler ?
— Qu'est-ce que tu voudrais savoir ?
— Tout. Quand tu as été hospitalisée on m'a posé des questions sur ton passé. J'ai réalisé que j'ignorais tout de toi jusqu'à la date de notre rencontre. C'est perturbant.

Il lâche la route des yeux quelques instants et guette une réaction derrière ses montures en écaille. Julie reste impassible.

— Je ne veux pas mener un interrogatoire. Je sais à quel point tu as souffert. Mais j'ai discuté avec les Maury, je suis convaincu qu'ils ont pris soin de toi. Tu as sans doute été heureuse chez eux, aussi je m'étonne que tu ne m'en aies parlé que brièvement.

— J'ai rien à dire. Ils m'ont élevée parce qu'ils étaient payés pour ça.

Franck ne se laisse pas désarçonner par la froideur de sa femme, il y est habitué depuis le temps qu'il y est confronté.

— Tu n'étais pas une enfant parmi d'autres pour eux. Ils t'ont aimée comme leur propre fille.

— Alors pourquoi ils m'ont menti ?
— À quel sujet ?
— Au sujet du meurtre bien sûr, répond-elle sèchement.
— Sûrement pour te protéger, puisque tu ne te souvenais de rien.

— Ils ne m'ont pas protégée, ils m'ont détruite davantage, dit-elle en caressant instinctivement l'intérieur de son poignet.

Du coin de l'œil, Franck remarque son geste. Depuis que son épouse a retrouvé quelques pièces du puzzle de sa vie, il l'a déjà surprise en train de promener son pouce sur ses cicatrices. Julie souffle pour ravaler sa colère. Elle ouvre la vitre en grand, tente d'allumer une cigarette, mais la flamme du briquet s'éteint aussi vite, battue par l'air qui s'engouffre dans l'habitacle. Elle referme la fenêtre pour aviver sa béquille saveur nicotine. Des gouttes de pluie viennent s'écraser sur le pare-brise, d'abord quelques-unes, puis une averse plus dense qui déclenche les essuie-glaces automatiques.

Franck se fustige pour sa maladresse. Il marche sur des œufs en permanence, coincé entre son désir de l'aider à avancer au pas de charge, comme elle l'a toujours fait, et cette nouvelle vulnérabilité qu'elle lui dévoile. Lui aussi doit tout réapprendre.

Les billes d'eau s'aplatissent sur la voiture dans un bruit de plomb, poursuivant leur ruissellement sur le bitume. Julie se concentre sur les volutes de fumée qui s'échappent vers l'extérieur, s'engouffrant à travers le passage de la fenêtre qu'elle a à peine descendue cette fois. Des gouttelettes rejaillissent sur elle, s'infiltrant dans la légère ouverture. Puis elle regarde le GPS. Leur destination se trouve à quatre kilomètres. Son ventre se serre. Elle voudrait faire demi-tour. Ils sont entrés dans la ville qu'elle ne reconnaît que partiellement. Vingt-cinq ans qu'elle lui a dit adieu avec la certitude de ne jamais y revenir. Des ronds-points ont fleuri là où les grandes enseignes se sont installées, identiques à celles de toutes les agglomérations, sans personnalité. Quand ils pénètrent dans le centre, la pluie a cessé. La chaussée mouillée accentue l'austérité que Julie perçoit dans les façades en pierres, les toitures en ardoises et le peu de véhicules qui circulent. Le ciel bas, chargé de nuages, grisonne autant que les toits. Le manque de clarté méditerranéenne, à laquelle elle s'est habituée, ajoute à son sentiment d'oppression. Puis ils passent devant un petit parc. Le visage d'Olivier s'impose. Elle se revoit, assise sur un banc dans ce jardin public. Elle a seize ans. Un faux pas parmi d'autres. La quête de substances trompeuses pour s'abrutir et anéantir des douleurs

238

mystérieuses. Peut-être que si elle avait su tout ça à l'époque et qu'un docteur Lemoine l'avait soutenue, elle se serait économisé bien des souffrances.

Le moteur se tait. Franck relâche le volant et se tourne vers son épouse. Elle explore du regard cette rue qu'elle a foulée si souvent. Elle ne dit rien. Elle recommence à caresser ses cicatrices. Il la laisse se réhabituer à ce décor. Puis elle ouvre la portière et descend, donnant le feu vert. Franck attrape les vestes jetées sur la banquette arrière, ainsi qu'une boîte de petits fours qu'il a cuisinés, et la rejoint. Devant elle se dresse la maison-cube de ses jeunes années. Le temps semble s'être suspendu. Rien n'a changé excepté les volets roulants métalliques qui ont remplacé ceux de bois marron. Ils s'approchent du portillon et activent la cloche. Elle n'est plus chez elle. D'ailleurs, ce toit n'a jamais été le sien. Elle n'y a été qu'invitée sur les ordres de la DDASS. Chez elle, c'était une ferme qu'elle peine à se remémorer correctement. Mais à cette époque elle se sentait autorisée à entrer sans sonner, alors qu'en cet instant, elle se perçoit comme une étrangère. Quand Daniel ouvre la porte, le cœur de Julie explose. Sa grande carrure avance dans l'allée avec des pas plus lents que dans son souvenir. Des rides ont pris leur place sur ce visage qui la propulse immédiatement dans son adolescence. Il s'est rapproché, un simple portillon les sépare. Il s'est arrêté, il la fixe, la lèvre tremblante, le regard embué. Il se pince le nez, agite tout doucement sa tête comme pour dire « C'est bien elle, elle est là ! ». Malgré ses traits tirés, ses cernes et ses joues creusées, il la reconnaît sans l'ombre d'une hésitation. De son côté, Julie est incapable de décrypter ses émotions. Un mélange de colère, de rancœur, de doute, mais aussi de gratitude. Elle se rappelle ses grosses poignes maladroites prononçant un au revoir muet sur le quai d'une gare. La douleur qu'elle leur a infligée. Il ouvre le portillon, plus rien ne les sépare, excepté la pudeur de l'un et la réserve de l'autre. C'est Julie qui rompt finalement le silence. Daniel est bien trop ému pour dire ou agir.

— Bonjour Daniel !

Il serre plus fortement ses lèvres pour masquer son émoi. Il frotte son visage et enfin, un sourire apparaît.

— Julie !

Il se jette sur elle et l'étreint de toutes ses forces. Les dernières heures passées à l'attendre ont été aussi longues que toutes ces années sans nouvelles. Il a besoin de la sentir pour de vrai. Le corps de Julie la trahit d'un sursaut de recul. Cette proximité l'embarrasse. Daniel se retire aussitôt.

— Je t'ai fait mal. Excuse-moi.

Devant le trouble de Daniel, elle capitule. Cet homme respire la bonté, comment peut-elle lui en vouloir de l'avoir protégée en lui cachant la vérité ?

— Non pas du tout, j'ai juste été surprise.

— Bonjour, Daniel, les interrompt Franck en lui tendant une main.

— Bonjour, Franck. Merci de nous l'avoir amenée.

Comme lors de leur première rencontre, il l'empoigne de ses grosses paluches rugueuses et le compresse avec fermeté et reconnaissance. Il referme le portillon derrière eux et les invite à rejoindre la maison. Il explique du bout des lèvres à Julie que sa Jo perd un peu la tête. Il lui a annoncé sa venue qu'elle n'espérait plus, mais elle a déjà oublié qu'elle allait retrouver sa poupée. Une mémoire trouée face à une mémoire égarée.

Julie suit Daniel, Franck clôt la marche. Elle marque une pause sur le perron. Une petite fille, une valise, un couple d'inconnus. Elle et eux, trente-six années en moins. Daniel ouvre la porte, Julie plonge immédiatement dans son enfance et son adolescence. Rien n'a changé. Pourtant, tout est différent. Elle explore avec des yeux nouveaux cet intérieur qui la transporte dans les années quatre-vingt. Qu'avait-elle ressenti la première fois qu'elle avait pénétré en ces lieux ? Rien. Elle n'avait rien ressenti. Aujourd'hui, au contraire, elle est envahie par une multitude de sensations contradictoires.

Le glissement des pantoufles de Josy trottinant sur le carrelage du salon annonce son approche.

— Daniel, tu aurais pu me dire que nous avions des invités, je me serais un peu plus apprêtée, déplore Josy en arrangeant son tablier.

— Jo, dit ce dernier en posant une main sur son avant-bras, c'est Franck. Et Julie.

Josy l'examine, perplexe, avant de tourner son regard vers les convives.

— Julie ? Oh mon Dieu, Julie !

La vieille dame étouffe un cri derrière ses doigts fins, les yeux arrondis de surprise. Ce visage ne s'est pas effacé de ses souvenirs. Sans y être invitée, elle se jette dans les bras de sa protégée qui la dépasse d'une tête et la compresse, la materne, comme si elle était encore une enfant, lui caressant le dos, les cheveux, la noyant sous un flot de paroles d'amour.

— Ma poupée, ma si jolie poupée, comme tu m'as manqué. Que tu es belle ! Je suis si heureuse de te revoir !

Josy l'écarte pour mieux l'observer, puis l'attire à nouveau à elle. Julie se laisse manipuler sans réaction. La retrouver est le plus magnifique des cadeaux que Jo pouvait espérer.

— Que tu m'as manqué ! Et ce monsieur, c'est ton mari ?

— Oui, je suis Franck, nous nous sommes déjà vus.

— Ah bon ? Je ne m'en souviens pas. Oh ! vous savez, parfois j'oublie un peu, mais ce n'est pas grave, dit-elle sur le ton de la confidence. Parce que je n'oublie pas l'essentiel, ajoute-t-elle en se concentrant à nouveau sur Julie. Venez, avancez, nous allons nous installer au salon.

La vieille dame entraîne sa fille de cœur. Daniel murmure à l'intention de Franck :

— Je suis heureux, elle est en forme. C'est un bon jour pour elle, vous tombez bien.

Franck donne une tape amicale sur l'épaule de Daniel. Pour lui non plus ça ne doit pas être facile. Puis le septuagénaire s'empare des gâteaux et rallie la cuisine pour préparer du café. Franck rejoint son épouse et son hôte au salon. Julie est installée dans le canapé. Josy, collée à elle, serre ses mains dans les siennes et continue son flot de paroles. La jeune femme reste silencieuse et fixe les photos sur le buffet. Pour la première fois, elle voit un cliché d'elle petite. Son conjoint qui a suivi son regard, interrompt Josy.

— Vous permettez ? demande-t-il en désignant le pêle-mêle.

— Bien sûr cher ami.

Franck le saisit et le tend à son épouse. Obnubilée, elle contemple ce *elle* miniature. Elle ressent une peine immense pour cette enfant qu'elle a l'impression de ne pas connaître. Elle était une inconnue pour elle-même jusqu'à peu. Et elle a encore beaucoup à apprendre. Franck lui chuchote en passant une main dans son dos :

— Ça va ?

Elle opine de la tête. Même si en vrai, non, ça ne va pas. Comment a-t-elle pu ne pas protéger cette enfant ? Comment Jo et Daniel ont-ils pu mentir ainsi ? Daniel arrive avec de quoi se restaurer et dépose le plateau sur la table basse. Il invite Franck à s'asseoir et propose de les servir. Josy continue de parler, autant qu'autrefois. Elle raconte la petite Julie, les vacances à Sérignan, les frites du samedi, dévie sur son potager, la couture, avant de revenir sur l'histoire de sa poupée qu'elle mêle à ceux d'autres enfants qu'elle a gardés. Peu à peu, le discours devient incompréhensible, confus. Julie, qui n'a pas encore ouvert la bouche, interrompt subitement Jo.

— Pourquoi ?

La voix est tranchante. Glacée.

— Pourquoi quoi ? s'étonne Jo.

— Pourquoi vous m'avez menti ?

Franck repose la tasse de café. Il sent le dérapage arriver.

— Julie, doucement s'il te plaît.

— Doucement ? Non, je n'irai pas doucement. Je veux savoir.

— Mais, ma poupée, je ne comprends pas, qu'est-ce qui ne va pas ?

— Et bien ça, justement. Je ne suis pas une poupée, je ne suis pas un jouet. Je suis un être humain. Et j'étais une enfant que vous deviez protéger, mais vous ne l'avez pas fait.

La malice de Josy a disparu. Son esprit s'embrouille, elle ne saisit pas les reproches de Julie. Daniel intervient.

— On t'a protégée, Julie. Et on t'a aimée, de toutes nos forces.

— Alors, expliquez-moi pourquoi vous m'avez caché la vérité.

— Parce que nous-mêmes, on sait pas ce qui s'est passé.

— Tu mens, c'est faux, bien sûr que vous savez.

Franck s'enfonce dans son fauteuil. Il connaît son épouse, elle ne lâchera rien tant qu'elle ne sera pas allée jusqu'au bout. L'esprit de Josy s'est évaporé, comme étranger à la scène, cette furie, ce n'est pas sa jolie poupée. La partie se joue entre Daniel et Julie.

— On savait que ton père avait tué ta mère, mais rien de plus.

— Pourquoi me l'avoir caché ?

— On te l'a pas caché, on t'en a pas parlé. C'est tout. T'avais aucun souvenir, ça paraissait plus simple de se taire.

— Tu réalises qu'en dissimulant la vérité vous avez ruiné ma vie ?

— Julie, intervient Franck, ils ont fait au mieux. Je connais ta douleur, mais ils n'y sont pour rien.

— Si, bien sûr que si, ils sont tout aussi responsables, dit-elle en se levant d'un bond.

Et avant que quiconque ne puisse réagir, Julie part en claquant la porte.


Elle erre au hasard des rues, cigarette à la bouche. Ses pas la conduisent devant la maison d'Olivier. Petit con qui a bien profité de sa faiblesse. Des larmes amères tracent un sillon brûlant sur ses joues, contrastant avec le froid. Les images s'enchaînent à toute vitesse, rejouant en accéléré les dix années passées dans ce quartier. Les non-dits. Les mensonges. Les regrets. La douleur. Et Jo, cette maman de substitution qui n'a pas réussi à en être une. Les sourires de Jo. Son amour, certes oppressant, mais son amour tout de même. La peine dans les yeux de Daniel sur le quai de la gare. Et ce sentiment de ne pas les avoir chéris comme elle l'aurait dû. Tout comme elle le fait aujourd'hui avec Franck, Mély et Hugo. Elle ne laisse aucune chance, à personne. Et si elle souhaite que ça évolue, alors le changement doit commencer par elle. Elle repense à son groupe de parole, à ces témoignages de femmes. Celles qui se noient. Qui vivent immergées dans leur passé. Incapables d'exister aujourd'hui et maintenant, en dépit des mains tendues qu'elles peuvent trouver sur leur chemin, anéanties par la violence d'autrefois. Et les autres. Celles qui arrivent peu à peu à sortir la tête de l'eau malgré les horreurs qu'elles ont subies. Elle se concentre sur les paroles du psychiatre, les conseils de la psychologue. C'est dur, c'est difficile, mais elle peut dépasser ses émotions, maîtriser sa mémoire. Elle a quarante-quatre ans et elle est en sécurité, entourée, aimée, respectée. La solution se trouve en elle avec ce qu'elle est capable de donner maintenant. C'est encore peu, elle est au commencement de son renouveau, mais elle possède des atouts. Elle seule décide.

Elle revient vers la maison, pousse le portillon et s'assoit dans le jardin, contre le tilleul endormi, face au fil à linge. Elle se rappelle le jour où Jo a découvert ses lacérations, alors qu'elles étendaient la lessive. Julie n'a jamais saisi les perches. Jo n'a jamais insisté. Qui était responsable ? Sans doute un peu les deux, chacune préférant ignorer sa propre souffrance ainsi que la souffrance de l'autre.

Elle allume une dernière cigarette et pense à tout ce gâchis. Elle a dit au docteur Lemoine qu'elle souhaitait tourner la page au plus vite, entendre la version des Maury pourrait peut-être l'aider, quoi qu'il lui en coûte.

Elle écrase le mégot, se lève et rencontre Franck qui pénètre dans le jardin.

— Mon amour, je te cherchais partout.

— Je suis là.

— Écoute, je sais que c'est difficile pour toi, et personne ne nie la cruauté de ce que tu as vécu. Mais je crois sincèrement que les Maury ont fait ce qu'ils considéraient être le mieux pour te protéger.

Un silence s'installe. Ils demeurent face à face, immobiles. La porte d'entrée claque.

— Julie, tu es revenue ! dit Daniel soulagé.

Il s'approche, hésitant, puis affronte le regard de Julie, la lèvre tremblante.

— Pardonne-nous si on t'a fait du mal. Je te promets qu'on voulait pas ça. Allons faire quelques pas pour discuter, loin de Jo. Je préfère la laisser tranquille.

— D'accord.

— Franck, vous pouvez aller chercher la veste de Julie dans l'entrée ?

— Bien sûr.

Daniel lui frotte les bras avec douceur.

— Je voudrais pas que tu attrapes la mort.

Julie le regarde sans ciller. Puis elle sourit. Avec sincérité. Avec tendresse. Sous ses maladresses, cet homme est bon, elle ne peut pas en douter.

— Tiens, dit Franck en déposant le manteau de laine sur les épaules de sa femme. Et voilà pour vous Daniel.

— Vous nous accompagnez pas ?

— Non, je vais tenir compagnie à Jo. Et puis je crois que vous avez des choses à vous dire en tête-à-tête.

— Merci Franck.

# 40

Daniel attrape le bras de Julie et d'un pas plutôt alerte, l'entraîne dans la rue. Après un temps de réflexion, il se lance dans un long monologue. La jeune femme écoute avec attention cette voix roucoulante.

— Je te demande pardon si on t'a blessée. Faut que tu comprennes, on t'a élevée comme notre propre fille. La Jo, soutenir les petiots cassés, c'était sa raison de vivre. À chaque départ d'un gamin, c'était une déchirure. Toi, quand on t'a placée chez nous, on nous a dit c'est pour la vie. Tu aurais vu la Jo, elle était radieuse, elle pouvait t'aimer sans craindre la séparation. Et puis t'es arrivée avec ta mine triste et tes silences. Tu sais que tu parlais pas au début ?

Daniel s'interrompt, regarde Julie qui lève les yeux vers lui et fait non de la tête. Elle n'a pas de souvenirs précis de son arrivée chez les Maury. Écouter Daniel lui raconter cette vie qui est la sienne, c'est récupérer une partie de ses jeunes années.

— T'es restée de longues semaines sans parler. La Jo, elle s'était promis de te redonner la parole, et moi le sourire. T'étais morte en dedans. Et quand tu t'es remise à parler, t'as rien demandé au sujet de tes parents. Alors, avec Jo, on s'est dit que si t'avais oublié, c'était peut-être mieux comme ça. C'est pour ça qu'on t'a rien dit. C'était pas pour te mentir. Mais pour éviter de te faire encore plus de mal. Surtout que tu croyais pas avoir de père et tu disais que ta mère, elle était morte de maladie. Et puis t'as grandi, t'as jamais souri et la Jo, elle souffrait de te voir souffrir. On pensait bien que quelque chose allait pas. Peut-être qu'on aurait dû te faire soigner, mais à l'époque, les psychologues, on en parlait pas. C'était pour les fous. Et puis moi, tu sais, je suis qu'un gars de la campagne. J'entends pas grand-chose à tout ça. Alors si ça convenait à la Jo, ça me convenait aussi.

L'homme s'arrête un instant de discourir et de marcher. Une pluie fine recommence à tomber. Il se tourne vers Julie, lâche son bras pour saisir son poignet gauche. Il caresse délicatement ses scarifications, celles qu'il

246

a toujours fait semblant d'ignorer, celles qu'il n'a jamais osé affronter. Une larme perle, accompagnant la pluie qui glisse sur son visage.

— Un jour, Jo, elle a découvert ce que tu te faisais. On a pas su comment t'aider. Elle osait pas en parler. On avait peur qu'on te mette dans un foyer. Et peu à peu, ton malheur, il a pris toute la place. Et la Jo, elle a arrêté de sourire.

Julie regarde la larme glisser lentement sur le visage de cet homme qui lui crie son amour avec pudeur. Il l'essuie avant qu'elle ne se fonde dans les gouttes d'eau. Daniel poursuit son discours, fixant intensément Julie dans les yeux pour la convaincre de sa sincérité.

— Te perdre est ce qui aurait pu nous arriver de pire. Et pourtant, c'est ce qui s'est passé. Si tu savais comme on a souffert de ton silence. C'est comme si on avait jamais existé pour toi. Alors la Jo, elle a tenté une nouvelle fois, on a accueilli une autre petite fille. Son père aussi, le salopard, avait dézingué sa mère. Mais ça a été au-dessus de ses forces. On a compris qu'on lui redonnerait pas la vie. Qu'on allait échouer, comme avec toi. Elle est restée quelques mois avant d'être placée ailleurs. On a décidé d'arrêter. Les gamins cassés, ça devenait trop dur pour nous. Peu à peu, Jo, elle a fini par dérailler du ciboulot. Peut-être pour oublier qu'elle t'avait perdue. Peut-être qu'on aurait dû te parler du drame ou parler aux services sociaux. Mais ça sert à rien de se poser des questions, petite. C'est derrière. Aujourd'hui, je te demande de nous pardonner. On est pas tes parents, ça je le sais bien. Mais tu es notre fille de cœur, alors si on peut t'aider, on le fera.

Un silence s'installe. Daniel patiente. Il espère un mot, une réaction qui ne viennent pas. Julie s'assoit sur le muret du pavillon récent devant lequel ils piétinent depuis quelques instants. Elle sort de sa poche son briquet et une cigarette qu'elle allume en la protégeant d'une main.

— Tu vois, rien que ça, cette sale habitude. On t'a rien dit quand t'as commencé à fumer. On voulait tellement te rendre heureuse, qu'on a oublié de te dire non. Je sais pas ce qu'a été ta vie depuis que tu es partie d'ici. La Jo, elle allait tous les dimanches à l'église brûler un cierge. Elle a prié pour toi, pour qu'il t'arrive rien. Tu as rencontré un homme bon, mais je comprends que rien a été facile pour toi. Alors je te le répète, on peut pas effacer tout ce qui s'est passé, on peut pas inventer tout ce qui s'est pas passé, mais si on peut faire quoi que ce soit pour toi, on le fera.

Julie tire sur sa cigarette de toutes ses forces, le regard absent. Elle est restée attentive à chacun des mots de Daniel. Elle prend conscience de la peine qu'elle leur a infligée. Elle non plus n'était pas mal intentionnée. Toutefois, elle en avait bien assez avec sa propre vie et ses galères. Elle ne disposait pas de l'espace émotionnel pour se soucier des autres. Lentement, elle lève les yeux sur cet homme courbé, mais qui la domine de sa puissante stature.

— Je comprends et je vous pardonne. Moi aussi je vous demande pardon, à toi et à Jo pour ce que je vous ai fait endurer, articule-t-elle.

Le cœur de Daniel bondit, il irradie dans la grisaille.

— Ma petite, t'as pas à t'excuser, parce qu'on te reproche rien.

Il lui tend la main et l'aide à se relever.

— Allez, viens. Rentrons. Tu vas finir par attraper la mort.

Julie sourit pour la deuxième fois de la journée avec sincérité, tendresse, envie. Remise sur ses pieds, elle prend Daniel dans ses bras. Ce dernier, surpris par l'étreinte, reste penaud quelques instants avant de lui retourner cette marque d'affection. Il la serre comme pour l'absorber. Elle leur a tellement manqué. Il devine ses fantômes, sa douleur, mais elle est là. Vivante. Toujours aussi belle. Et mariée à un homme attentionné et aimant. Il dépose ses grandes pognes aux gros doigts entaillés et âpres sur la douce chevelure afin de la protéger de la pluie. Julie écoute le cœur de Daniel frapper la cadence contre sa poitrine à toute berzingue. L'expression incontrôlable d'une émotion forte. Elle est adulte, et dans les bras de cet homme, elle ressent ce que doit être l'amour d'un père pour son enfant. Tout ce qu'elle a occulté lorsqu'ils partageaient le même toit. Convaincue qu'ils faisaient le nécessaire essentiellement parce qu'ils étaient rémunérés pour leurs bons soins. Ils lui ont donné tellement plus, elle s'en souvient. Mais à l'époque elle était incapable d'apprécier ce filet de sécurité. Et si elle a réussi à s'en sortir tant bien que mal, c'est sans doute en grande partie grâce à eux. Avec Denise, ils ont jeté les bases d'une éducation saine. Un harnais qui lui a permis inconsciemment de s'amarrer pour ne pas se crasher lorsqu'elle s'égarait, se détruisait.

— Merci pour tout ce que vous avez fait pour moi.

— C'est rien ma fille. Enfin, si je peux t'appeler comme ça...

— Oui, Daniel, tu peux.

Elle dépose une bise sur la joue râpeuse du vieil homme et, main dans la main, ils repartent vers la maison. Julie n'est pas une grande bavarde et Daniel a épuisé son stock mensuel de mots en un quart d'heure. Mais ça en valait la peine. Il fallait qu'il lui raconte tout ça, qu'il s'allège de ce fardeau, même si, maintenant, il ne sait plus quoi dire. Alors ils avancent en silence. La force avec laquelle ils se tiennent la main parle pour eux. Pas besoin de filiation pour tisser un amour véritable. Le lien que Daniel et Jo avaient filé avec Julie était de ceux-là, indéfectible. Ces retrouvailles lui donnent envie de reprendre à zéro et de laisser une place à ses parents adoptifs. Franck a eu raison de la conduire ici. Ça ne résout pas le mystère de la mort de sa mère, mais elle se sent moins seule. Prendre conscience qu'elle a bénéficié d'une nourriture affective dont son bourreau l'avait privée, la réconforte un peu. Jo et Daniel aimaient l'enfant qu'elle était et l'aiment encore.

De retour au domicile, Jo les accueille avec un grand sourire. Elle a déjà oublié la dispute qui s'est déroulée dans le salon une heure plus tôt. Elle a même oublié leurs retrouvailles. Elle se jette dans les bras de Julie lorsqu'elle la reconnaît, lui exprime la joie de la revoir enfin. Puis elle leur propose une serviette pour se sécher et s'étonne de leur promenade sous la pluie.

Julie demande à voir la chambre où elle a dormi. Elle grimpe seule à l'étage, faisant glisser ses mains sur la rampe, écoutant le son étouffé de ses pas sur la moquette. Elle ouvre la porte lentement. Rien n'a changé même si une autre fillette maltraitée par la vie a dormi là après son départ. Elle avance vers le bureau et y découvre un cahier de terminale. Elle l'attrape, le caresse, repense à Olivier, aux soirées de perdition, au cannabis, aux drogues dures. Tout ça lui paraît si loin. Dire qu'elle s'est détruite pendant tout ce temps parce qu'elle ne savait rien de ce qu'elle avait vécu. Elle retournait sa rage intérieure contre elle-même, une rage incompréhensible. Tout n'est pas encore réglé mais tenir un début d'explication la soulage déjà un peu. Daniel a raison, on ne peut pas réécrire l'histoire. Depuis l'accident, tout a changé, son esprit devient un peu plus clair. Les motifs de son mal-être profond aussi. Elle repose le cahier. Ils ont dû tellement l'aimer pour laisser la pièce en l'état. Comme si elle pouvait revenir du jour au lendemain. Et pour qu'elle se sente toujours chez elle. Son malheur aurait pu être pire. Elle aurait pu ne pas avoir un abri fixe, être placée de foyers en familles d'accueil temporaires. Ils reflétaient la lumière dans ses nuits. Si elle n'a pas tout raté, ils en représentent une des explications. Elle leur doit beaucoup.

Elle s'assoit sur le lit, effleure le couvre-lit. Peu à peu les images de son arrivée ici remontent à la surface. Elle revoit Jo, bien plus jeune, lui caresser la main en silence pendant de longues minutes à cet endroit même.

Jo qui perd ses souvenirs. Elle qui retrouve les siens. La vie est joueuse…

Elle descend rejoindre les autres au salon. Jo, tout à sa joie, ne tarit pas d'anecdotes sur l'enfance de Julie. La mémoire de Josy est capricieuse, elle n'engramme pas les évènements récents. Mais elle n'a rien oublié du passé, préservé dans les méandres de ses souvenirs. Julie ne se lasse pas de l'écouter. Les propos de sa mère de cœur lui permettent d'avoir une autre lecture de ses années chez eux. Par moments, la voix de Jo se brise, un sanglot est prêt à monter. Jo ne fait pas le tri, ne cache rien, elle en est incapable. Aussi elle raconte tout. L'épisode de la cuisine, le premier flash-back de Julie. Cette dernière tressaille, elle a la nausée lorsque l'odeur de la viande froide irrite ses narines. Des images se croisent, celles récupérées récemment de la ferme apparaissent devant ses yeux. Aucune information nouvelle, juste des souvenirs retrouvés qui vont et viennent à leur rythme, selon leur propre volonté. Franck remarque son malaise. Il s'approche d'elle et lui glisse un sourire d'encouragement. Jo, qui passe du coq à l'âne, a déjà changé de sujet. Julie raccroche les wagons et se concentre sur les propos de Josy, qui, dans un désordre déstructuré, la nourrit d'anecdotes diverses dont certaines l'aident à raviver les quelques lueurs joyeuses partagées dans cette demeure.

# 41

Le jeune couple vient de quitter la maison. Depuis le perron, la frêle silhouette de Jo, serrée contre la grande carcasse de Daniel, fait de larges au revoir de la main. Promesse est faite de se revoir dès que possible. Julie a pris place côté passager. Cette rencontre l'a secouée et rassurée tout à la fois. Franck s'inquiète de son état, mais elle lui affirme que tout va bien.

— Mon amour, je voudrais te proposer quelque chose.

Julie le regarde, lui signifiant ainsi qu'elle l'écoute.

— Tu peux refuser. Je ne sais pas si c'est une bonne idée. J'ai demandé à Daniel l'adresse de la ferme. Celle où tu as vécu plus jeune, avant… avant que…

Franck laisse la phrase en suspens. Il est des mots trop douloureux à prononcer. Julie reçoit un coup de couteau dans le cœur. Elle ne s'est pas préparée à cela. En aura-t-elle la force ? Face à ses hésitations muettes, son époux capitule.

— Oublie. C'était une mauvaise idée, ça ne pourrait que te faire souffrir davantage.

Il dépose un baiser à la hâte sur les lèvres de la jeune femme et démarre. Julie tourne la tête vers la maison. Ils se tiennent toujours là, scotchés l'un à l'autre, le col resserré pour se protéger du froid. Ils continuent de les saluer et de sourire à pleines dents. Ils rayonnent. Ils ont retrouvé leur fille. Elle leur renvoie un signe discret alors que Franck klaxonne en levant la main, penché par-dessus le volant, dévoilant ses dents du bonheur. Arrivera-t-elle un jour elle aussi à ressentir et exprimer autant de joie ? Avancer. Affronter ses démons. Et les abattre.

— Allons-y.

— Oui, ma chérie. On rentre.

— Non. À la ferme.

— Je ne sais pas. Je pense que c'était une mauvaise idée. Je n'aurais pas dû…

— Allons-y. S'il te plaît.

— D'accord. Et si tu changes d'avis en chemin ou même en arrivant sur place, on fera demi-tour aussitôt.

Franck sort le petit bout de papier plié de la poche de son jean, entre l'adresse dans le GPS et se laisse guider par la voix de robot. Julie allume une énième cigarette. La pluie fine se transforme à nouveau en déluge, le vent fouette la carrosserie du 4x4. Ils ont parcouru une dizaine de kilomètres quand ils s'engagent dans un chemin de terre abandonné. À cette saison, les herbes folles n'ont pas encore pris possession des lieux et le tracé est visible. Franck conduit lentement, évitant les ornières et les cailloux qui compliquent l'accès. Julie entend son rythme cardiaque s'affoler. Elle commence à se ronger les ongles. Elle avance vers d'anciens souvenirs lugubres.

Puis elle la distingue. Là-bas. Dressée au bout du chemin. Froide. Grise. Coiffée de nuages noirs et bas, voilée par la brume pluvieuse. Elle a besoin d'une nouvelle dose de nicotine.

Le silence se fait, moteur coupé. Le vent siffle dans l'habitacle, amenant de la pluie par la fenêtre entrouverte. Franck se tait. Il laisse Julie s'imprégner de l'endroit.

Elle n'en avait aucun souvenir, pourtant, elle la reconnaît immédiatement. Ces lieux lui sont familiers. Elle ouvre la portière et descend avec hésitation. Elle ferme son manteau et remonte la capuche sur sa tête. La pluie bat son visage, brouillant le paysage. L'habitation est abandonnée. Elle ignore si ça la soulage ou bien la déçoit.

Franck s'approche, passe un bras autour de ses épaules. Elle se dégage lentement. Elle a besoin d'être seule. Un rire d'enfant résonne. Elle tourne la tête, à la recherche de l'écho. La vision fugace d'une petite Julie enjouée s'envolant sur une balançoire s'estompe dans le flou de la brume. Il ne reste qu'une planche de bois pourri, suspendue à une corde élimée, accrochée à la branche funeste d'un arbre décharné. Elle flotte dans le vide, poussée par les rafales, battant sèchement contre le tronc du vieux chêne sans âme.

À gauche, la ferme, le bâtiment d'habitation. À droite, la grange. Les deux sont jumelées par un toit qui abrite les outils et des bûches pour le poêle. Rien n'a bougé. Elle n'a pas de souvenirs précis, mais le sentiment que cette maison a été abandonnée précipitamment est très prégnant.

Le pourtour de la grange est envahi par les ronces. Le lierre rampe, indiscipliné, sur les façades inégales. Elle balaie de son regard la partie gauche, et les planches de bois qui maintiennent clos les volets délabrés la font frissonner. Le bruit du marteau qui s'acharne sur les clous résonne dans son crâne. Le noir s'impose à elle. La pénombre. Cette obscurité permanente. Elle hésite. Fait un pas. Elle entend la voix de Franck, mais elle ne distingue pas ses mots. Elle approche de l'aile d'habitation. Devant la maison, des lézardes soulèvent le béton de la cour par endroits, sous la force de la nature qui a repris ses droits. Elle est maintenant tout près de la porte d'entrée vitrée. La seule partie qui permette d'entrevoir l'intérieur. Elle colle son visage contre la fenêtre. Malheureusement, la poussière et les toiles d'araignées l'empêchent de voir nettement ce qui se cache derrière. Elle entend des pas approcher. Elle sursaute et crie. Ce n'est que Franck.

— Ça va ?

— Oui, souffle-t-elle.

— Viens, on rentre, ordonne-t-il en lui prenant la main pour l'entraîner dans son sillage.

Elle le lâche brusquement.

— Non. Laisse-moi.

— Julie, je pense que c'est une mauvaise idée. Je n'aurais pas dû. J'espérais que ça t'aiderait, mais je réalise que c'est te confronter à beaucoup trop de violence et que tu n'es pas prête pour ça.

— Non. J'ai besoin de… Je ne sais pas… De trouver quelque chose. Des réponses ou des souvenirs.

Elle s'éloigne et se dirige à présent vers l'étable qui servait de grange. Ces vieilles pierres endormies cachent des secrets. Sa mémoire trouée la guide, l'incite à prospecter. Elle pousse la porte qui n'est pas fermée à clé. Le bric-à-brac est enduit d'un voile de poussière, déposé au fil des ans. Il fait sombre dans ce bâtiment borgne. L'odeur de paille pourrie parvient à ses narines.

Puis l'odeur de foin frais.

Soudain, sa mémoire régurgite un souvenir obscène. Elle est cachée dans les balles de foin. La silhouette de celui qui va devenir son bourreau apparaît dans l'encadrement de la porte. Son ombre est projetée au sol par le soleil rayonnant de cette fin d'été. Elle a désobéi, une fois de plus, elle a tenu tête. Alors elle est venue se dissimuler au milieu des bottes. Mais il se doute qu'elle se cache par là. Il l'appelle, la voix pleine de colère. Cette fois, il n'en peut plus de son insolence. Il ne supporte plus cette sale gosse dont il ne voulait pas. Cette punaise qui lui vole les attentions de sa Denise. Qui se trémousse devant lui depuis quelques temps. Qui attise son excitation. Elle va prendre ce qu'elle mérite. Fou de rage, il retourne les balles de foin. Julie n'ose plus respirer. Les brins lui chatouillent les narines, elle retient un éternuement. Puis un « atchoum » incontrôlé explose. Le bourreau se dirige à grands pas vers le bruit dénonciateur et, victorieux, la sort brusquement de sa cachette, en la tirant par le col de sa robe-tablier, déchirant la couture de l'épaule. Il lui retourne une claque magistrale, il la plaque au sol et la contraint. Il est saisi d'une pulsion qu'il ne peut plus contenir et laisse exploser toute sa frustration sur cette enfant qu'il souille avec fureur. C'est ici que ça s'est passé pour la première fois, Julie l'adulte en a la certitude. Elle se plie en deux, des douleurs abdominales lacèrent ses entrailles. Elle entend la voix masculine qui lui ordonne de lui obéir. Il répète « C'est moi qui décide. Et tu feras tout ce que je veux. C'est compris ? ». La fillette se débat, mais elle n'est pas assez forte. Elle fait non de la tête. Il comprime sa petite bouche tendre avec sa grosse main dégueulasse pour la contraindre au silence, et de l'autre main, retient fermement ses fins poignets au-dessus d'elle. Elle hurlerait de douleur si elle le pouvait. Il la lacère, mais il s'en moque. Il continue ses va-et-vient, éructant sa puissance. Puis soudain il se cabre, rugit et enfin se tait. Il se relève, essuie son sexe sur la robe de la fillette. Il remonte son pantalon, rattache ses bretelles. Il saisit Julie par le bras, la soulève de terre et exige les dents serrées :

— Tu fermes ta gueule. Pas un mot à ta mère. Et m'oblige pas à recommencer.

Julie fait oui de la tête. Elle est terrorisée. Il repart en claquant la porte. Elle s'effondre dans la paille, son carré tout emmêlé, sa culotte et sa robe déchirées, le ventre incandescent. Elle ne comprend rien à ce qu'il vient de se passer.

La grande Julie se met à hurler. Ce n'étaient pas des flashes, mais une scène bien réelle avec ses souffles gutturaux, l'odeur du foin, la chaleur estivale, la haine paternelle. Une scène entière. Complète. Intégrale et ignoble. Elle a vu clairement le visage de son bourreau, elle a reconnu sa voix et son haleine viciée. Quel âge avait-elle ? Sept ans ? Huit ans ? Pourquoi un tel déchaînement de violence sur une petite fille ? Franck, qui veillait au loin, accourt.

— Julie qu'est-ce qui se passe ?

Elle ne répond pas. Elle sort en courant, le bousculant au passage, ivre de rage. Elle hurle toute sa colère, sa haine, sa peine, sa douleur, son incompréhension. Un cri de déchirement dans la quiétude lugubre de ces lieux sinistres. Elle avance sans regarder devant elle, la pluie battant son visage, brouillant les pistes. Ses chaussures s'enlisent dans la boue, mais qu'importe, elle appuie de toutes ses forces sur ses talons pour continuer de s'échapper. Franck la rattrape, lui saisit le bras. Elle trébuche, tombe dans un trou. Une cavité aux dimensions humaines que le pouvoir du temps seul a insuffisamment rebouchée. Des bruits de pelle, de terre que l'on remue envahissent sa tête. Des souvenirs la guettent à chaque coin. Elle a franchi les portes de l'enfer. Les images se télescopent, imprimées sur sa rétine. Le voile se lève et ce qu'il laisse apparaître est redoutable. La petite Julie qui creuse. Les ordres du bourreau, déchaîné, excité, heureux de séquestrer pour toujours sa Denise. La tête de veau. Les yeux exorbités. Julie hurle, hurle, se recroqueville sur elle-même, le visage dans la terre, frappant le sol, crachant la terre qu'elle a avalée par mégarde. Franck essaie de la retourner. Mais elle se démène, le frappe. La pluie s'est intensifiée, ils doivent fuir ces lieux maléfiques. Franck saisit ses bras et la maintient fermement dans la boue. Elle arrête de se débattre, il la tourne vers lui puis la relâche.

— Viens. Partons.

Il lui tend la main, à genoux au bord du trou dans lequel elle est allongée. Mais Julie est incapable de bouger. Elle ne l'entend pas, ne le voit pas. Elle gémit, crie, tout en pleurant, en se tenant le ventre, repliée sur elle-même. Franck décide alors de se coucher sur elle pour la protéger des intempéries et la bercer. Il saisit son visage à pleines mains, l'obligeant à relever la tête.

— Julie regarde-moi. Je suis là. C'est moi mon amour, c'est Franck, il ne peut rien t'arriver.

Julie l'ignore, elle crache la douleur de l'enfant meurtrie, absente du moment présent, indifférente au déluge qui s'abat sur elle. Elle baigne dans le caveau de sa mère. Tombe qu'elle a creusée de ses petites mains et de ses muscles emplis de bravoure. Pour obéir au bourreau. Pour sauver sa peau. Franck lui parle, tente de calmer l'intonation de sa voix et de tenir des propos rassurants. Il la serre contre elle, la cajole, la supplie.

— Julie, Julie, reviens avec moi.

Les minutes s'étirent. La nuit commence à poindre, poussée par des nuages noirs et lourds. Franck et Julie sont enduits de boue, trempés, résignés, meurtris, égarés. Les pleurs de Julie se sont apaisés, ses cris se sont éteints. Franck continue de la couvrir de baisers et de la protéger de son torse. Elle le regarde. Il lit dans ses yeux qu'elle est revenue à elle. Alors il se relève, puis l'aide à émerger de ce bourbier. Elle a mal au bras, mais elle ne se plaint pas. Toutefois, Franck discerne la grimace de douleur sur son visage. Inutile de lui demander si ça va. Cette question serait déplacée. Ils rejoignent la voiture à pas lents, alourdis par le limon accroché à leurs chaussures et par le poids horrible des découvertes.

Ils grimpent dans le véhicule, Franck monte le chauffage au maximum. Julie grelotte en silence. Il ne comprend pas tout de ce qu'il vient de se passer, mais il suppose que la ferme a délivré un secret machiavélique à son épouse. Demain, elle a rendez-vous chez son psychothérapeute, cette idée le rassure.

Seul le bruit des essuie-glaces accompagne le ronronnement du moteur. La radio est éteinte. Elle ne ferait qu'encombrer l'espace d'une résonnance factice et vaine. Les pensées cavaleraient quand même. Autant leur laisser le champ libre. Julie est horrifiée par sa nouvelle découverte. Qu'espérait-elle en acceptant de retourner à la ferme ? Ce lieu macabre ne pouvait que lui être hostile. Elle finit par douter que vouloir partir à la chasse de son histoire soit une bonne idée. Ne ferait-elle pas mieux de tirer un trait sur tout ça et de continuer sa vie ? Sauf qu'à présent elle sait. Elle n'a plus le choix. Les cavités mnésiques se remplissent peu à peu, elle ne peut ignorer l'horreur qui se déverse à l'intérieur pour les combler.

La nuit s'éclaircit au fur et à mesure qu'ils s'éloignent de Brive. Quand ils arrivent au domicile familial, Julie file directement sous la douche puis s'enveloppe sous la couette, incapable d'affronter le regard de son mari et de ses enfants.

# ÉPILOGUE

Après cet orage psychique sans précédent, Julie passe une nuit blanche. Elle se relève à maintes reprises pour fumer, pleure dans la froide pénombre, enroulée sur elle-même, assise sur les lattes de bois du balcon. Elle pense aux Maury qu'elle a retrouvés avec plaisir. Jo et sa mémoire égarée lui ont permis de recoller quelques morceaux dans le bon ordre. Tout comme la très douloureuse incursion à la ferme a ravivé des souvenirs enfouis. Elle ne se sent pas plus complète grâce à tout ça. Juste un peu moins incomplète. Un bout par-ci, un bout par-là. Pour espérer parvenir à les souder et à former un tout cohérent. Hideux, à en gerber. Mais un tout qui serait son histoire ayant construit la Julie qu'elle connaît. Ce tout cohérent pour aller à la rencontre de l'autre Julie, celle qu'elle aurait dû être. Du moins, en partie. Car les stigmates perdureront, elle ne cicatrisera jamais tout à fait.

Franck a sombré à peine couché, aussi il n'entend rien de la détresse de sa femme. Il se lève dès potron-minet pour lui préparer un petit-déjeuner digne d'un étoilé. Cajoler les papilles des siens, les régaler des meilleurs délices locaux, c'est sa façon de leur dire « Je vous aime, je suis là pour vous ». Il n'en espère pas des miracles non plus et il n'est pas déçu quand sa femme s'installe devant ce festin sans l'ombre d'une réaction, sans aucune envie. Il l'embrasse délicatement et lui sert un café.

— Merci.

Il grimpe sur le tabouret, face à sa moitié et l'observe sans un mot. Elle balaie des yeux cette orgie sucrée-salée. Elle devrait le remercier. Elle devrait manger pour lui faire honneur. Elle n'en a pas le goût. Tout ça lui paraît si futile. Sous le regard de Franck posé sur elle, elle lève la tête. Un sourire contrit s'esquisse péniblement.

— Pardonne-moi.

— Tu n'as rien à te faire pardonner.

— Si. Tu es un homme merveilleux et je suis incapable de t'aimer comme tu le mérites.

— Ne dis pas ça, s'insurge Franck en bondissant de son tabouret.

Il s'approche d'elle et relève son menton, l'obligeant à le fixer.

— Même en sachant tout ce que je sais aujourd'hui, je te choisirais toi et pas une autre. N'en doute pas. Tu es une femme exceptionnelle Julie, et vu tout ce que tu as enduré, je te trouve encore plus exceptionnelle.

— Mais je ne sais pas comment on fait pour aimer. Ni toi, ni les jumeaux, je suis une handicapée des sentiments, j'en prends conscience.

— Nous ne sommes pas malheureux. Tu as vécu des atrocités, et on va avancer en connaissance de cause. Des professionnels sont là pour t'aider. Et moi aussi. Tu n'es plus toute seule. On va t'apprendre comment on fait pour aimer. Ça ne peut qu'aller mieux, déjà parce que tu en as envie. Tu en as envie n'est-ce pas ?

— Oui. Je le veux.

— Alors on va y arriver.

— Salut pa', salut mom'.

Les cheveux hirsutes et les paupières engluées de sommeil, Hugo fait irruption dans la cuisine. Il ouvre instantanément de grands yeux gourmands à la vue du merveilleux buffet dressé sur l'îlot central de la pièce. Sans prendre la peine d'embrasser ses parents, il se jette sur les pâtisseries et, la bouche pleine, s'extasie.

— Woaw pa', tu déchires ! Je kiffe.

— Fais-toi plaisir fiston, l'encourage Franck en se détachant de Julie.

Cette dernière en profite pour s'éclipser. Son époux n'a pas cuisiné pour rien, d'autres estomacs se réjouiront de ce festin matinal.

Julie plonge dans ses pensées en observant la danse du vent dans les bambous qui entourent la piscine. Dans le reste de la maison, la vie continue. Franck commence à ranger son territoire, Mély a rejoint son frère et ils se chamaillent gentiment. En ce jeudi 12 mars 2020, ils ne démarrent les cours qu'à 9h, Franck les dépose au lycée en se rendant au travail. Ils ne le savent pas encore, mais un nouveau bouleversement va impacter leur vie.

Ce soir-là, ce qui sonne comme un coup de massue pour beaucoup de Français, représente un signe du destin pour Franck. La pandémie n'est plus un lointain problème, mais une réalité bien locale. À partir du samedi, il ne travaillera plus, les enfants n'iront plus au lycée, ils seront tous les quatre à la maison au moins pour deux semaines. Il pourra épauler sa femme dans la conquête de son nouveau moi sans avoir à quémander les jours de repos nécessaires. Puis le lundi, une autre annonce du président de la République coupe court à tout déplacement. Ils sont confinés. Ensemble, dans cette belle villa où ils ne font que se croiser, où ne résonne que le vide la plupart du temps.

Franck conduit son épouse à ses rendez-vous médicaux qui sont maintenus, car impérieux. Mély et Hugo apprennent à Julie comment devenir une bonne mère, en partageant au maximum leur temps avec elle, en lui parlant de leurs joies et préoccupations d'ados, en lui confiant quelques secrets. Julie aime ça. Se sentir proche des siens. Ce confinement les oblige à une proximité familiale inespérée. Ils parlent de tout et de rien comme ils ne l'ont jamais fait. Mély seconde son père en cuisine pendant qu'Hugo raconte des blagues vaseuses à sa mère ou lui enseigne la dernière danse à la mode sur *TikTok*[12]. Elle reprend la course à pied, parfois accompagnée de Franck ou de l'un de ses enfants.

En plus de ses rendez-vous réguliers, Valérie soutient régulièrement Julie en visio. La psychiatre profite de ce repos forcé pour se former à la prise en charge de l'amnésie traumatique. Elle veut sauver son amitié d'adolescence et remue ciel et terre pour accomplir ce projet. Les groupes de parole aussi continuent en visio. Julie réalise sa chance d'être aussi bien entourée quand elle constate la détresse de certaines femmes, isolées dans cet enfermement imposé.

Ces quinze jours se transforment en plus de deux mois de vie au ralenti, pourtant riche pour ces quatre-là qui s'étaient perdus de vue. À l'issue de cette période, Julie se sent moins handicapée. Elle apprend chaque jour comment aimer un peu plus les siens et le leur montrer, ce qui réjouit la douce Mély, heureuse de pouvoir être câlinée par sa maman qui lui a tant manqué. Étonnamment, la résurgence du trauma doublé du confinement a fait émerger une forme de complicité jusqu'alors absente dans cette famille.

---

[12] Application mobile de partage de vidéos lancée en 2016 et très prisée des jeunes et des adolescents.

De son côté, Franck a entrepris des recherches, il veut que Roger paye. Mais il apprend avec dégoût que la loi le protège grâce au principe de prescription, malgré l'amnésie traumatique. Il découvre le combat d'une association et de quelques politiques pour faire changer cet état de fait. Il refuse cette situation, alors il passe des heures à surfer sur internet à la recherche du tortionnaire. Aidé des coupures de presse concernant le procès, il déniche le nom et prénom de sa première conjointe dont il retrouve la trace. Dès que le premier confinement est levé, il prend à nouveau le chemin de la Corrèze et s'invite chez l'ex-épouse de Roger sans l'avoir prévenue. La dame âgée lui relate tout ce qu'elle sait, et lui apprend que Roger est mort. Il s'est suicidé pendant sa deuxième année d'emprisonnement. Franck accueille la nouvelle entre soulagement et dépit. Le bourreau avait lui-même scellé son destin. De toute façon, ils auraient dû se battre pour prouver que Julie était une victime puisque la présomption d'innocence protège le coupable. L'amnésie traumatique de Julie les aurait desservis. Trop de trous noirs perdurent dans son récit. Elle n'est sûre de rien. Il vaut peut-être mieux que l'histoire de son tortionnaire s'arrête ainsi.

Durant l'été, ils invitent les Maury ainsi que Valérie et sa famille. Pour la première fois de sa vie, Julie est entourée de tous ceux qui l'aiment, elle ressent une forme de plénitude. Elle mesure sa chance d'avoir auprès d'elle une famille qu'elle a fondée et une autre, d'adoption, qui la nourrissent de la résilience nécessaire pour affronter ses démons. De plus, le confinement l'a sans doute sauvée, en lui imposant la présence de son époux et ses enfants quotidiennement et en l'obligeant à l'introspection puisqu'elle disposait de plus de temps qu'elle n'en avait jamais eu.

Début septembre, elle doit reprendre le travail. Avec la pandémie, le milieu des assurances ne manque pas d'activité. Mais elle ne met plus de sens à cette vie tourbillonnante. Alors, en accord avec Franck, elle décide de démissionner et de s'octroyer une pause choisie. Elle est par ailleurs bien occupée entre ses divers rendez-vous médicaux, psychologiques, le groupe de parole et l'écriture, à laquelle elle consacre de plus en plus de temps et d'énergie. Elle a récupéré des forces, diminué le tabac et

261

retrouvé un sommeil plus réparateur, avec ou sans aide chimique selon les nuits.

Et puis, au début de l'automne, les commerces sont à nouveau fermés sous la pression de la pandémie. Les enfants vont au lycée, Julie et Franck ont du temps pour eux deux exclusivement et ils apprennent à se dévoiler un peu plus intimement. Le restaurant où il travaille ne propose plus que des plats simplifiés à emporter au déjeuner, il travaille uniquement trois heures par jour. En tête-à-tête, ils lèvent tous les tabous de leur relation, les non-dits, les interrogations de Franck sur le passé de sa femme, la sexualité trouble de Julie, leurs inquiétudes, leurs envies. Ils construisent mentalement un futur qui ressemblerait à la nouvelle Julie, celle qui apprend à sonder son cœur et ses besoins au lieu de foncer dans le tas. Persistent encore des moments de doute, des échecs, des angoisses, des crises, des flash-backs, la peur de ne pas y arriver, des cauchemars, des douleurs au bras gauche.

Et puis il y a ce jour, ce lundi 11 janvier 2021. Presque un an après le second drame et presque trente-sept après le premier drame. Ce jour où, alors qu'il raconte une anecdote concernant son travail, Franck entend un rire cristallin, clair, chaleureux sortir de la bouche de sa femme. Son premier rire sonore. Celui qu'il attend depuis toujours. Il en pleurerait de joie, en exploserait d'amour. Passé le moment de surprise, il préfère rire en chœur avec elle, en espérant secrètement qu'il y en aura d'autres. Puis il s'approche d'elle, la serre fort contre lui et lui murmure :

— Épouse-moi ! Tu te souviens, chez le Docteur Lemoine, j'avais dit que j'épouserais la nouvelle Julie. Je crois qu'elle est née.

Julie accepte. Ils profitent de l'hiver pour préparer la fête qui se déroulera en juillet dans leur jardin, où ils renouvelleront leurs vœux, entourés de la famille de Franck, des Maury, de Valérie, d'Alexis et de leurs enfants, et de quelques femmes rencontrées dans le groupe de parole.

# ET POUR CONTINUER ...

À l'heure où j'écris ces dernières lignes, le remariage de Franck et Julie n'a pas encore eu lieu puisque nous sommes en mai 2021. Je ne peux pas vous donner davantage de nouvelles, mais je peux imaginer le futur de Julie. Le bout du chemin n'est pas visible. Des obstacles surgiront sûrement. Le passé appartient au présent, mais il résistera de moins en moins. Julie apprendra à vivre avec et à devenir partiellement qui elle aurait dû être.

Elle ne croit pas en la magie, elle connaît les dommages de l'oubli, mais elle a trouvé une arme fatale : la puissance de l'amour. Celui de son époux, de ses enfants, de sa famille de cœur et de son amie d'adolescence. Elle n'effacera pas le drame ni les violences, elle continuera d'en découvrir çà et là, au détour d'une résurgence mnésique, mais elle enrobera d'amour toutes les peurs, les douleurs, pour apprendre à composer au mieux quand elles surgiront. Elle reconstituera peu à peu le puzzle avec, à présent, la conscience claire : elle n'a rien à se reprocher, elle n'est qu'une victime. Même si la justice a absous son bourreau de ses crimes, sous couvert de délai de prescription. Cette non-reconnaissance du statut de victime est difficile, elle n'aura pas le choix et devra l'accepter. Le droit à une existence plus sereine, moins bancale est devenu son désir le plus cher. Ça prendra du temps, mais elle y arrivera. Pour elle, pour les siens. Parce qu'avec toute cette lutte pour sortir la tête de l'eau, elle a découvert que le goût de la vie était plus sucré, plus doux, plus attirant que celui de la mort. Elle a réalisé que vivre avait du sens et ne méritait pas tant de brutalité envers soi-même.

Elle s'appelle Julie, elle a quarante-cinq ans et elle commence, enfin, à vivre. Vous connaissez peut-être une Julie, une grande ou une petite. Pour elle, pour toutes les autres, lisez la suite s'il vous plaît.

Ce roman entre fiction et réalité, pose un triple problème : les violences faites aux femmes, les violences faites aux enfants, dont l'inceste, et l'amnésie traumatique. Je ne vais pas vous assommer de chiffres, mais juste faire ce rappel. En France, on estime que ce sont, chaque année, plus de 130 000 filles et 35 000 garçons qui subissent des viols ou des tentatives de viols, en majorité incestueux, et que 140 000 enfants sont exposés à des violences conjugales, avec toutes les conséquences que cela implique (voir plus bas). On sait aussi qu'une femme meurt sous les coups de son compagnon ou ex-compagnon tous les 2 à 3 jours, soit en moyenne 120 femmes par an.

J'avais imaginé une fin tragique pour conclure mon roman (le remariage est fictif puisque la « vraie » Julie a divorcé, la présence d'un homme aussi bienveillant que Franck à ses côtés n'a pas réussi à l'aider à surmonter ses traumatismes). J'ai finalement opté pour une *happy end*, afin de terminer sur une note positive, motivée par Gwen, une collègue pétillante et souriante qui n'aime pas les récits qui se finissent mal. Et aussi pour donner de l'espoir à toutes les victimes et leur entourage. Je ne vous dirai pas que tout va bien pour la personne qui m'a inspiré Julie, je mentirais. J'ai pris quelques bribes de son histoire pour en inventer une autre, enrichie de nombreux témoignages de victimes d'amnésie traumatique. Aimer, travailler, se projeter, tout est compliqué et le restera pour certaines de ces personnes. Cela n'est pas sans conséquence sur leur vie de femme, de mère, dans leur couple et leur famille. Mais certaines parviennent à dépasser leurs blessures pour vivre à peu près normalement. « Ma » Julie, celle que vous venez de rencontrer à travers ce roman, est de celles-là.

Toutefois, l'étude ACE (Adverse Childhood Experiences), un programme de recherche menée entre 1995 et 1997 à San Diego, a mis en évidence un lien entre les traumatismes de l'enfance et des problèmes de santé ainsi que des problèmes sociaux à l'âge adulte. Ainsi, d'après cette étude, avoir subi plusieurs formes de violences dans l'enfance constitue **la principale cause** de mortalité précoce et de morbidité à l'âge adulte. C'est aussi le premier facteur de risque de suicide, de conduites à risques ou addictives (alcool, drogues, tabac), d'obésité, de dépression, de grossesse précoce, de précarité, de marginalisation, de situations prostitutionnelles et de subir de nouvelles violences ou d'en commettre à son tour.

# CHAPITRES BONUS

Vous aimeriez savoir ce que sont devenus Julie, Franck, Mély et Hugo dix ans après la levée d'amnésie traumatique de Julie ? Téléchargez vos chapitres bonus sur mon site jeanneyliss.fr/bonus ou en flashant le QR code ci-dessous :

# REMERCIEMENTS

Je remercie tout d'abord Manu qui m'a inspiré l'histoire de Julie, un soir d'hiver au détour d'une conversation à bâtons rompus. Il m'a raconté la vie de cette femme dont la mère avait été assassinée par son père. Il n'en fallait pas plus pour que, dans mon imaginaire, germe un récit à partir de ce dramatique évènement autour duquel j'ai tricoté l'histoire que vous venez de découvrir.

Mille mercis aux bêtas-lecteurs qui, une fois de plus, ont pris du temps pour lire le premier jet et apporter leurs remarques bienveillantes. Émilie, Florence, Guillaume, Loreleï, merci pour votre enthousiasme, vos encouragements, vos retours constructifs. Merci à Pauline, bêta-lectrice et psychologue, qui a porté un regard professionnel sur la construction des personnalités des personnages et sur les éléments relatifs à la thérapie. Merci à Manon, psychologue elle aussi, qui m'a apporté des éléments de construction alors que je réfléchissais à ce projet de livre. Toujours partants pour la suite ?

Merci à Lydie Wallon de 2LI pour la réalisation de la couverture. J'ai adoré travailler avec cette graphiste créative, réactive, patiente et à l'écoute. Je te retrouve pour le prochain ☺
Merci aux correctrices Sophie Ruaud et Émilie Robert. Sophie avait déjà corrigé mon précédent roman et avait produit un travail de grande qualité. J'ai renouvelé ma confiance et je ne le regrette pas ! Tu es top. Émilie est un beau soutien dans ce monde littéraire que nous apprivoisons l'une et l'autre depuis peu.

J'ai par ailleurs une gratitude infinie pour vous, lecteurs. Sans vous, mes écrits n'auraient pas de sens. Merci de prendre le temps de me lire, de me soutenir. Merci pour les commentaires que vous déposez sur Amazon et les réseaux sociaux, les mails que vous m'envoyez pour me faire part de votre ressenti. Ça me touche incroyablement, ça me motive, me booste et m'encourage dans mon choix. Un merci particulier aux lecteurs de la première heure, qui m'ont incitée à poursuivre dans cette voie et me restent fidèles.

Et surtout un grand merci à toutes celles qui m'ont permis d'écrire cette histoire à travers leurs témoignages bouleversants.

Je dédie ce livre à tous les enfants victimes de violences familiales, à ces victimes au destin brisé par la folie d'un homme, que rien ne semble pouvoir protéger alors que nous vivons en France en 2021.

Je dédie ce livre à toutes les personnes victimes d'amnésie traumatique et qui se battent pour la reconnaissance juridique de cet oubli. Leur but est d'amener le législateur à inscrire ce processus comme un « obstacle insurmontable » suspendant le délai de prescription, ce qui permettrait ainsi aux victimes de déposer plainte lorsque surgissent les souvenirs, même 40 ans plus tard.

Merci du fond du cœur de m'avoir lue. Si j'ai réussi à vous sensibiliser à ces causes à travers ce roman qui est, certes, une fiction, mais rappelons-le, inspirée d'un fait réel, alors j'aurai atteint mon objectif.

Si vous avez aimé ce livre, n'hésitez pas à le faire connaître et à déposer un commentaire, c'est la meilleure façon de le soutenir.

Avec toute ma gratitude pour chacun et chacune d'entre vous.
Jeanne.

Envie d'en lire plus ? Découvrez mes romans déjà publiés aux formats broché et numérique. Certains d'entre eux existent aussi en version audiobook ou poche :

**COLLECTION GRISE**
**romans du genre suspense psychologique, thriller psychologique, thriller domestique :**

*Pas sans lui (poche)*
*Dis-lui au revoir (audiobook)*

*Le mensonge des mères (audiobook)*
*Les cocottes bleues*
*L'ombre du doute*


**COLLECTION BLANCHE**
**romans du genre littérature blanche, tranches de vie :**

*Et je suis devenue le vent*
*Au creux de nos bras*
*Le silence du violoncelle*


Retrouvez tous mes romans en scannant le QR code ci-dessous

**Retrouvez-moi sur mon site internet jeanneyliss.fr**
**Suivez mon actualité sur Instagram et Facebook @jeanneyliss**

Printed in Great Britain
by Amazon

47373639R00152